LITTÉRATEURS ET ARTISTES

—

ÉMILE BLÉMONT

PARIS (xve)

BIBLIOTHÈQUE DE L'ASSOCIATION

91, rue Lecourbe, 91

—

1906

ÉMILE BLÉMONT

DU MÊME AUTEUR

ÉMILE BLÉMONT
1880

FERNAND CLERGET

—

LITTÉRATEURS ET ARTISTES

—

ÉMILE BLÉMONT

PARIS (xv⁰)

BIBLIOTHÈQUE DE L'ASSOCIATION

91, *rue Lecourbe*, 91

—

1906

ŒUVRE D'ÉMILE BLÉMONT

Mariage pour rire, comédie en un acte en vers, 1898
(*La Plume*)... ép.
En mémoire d'un Enfant, poésies, 1899 (Lemerre).... 20 »
Les Gueux d'Afrique, poésies, 1900   — 1 50
Les Litanies de Victor Hugo, poème, 1901 — 0 75
La Couronne poétique de Victor Hugo, 1902(Fasquelle) 3 50
Gavarni, prologue en vers, 1903 (Lemerre)............. 0 50
A quoi tient l'Amour, nouvelles, 1903 (Lemerre)...... 3 50
La Fête des Roses, comédie en un acte, avec Jules
Truffier, 1904 (Lemerre)............................... ép.
Beautés étrangères, poésies et études, 1904 (Lemerre). 3 50
La Bégum Jeanne, poème, 1905   —   . 0 50
Chez Phidias, poème, 1905   —   . 1 »
Le Génie du Peuple, 1905   —   . 3 50
Pour les Victimes de Courrières, poème, 1906
(Imp. Robert, Paris)................................... ép.
L'Ame étoilée, poésies, 1906 (Lemerre),.............. 3 »

Emile Blémont

Les Enfances [1]

Aux premiers temps de la Révolution française, Jean-Charles Jolly et Marie-Geneviève d'Hervilly, originaires de Saint-Ouen-l'Aumône, près Pontoise, étaient installés à Paris. Ils y eurent un fils, Jean-Baptiste-Charles, en 1791. Ce fils transporta définitivement le siège de la famille dans la capitale. Il y épousa, en 1814, Marie-Julie Margot, dont lui naquit une fille, Françoise-Eliza, deux ans après. Ils dirigeaient une teinturerie rue Saint-Martin ; et Jean-Baptiste Jolly acquit bientôt dans son quartier une triple popularité, comme habile artisan, républicain sincère et joyeux chansonnier. Cette souche parisienne avait l'âme, — à la fois bourgeoise et populaire, frondeuse, peu croyante, — de la démocratie moderne. Le teinturier

---

(1) Les détails biographiques de cette étude sont empruntés à des notes et documents qui seront réunis par Emile Blémont sous ce titre : *Mémoires d'un Poète*.

tournait des couplets, sans prétention, célébrant en famille, entre amis, la patrie, la liberté, l'amour, et
aussi son métier. Pendant les journées de 1830, il ins-
crivit lui-même sur le fronton de son magasin : *Aux
Couleurs nationales.*

. . . .

Il dressa, malgré la mitraille,
Sa double échelle en plein trottoir ;
Et seul, dominant la bataille,
Au beau soleil, sans s'émouvoir,

Sans prendre garde, flegmatique,
Grand, fier au milieu du danger,
Des deux côtés de sa boutique,
Le pied ferme, le bras léger,

Il cloua, tout baigné d'aurore,
A la barbe de l'ennemi,
Un pan de serge, tricolore
Comme le drapeau de Valmy...

Après les affaires de 1834, Jean-Baptiste Jolly cacha
plusieurs ouvriers compromis. Sa teinturerie, signalée
comme un foyer de propagande révolutionnaire, eut
une petite réputation républicaine. Cependant il n'oubliait pas ses devoirs familiaux ; il maria sa fille Françoise-Eliza à un jeune marchand de tissus, François
Petitdidier.

Les Petitdidier étaient d'origine lorraine. Au cours
du XVIII° siècle, François Petitdidier, cultivateur à
Baudrecourt, épousa une demoiselle Blémont, et en
eut un fils auquel fut donné l'unique prénom du père.

François Petitdidier, deuxième du nom, devint fabricant, blanchisseur et marchand de toile à Herny, gros village voisin, dans le même canton de Faulquemont, actuellement annexé à l'Allemagne ; il y possédait des terres, des chènevières, surtout des prés, où l'on étendait les pièces de toile pour les blanchir à l'arrosoir ; il avait aussi une maison à Metz. En 1803, il se maria avec Marie-Anne Bigarel, fille d'un laboureur, ancien maire de Herny ; lui-même devint maire de la commune, et fournisseur des lits militaires sous Napoléon Ier ; un fils qu'il eut en 1807 reçut encore l'unique prénom de François : détail à retenir, indication de fidélité et de simplicité traditionnelles. C'est la souche paysanne, croyante, conservatrice. François Petitdidier, troisième du nom, fut mis en apprentissage chez un marchand de nouveautés, à Metz, qui est à six lieues de Herny ; de là. il gagna Paris, fut employé dans plusieurs maisons similaires, et s'associant avec un camarade messin, fonda rue du Mail, 18, une maison de vente en gros de lainages et soieries ; il épousa Françoise-Eliza Jolly le 4 avril 1835.

Un fils, Henri, leur naquit l'année suivante ; puis, trois ans après, le 17 juillet 1839, un autre, Léon-Emile Petitdidier, qui fut baptisé le 20 à Saint-Nicolas-des-Champs, et qui devait être le poète Emile Blémont.

Le commerce de tissus allant médiocrement, les parents le quittèrent pour succéder à Jean-Baptiste Jolly, dans la teinturerie de la rue Saint-Martin. Les débuts furent pénibles, la prospérité ne vint qu'au prix d'un travail acharné, sans loisirs. Il fallut se séparer des enfants.

Léon-Emile avait été confié à une cousine du côté maternel, mariée à Saint-Ouen-l'Aumône avec un cordonnier et petit cultivateur qui, le dimanche, était « serpent » à l'église. Il resta jusqu'à cinq ans chez ces braves gens, dans cette maisonnette, au bord de l'Oise. De cette première enfance il ne garda que des souvenirs vagues, sauf de la terre battue qui formait le « plancher » au rez-de-chaussée, et du « serpent », ce mystérieux animal à musique devant lequel l'âme enfantine demeurait en extase.

Il fut mis ensuite à la pension Gilon, Grande Rue de Paris, à Belleville, où son frère était déjà. On voyait dans cette banlieue des cultures, des arbres, des jardins, et plus loin, vers le Pré Saint-Gervais, les Lilas, Romainville, Bagnolet, des bouquets de bois où les écoliers allaient en promenade. Dans les deux vastes cours de la pension, les jeux des enfants s'éployaient à l'aise. Léon-Emile y eut un jour, en courant, le front à demi fendu contre un sycomore.

Les ressouvenirs de ce temps sont plus précis. Le grand-père maternel avait eu un fils, Auguste Jolly, qui, devenu lui aussi, un bon teinturier et un poète chaleureux, mettait plus d'art en ses vers, fréquentait les « goguettes » et fut de la « Lice chansonnière ». Il rima *Spartacus*, un des chants héroïques les plus répandus en 1848 ; il connut Hégésippe Moreau ; Béranger l'accueillit paternellement ; Colmance, Dupont, Nadand furent ses amis. En 1848, Auguste Jolly se mêla aux luttes ; en 1851, enfermé au fort d'Ivry, il était destiné à Cayenne ou Lambessa ; il fut délivré alors par l'entremise du peintre Giraud. — En 1897, par les soins d'Eugène Baillet, les soixante ans de Lice chansonnière d'Auguste Jolly ont été célébrés dans un banquet où chacun a dit son couplet en l'honneur du doyen. — La période de 1848-1851 a laissé plusieurs impressions ineffaçables à Emile Blémont, surtout la Révolution de février et les sinistres journées de juin.

Deux autres visages subsistent vivement en lui, ceux de deux grands-oncles, bons vieillards, anciens officiers du premier Empire, qui, par leurs récits, exerçaient sur sa jeune âme curieuse, un prestige considérable. C'étaient le capitaine François Margot, un de ceux qui revinrent de la Bérézina, et le commandant Nicolas Bigarel, qui racontait le siège de Dresde et les conspirations bonapartistes de la Restauration.

Notre poète se souvient, en outre, qu'à sept ou huit ans il accompagna son grand-père Jolly dans la Haute-Loire, où il courut le pays avec des enfants de paysans. A la pension de Belleville, vers dix ou onze ans, il prit goût à la lecture, principalement à celle de l'Histoire ancienne et de l'Histoire de France ; il lisait aussi, avec une ardeur pensive, les poètes qui lui tombaient sous la main. Les légendes épiques le transportaient d'enthousiasme. Un jour, en retenue, tout seul au fond d'une large classe, il eut le désir instinctif de rimer des vers sur un épisode grandiose, qui avait exalté son imagination, dans le récit de la bataille navale où Duquesne vainquit et blessa mortellement l'amiral hollandais Ruyter. Il aligna de vagues alexandrins ; et ce fut la première manifestation du culte gardé toute sa vie pour la pensée rythmée, pour l'idée harmonieusement exprimée, pour les sentiments généreux et les vertus héroïques.

Peu de temps après, il fit sa première communion avec une profonde ferveur, une candide extase, dont il s'est souvenu dans ses pages sur le Péché *(A quoi tient l'amour)* : « ... Je n'osais penser à rien, je n'osais rien regarder, rien écouter, rien désirer, rien faire, de peur que l'ombre d'un péché ne vînt, entre l'absolution et l'approche de la sainte table, ternir mon âme tremblante, mon âme purifiée, mon âme toute blanche! C'était délicieux et terrible... Il a une souveraine puissance de rêve et de béatitude, cet élan de l'âme enfantine vers l'infini ! Que les choses raisonnables paraissent froides ensuite !.. »

Léon-Emile ne connut guère les douceurs de la vie de famille. Après la pension, il entra au lycée Louis-le-Grand, comme élève de quatrième, en octobre 1852. Ici, c'était la caserne, la prison, une compression morale et physique, trop d'études. Isolé parmi ces dédaigneux fils de famille, nature timide et tendre, un peu farouche comme toutes les âmes délicates mises en présence des basses rudesses du monde, il sentit pour la première fois les amertumes sociales. Peu à peu, il se fit quelques camarades ayant ainsi que lui le goût des efforts consciencieux, l'attitude discrète. Ce fut un très bon élève. Mais l'excès de travail, le manque d'air pur, lui infligèrent une fièvre typhoïde des plus malignes ; transporté dans sa famille, il fut sauvé par l'énergie, la clairvoyance assidue de sa mère.

Ses études furent retardées. Il lui fallait des soins prudents. Sa santé délicate ne se fortifiait qu'aux deux mois de vacances, passés en Lorraine, à Herny, chez sa tante Anne Thiriet. La vie champêtre toujours lui

fit grand bien. A Herny, tout était simple ; des carrés
de fumier s'étalaient devant les maisons basses, amé-
nagées en guise de fermes, gens d'un côté, bestiaux de
l'autre ; mais les fleurs, les arbres fruitiers, les noise-
tiers touffus, faisaient de ce coin un véritable paradis.
Puis il y avait les parents à voir, dans les villages voisins. Si les maisons offraient un réalisme rustique, la
campagne était pleine de charme et de rêverie. Il s'in-
téressait aux travaux de la terre, y aidait même ; plus
tard, il évoqua ce temps paisible et bon, dans ses *Portraits sans modèles* (Au Pays messin), et dans ces stances
limpides, de *l'Ame étoilée* :

> Que les prés sentaient bon et que l'herbe était douce !
> Comme la mûre au bois, parmi les bouleaux blancs,
> Brillait ! Je vois encor le velours de la mousse,
> Je crois entendre encor jaser les moineaux francs.

> Le sentier serpentait, clair ici, plus loin sombre ;
> Parfois un daim léger s'y dressait en éveil ;
> Sous les rochers tintait une source dans l'ombre ;
> Entre les arbres verts filtrait l'or du soleil.

> Le soir, après dîner, nous restions au village ;
> A notre porte était un large banc de bois ;
> Les enfants caressaient de leur fin babillage
> Les vieillards, qui pour eux rajeunissaient leur voix.

> Nul ne passait par là sans s'arrêter et dire
> Quelques mots d'amitié. L'un voulait bien s'asseoir,
> L'autre suivait sa route. Et de causer, de rire !
> Puis tout le monde en chœur rendait un gai bonsoir.

La lune se levait au milieu des étoiles
Et baignait l'univers de sa calme blancheur
Les cœurs, comme le ciel, étaient purs et sans voiles ;
Les rêves dans la nuit flottaient, pleins de fraîcheur.

O souvenirs lointains, que vous avez de charmes !
Pays perdu pour nous, je t'évoque en pleurant ;
Le vieux bouquet fané, que l'on mouille de larmes,
Peut exhaler quand même un parfum pénétrant.

Ces fins d'été sont la saison des fêtes de village ; le lycéen s'y rendait, chez des oncles, des cousins, la nombreuse famille paternelle étant éparpillée dans le département ; partout on faisait bonne chère, en buvant le petit vin rose du pays ou un vieux cru de Pagny

Les vacances de 1855 furent très favorables ; Léon-Emile put fournir une pleine année de rhétorique et remonter aux premières places. Un de ses professeurs, Hippolyte Rigault, l'humouriste du *Journal des Débats*, le sagace historien de *la Querelle des anciens et des modernes*, disait de lui dans ses notes, en avril 1856 : « Ne manque pas d'intelligence, mais paraît réserver sa bonne volonté pour la classe de français. » Il rimait parfois ses compositions françaises, telle une épître de Boileau à Racine pour le consoler de la chute d'*Athalie*. Quelque temps il eut pour voisin dans la salle d'études Gustave Flourens ; il ne devait le revoir qu'au 31 octobre 1870, en uniforme de commandant, botté, éperonné, lors de l'envahissement de l'Hôtel de ville.

L'élève fit sa logique avec le professeur Paul Janet, le philosophe, excellent homme qui le remarqua vite et le prit en affection. Il obtint en Sorbonne son di-

plôme de bachelier ès lettres, en décembre 1856. Une
note du proviseur est une sorte de définition de sa nature : « Esprit juste et distingué qui se développe par
un travail soutenu et bien réglé. » Il était alors premier sur quarante-deux. Il lut, avec succès, au banquet de la Saint-Charlemagne du 31 janvier 1857, une
satire en vers, *le Lorgnon*, de forme mi-classique, mi-
moderne. Vers ce temps, il traduisit en vers pour la
classe d'anglais les *Adieux à la mer* de Byron. Mais il
retomba malade, et le père, qui avait rêvé l'école po
lytechnique, se dit que le travail manuel remettrait
cette santé chancelante : il décida que l'adolescent serait apprenti-teinturier.

Malgré la mère hésitant à quitter l'ancien rêve, malgré M. Janet qui redemandait son élève, celui-ci dut
apprendre le métier dans l'atelier paternel. Docilement,
« le logicien de la veille chaussa les gros sabots de
hêtre, pataugea dans l'eau sur les pavés, épingla à son
bourgeron les coupures d'étofle où s'échantillonne
l'ouvrage qui reçoit le mordant, puis la couleur, et
prit en main le chevillon pour tourner et retourner
les pièces à teindre dans le bain convenablement dosé
de la chaudière bouillonnante. » Il ne s'étonnait pas de
la décision paternelle, s'efforçait d'être sage, positif. Mais
bientôt une mélancolie l'envahit ; ses seules distractions furent le théâtre, des lectures, quelques rimes
faites en cachette. Ce retour à la poésie fut irrésistible,
avec un mélange de honte furtive et de joie intime.

L'amour du rythme, de l'harmonie, de la beauté
idéale, lui venait de la famille maternelle ; celui de la
tradition, hérité de la souche paternelle, ne devait se

manifester que plus tard. Aussi, la mère se reconnaissait mieux que le père en cette jeune âme déjà vibrante de mélodies. Les deux influences étaient des contraires : ainsi le paysan lorrain, autoritaire, conservateur, voudra qu'une messe soit dite sur son cercueil ; la Parisienne, de pensée libre, de sensibilité indépendante et de généreux entraînement, demandera par testament, ayant foi en Dieu mais non en l'Eglise, un enterrement civil. François Petitdidier ne comprenait pas son fils, et celui-ci ne s'accoutumait guère. Il devenait même d'une fierté ombrageuse et timide ; le peu d'intimité de la maison familiale, le peu de sorties, l'amenaient à se réfugier plus que jamais en des lectures poétiques ou romanesques. Au lycée, ç'avait été Virgile, Racine ; puis, par le grand-père et l'oncle Jolly, Béranger, les *Iambes* de Barbier ; à quinze ans, il avait admiré Corneille : heures d'enthousiasme qui le régénéraient. Il connut aussi les *Méditations*, *Jocelyn*, lecture préférée de sa mère ; et aux vacances, il s'égara dans les prés, dans les bois, en répétant l'*Isolement*, le *Lac*, les *Préludes*. Le Théâtre de Voltaire le retint un instant, celui de Victor Hugo le fascina. Il dévora encore des poètes, des prosateurs du xviii⁰ siècle, puis Chateaubriand, Balzac. Balzac ! était-ce donc ça la vie ? Il la craignit, n'oublia plus cette impression. Ayant épuisé la bibliothèque paternelle, il chercha d'autres aliments à son esprit inquiet et avide, lut d'un trait les poésies de Musset, en demeura enivré, exalté.

Les parents, dans l'intérêt de leurs deux fils, décidèrent que l'aîné seul succéderait à la teinturerie. Léon-Emile fut placé chez un oncle paternel, dans un grand magasin de nouveautés, à la Pointe-Saint-Eustache. Là, un associé rébarbatif l'obligea d'abord à la vente des marchandises bon marché de la devanture. Le bachelier, tête nue et ciseaux à la main, sur ce trottoir de la rue Rambuteau, ne se sentait pas à son aise. De plus, il était malmené sournoisement par les chefs et les commis qui, envieux, excitèrent contre lui un autre fils de marchand, employé là aussi : il y eut un duel à coups de poing, dans une cave, des bleus et des noirs aux visages ; les deux adversaires devinrent d'ailleurs bons amis.

Léon-Emile « constatait, avec une ironie pensive et silencieuse, qu'après avoir été le plébéien dédaigné au lycée, il était à présent l'aristocrate envié par les employés de commerce ». Il lisait peu maintenant, n'aspirait qu'à l'indépendance, restait dévoyé, navré. Distrait et maladroit parmi les intérêts matériels, il ne savait pas mentir, dissimulait mal, dédaignait l'art de tromper pour gagner.

Alors, l'ennui, l'amertume s'abattirent sur lui. Il prit part aux distractions de quelques camarades ; mais il n'avait pas le tempérament, ressentait une bizarre et pénible sensation de déchéance. Une fièvre, un vertige l'épuisaient, le brisaient. Il retomba gravement malade. Cette fois, lui sembla-t-il, c'était la fin. Il la vit venir sans angoisse, ne regrettant rien, sauf de peiner ses parents. Les soins patients de sa mère l'arrachèrent encore une fois à la mort, et personne ne parla plus de sa rentrée dans la maison de l'oncle. D'ailleurs, le médecin conseilla un voyage, et Léon-Emile fut envoyé en Angleterre.

Romantisme

Le jeune homme fut reçu dans une famille, à Brigh-
ton, où il devait rester jusqu'à ce qu'il sût l'anglais.
Le pays lui plut. Il se mit à lire avec délices prosateurs
et poètes d'Outre-Manche. Ses lectures s'entremêlaient
d'exercices au grand air, de jeux, de sports. Il vivait
de la vie commune, s'initiait aux mœurs et usages,
accompagnait même ses hôtes et leurs enfants, le dimanche, à l'église anglicane, apprenait tout ce qu'il y
a de charme et de grâce dans ce vieux mot français
fleureter, dont nos voisins ont fait le moderne mot *flirt*.
C'étaient encore de libres promenades aux sites pitto-
resques, ou en mer. Un jour, avec un autre jeune
homme et deux jeunes filles, on s'éloigna quelque peu
de la côte ; un vent contraire et un mauvais courant
entraînèrent la barque au loin ; les deux couples
eurent des instants de cruelle angoisse ; les misses
pleuraient ; une d'elles se mit à prier ; les jeunes gens
eurent beaucoup de peine à regagner le rivage ; ils n'y
arrivèrent qu'à dix heures du soir, les mains en sang
à force de ramer.

Les dix ou onze mois que Léon-Emile vécut là
furent excellents. Il y connut la vie et le rêve britanniques. Il fit une étude à fond de la poésie anglaise,
et rima des vers idylliques, des stances à miss Bella,

dont il a conservé seulement quelques pages dans son volume *Contes et Féerie*. Saut une fois, au *Journal-Programme du Casino de Dieppe* (août 1859), il n'avait rien publié encore. Il recouvra la santé physique et morale, l'amour de la vie et de la nature. Mais l'humanité, en dehors d'une élite peu nombreuse, est partout vulgaire, superficielle : voilà qu'il vint un autre pensionnaire, gai, fanfaron et riche ! On ne vit plus que lui. Léon-Emile, alors, se déplut dans cette maison ; et il accepta une position dans le grand commerce de la Cité, à Londres. Il ne partit pas sans émotion, à cause de miss Bella. Les lettres qu'ils échangèrent devinrent de plus en plus rares ; puis le temps, l'éloignement, firent l'oubli.

L'hiver, passé chez un gros commissionnaire allemand, en relations avec Hambourg, ne fut pas gai. C'étaient des écritures au bureau, des allées et venues dans la Cité. Libre à cinq heures, il s'en allait entre d'interminables rangées de maisons noires, dans le brouillard, sous le ciel de plomb, au milieu d'une foule hâtive, morne, de visages fermés, d'âmes closes ; il était l'étranger, l'exilé, qui partout est seul. Dans sa chambre de Tottenham-Court-Road, il revenait à Shakespeare ; parfois il allait l'entendre au théâtre ; il se prenait d'affection pour Robert Burns, faisait connaissance avec l'Ecole préraphaëlite de Rossetti, et cultivait les romanciers, Dickens principalement. Il eut des crises de spleen, alla se loger à Chelsea, vers les parcs, dans une petite maison de Halsey Street, où il eut moins de tristesse et un air plus sain. Le printemps enfin ramena un peu de soleil.

Léon-Emile, pour l'Exposition internationale de 1862
à Kensington, eut à surveiller, dans la section française, les travaux d'aménagement de la vitrine paternelle. Par accident, il se cassa le bras gauche. Bien
soigné, son bras guérit. Pendant sa convalescence, il
voyait souvent, à une fenêtre de la maison d'en face,
une gracieuse jeune femme ; ce fut une autre idylle,
où l'on parla moins de mariage et plus d'amour : s'y
rapportent les pages les plus vives de *Contes et Féerie.*

L'Exposition terminée, le jeune homme fut rappelé
à Paris ; son père craignait qu'il ne devînt par trop
anglais. C'était aux premiers jours de 1863. Quelque
temps après, Léon-Emile alla aux Rosiers-sur-Loire, en
Anjou, remettre en bon état une propriété léguée par
l'oncle Bigarel. Puis, au nom des créanciers d'une
grande maison de commerce en liquidation, il se rendit à Madrid, au commencement de mars, pour y re-
couvrer une assez forte créance sur l'infante doña
Isabel Fernandina de Bourbon. En passant, il visita
Bordeaux, Bayonne, et admira le pays pyrénéen. La
traversée des Pyrénées et du Guadarrama, en dili-
gence, sous la neige et le vent glacial, le déconcerta ;
même à Madrid, cette bise âpre et coupante persistait.
Il se logea au centre, près de la Puerta del Sol, dans
une *casa de huespedes*, maison d'hôtes plus familiale
et tranquille qu'un hôtel.

Le printemps vint ; Madrid apparut une ville charmante pour un poète et un artiste. Léon-Emile, le re-
couvrement de la créance étant impossible, mit à profit
son séjour, apprit la langue, explora le pays. Il loua
un logement particulier dans la Plaza de Felipe III,

visita le magnifique Musée du Prado, feuilleta les
poètes et prosateurs d'Espagne, anciens ou modernes.
Grâce à des lettres, à des relations personnelles, il put
se mêler à la société madrilène. S'il parvint bientôt à
parler couramment espagnol, il le dut surtout à la
jeune castillane qu'il a célébrée sous le nom d'Amalia,
dans *Contes et Féerie*. Il prenait goût aux plaisirs et
aux passions de ce peuple fier et ardent. Cela ne pouvait durer ; on le rappela en France.

Il revint par l'Andalousie, vit et admira Tolède, Séville, Cordoue, Cadix, Grenade. Embarqué à Malaga,
en juillet, par un temps superbe, une mer magnifique,
il fit connaissance, sur le bateau, avec des jeunes gens
d'Alicante qui le fêtèrent à l'escale ; on le recondui-
sit à bord, en pleine nuit, en chantant de vieilles chansons populaires ; et les rameurs, à chaque coup de
rame dans l'eau phosphorescente, soulevaient des
gerbes d'étincelles. Il visita Valencia del Cid, Barcelone.
Après un séjour de vingt-quatre heures à Marseille, il
remonta la vallée du Rhône, non sans s'arrêter une
quinzaine à Valence, chez un excellent oncle, l'impri-
meur Edouard Marc-Aurel, revenu de Paris pour diriger la maison de son père, l'historique ami du sous-
lieutenant d'artillerie Napoléon Bonaparte.

Il passa l'automne en famille. La vieille maison de
la rue Saint-Martin fut alors démolie, par suite d'expro-
priation pour l'agrandissement du Conservatoire des
Arts et Métiers. La boutique fut transférée de l'autre
côté du square, dans un immeuble que François
Petitdidier avait fait bâtir boulevard Sébastopol, 127.
Pour les ateliers, il avait acheté un terrain à Saint-

Denis, entre rivière et canal, et y avait édifié une assez grande usine. Les affaires chaque jour prenaient de l'extension ; le fils aîné, Henri, se maria, devint l'associé du père.

Et Léon-Emile ? On tint un petit conseil de famille, pour décider de ses destins. Persuadé que jamais il ne serait habile et heureux dans le commerce ou l'industrie, il le déclara. Le débat fut orageux. La mère parvint à calmer père et fils. Celui-ci obtint de vivre librement, mais s'engagea à faire des études de droit, et, de plus, à entrer comme clerc surnuméraire chez un avoué. Ainsi le père organisait la vie de son fils de telle sorte qu'il ne pût s'occuper de littérature. La littérature, c'était la bohème en ce temps-là pour le monde bourgeois ; maintenant, les financiers sont fiers de marier leurs filles avec des auteurs en vogue.

Léon-Emile entra donc chez Me Elphège Lesage, avoué de première instance, rue Sainte-Anne ; et il fut ponctuel à l'Ecole de Droit. Mais le soir, dans sa chambre mansardée de la rue Taranne, il feuilletait les vieux livres aimés, les nouvelles œuvres remarquables. Il alignait quelques rimes, rentrait tout doucement dans les régions de la vie intellectuelle, artiste. Il passa les vacances de 1864 sur la côte normande. Son amour de l'océan s'y accrut. Il se plut aussi à y faire des stances et des contes avec ses souvenirs d'Angleterre et d'Espagne, complétés par ceux de France, par ses rêves, ses chimères. Sous l'influence persistante de Musset, il mit en vers libres une nouvelle de Boccace et rima en alexandrins cavaliers les amours d'une belle Madrilène.

L'été suivant, il fit un long séjour en Suisse. Ce fut
une bonne station de repos dans son ingrat travail de
second clerc et d'aspirant à la licence. Il visita, jusqu'aux premiers jours de novembre, Genève, Évian,
puis Lucerne où il occupa, dans une pension de famille, une chambre de la tourelle si pittoresque élevée
au bord de l'eau, à l'endroit où la rivière se transforme
en lac. Il reparla anglais avec des ladies et des misses
voyageuses, se plongea délicieusement en pleine nature et en pleine poésie. L'influence de Musset fut
alors éclipsée définitivement par celle de Shakespeare.
Dans son enthousiasme pour *la Tempête* et *le Songe d'une
nuit d'été*, il conçut l'idée, dressa le plan et rima les
premières scènes d'une féerie : *Tremlès*. N'ayant pas la
moindre relation avec le moindre poète, soupçonnant
à peine les nouvelles idées du monde littéraire et le
travail de la jeune école parnassienne, il était plein
d'inexpérience technique, mais en revanche tout gonflé
de ferveur instinctive, d'imagination ; et son cœur
battait de contentement, lorsque des vers, improvisés
dans un élan d'inspiration naïve, offraient quelque
peu « la beauté du diable ».

Ils passèrent vite, ces jours d'automne où, le matin,
le jeune poète s'en allait cueillir des pensées sauvages
par les prés, au bord du lac entouré de hautes montagnes ; où, la nuit, cet avènement de l'âme que le vulgaire nomme illusion lui révélait des palais féeriques,
des jardins merveilleux, peuplés de visions divines et
de célestes harmonies, dont ses vers enthousiastes et
ingénus n'ont gardé, dit-il modestement, que des
reflets bien pâles et des échos brouillés. C'est là pour-

tant, plus qu'en Angleterre et en Espagne, là, en pleine, belle et puissante nature, que le poète vraiment s'éveilla, devina, comprit.

Le rimeur vient plus tôt ou plus tard ; et tous les poètes n'ont pas rimé. Mais quiconque eut ces levées de soi-même ou en soi-même, ces transports d'émotion profonde, de divination sublime, fut poète. Le vrai poète n'emprunte aux livres que des idées complémentaires et du métier plus savant ; il naît de la nature, et c'est de là qu'il peut observer ensuite l'humanité, concevoir l'infini, être lyrique, épique ou dramatique.

Pendant l'hiver de 1865-1866, Léon-Emile termina les cinq actes de *Tremlés*, qu'il réunit aux contes et poèmes de ses tiroirs. Sa mère voulut bien favoriser son projet de publication ; mais pour l'autorisation paternelle, ce fut une affaire d'Etat. François Petitdidier consentit cependant, sous la condition que l'auteur prendrait un pseudonyme. L'auteur aurait voulu : Léon Didier. Le père fut inflexible sur ce point : il craignait d'être compromis dans sa gravité, sa considération, sa correction de notable commerçant. Alors le jeune poète choisit le nom de famille de son arrière-grand'mère paternelle, et fut désormais : Emile Blémont.

Le volume : Contes et Féerie, parut au printemps de 1866, chez Julien Lemer (Librairie centrale, 24, boulevard des Italiens). L'auteur affirmait juvénilement au lecteur que la poésie n'était pas morte, et lui offrait d'abord sa *Lola*, romantique récit d'amours en Espagne :

> La nuit tombe, Madrid s'endort sur ses collines :
> Le murmure de l'eau, le chant des mandolines
> Déjà sont les seuls bruits qui troublent par instants
> Le silence du soir sous les rideaux flottants.

Parmi des influences de Musset, surgissent de jolis vers, expressifs :

> Oui, vous avez aimé de jeunes charmeresses,
> Et déliré d'amour sous leur regard profond,
> Quand leur corset brisé cédait à vos caresses
> Et qu'un flot de cheveux débordait sur leur front.

La passion du jeune don Rafaël s'exalte :

> Il voulait tant l'amour qu'il crut l'avoir trouvé.

Il est jaloux du torero Talto, querelle Lola, cependant que le poète brosse un coin riant de description, le soleil éclairant au matin les bosquets et la ville, puis évoque les moments qui suivent l'abandon :

> Les nuits de volupté, couvertes d'un suaire,
> Sortent en grimaçant de leur sombre ossuaire,
> Et d'un poignard tordu vous percent tour à tour.

Lola est chez le Talto ; elle veut partir avec lui, qui lui chante une chanson vive sur un air lascif. Alors paraît don Rafaël ; les épées se froissent, le Talto est tué. Lola bondit, arrache l'épée du vainqueur et le frappe dans un emportement de folie.

> Entre les deux corps morts, dans les flaques de sang,
> La belle fille alors s'accroupit, l'œil luisant,
> Le sein nu, les deux bras posés sur des blessures,
> Symbole horrible et vrai des voluptés impures.

Le Basilic salernitain, conte imité de Boccace, est un sombre récit, simplement raconté, d'allure classique ; la forme en est soignée et présage le talent futur.

Suivent des POÉSIES DIVERSES : scènes d'amour, rythmes assez variés ; art descriptif de lignes, de couleurs, d'attitudes, d'expressions. Une jeune amoureuse est bien peinte en son vif sentiment. Puis, lisez ceci, qui est remarquable de vérité narquoise et qui s'adresse *À la Timidité* :

> Enfant, au lieu d'errer seul lorsque le soir tombe,
> Et de mêler tes pleurs aux larmes de la nuit,
> Au lieu de t'accouder au marbre de la tombe,
> Tandis que le follet sur les roseaux s'enfuit ;
>
> Au lieu de contempler l'astre d'argent qui brille,
> Et d'effeuiller aux vents les débris d'une fleur ;
> Au lieu de murmurer un nom de jeune fille,
> Et d'accuser le ciel en te frappant le cœur ;
>
> Relève impudemment ta moustache naissante,
> Laisse à tes yeux monter la flamme du désir,
> Puis répète à Suzon que sa taille est charmante
> Et que ses deux seins blancs sont faits pour le plaisir.
>
> Emmène-la danser, fais-la ta prisonnière ;
> Débouche entre vous deux un beau flacon vermeil ;
> Baise-la sur la bouche et souffle la lumière :
> Tu seras un autre homme au lever du soleil.

Le poëte a une heure de tristesse :

> Non, ce n'est plus pour moi que fleurissent les roses,
> Non, ce n'est plus pour moi que chantent les oiseaux ;
> Les sources du bonheur à mes lèvres sont closes,
> Et mon cœur desséché s'empoisonne aux ruisseaux.

Puis se suivent des souvenirs, des regrets d'enfance, d'adolescence, d'émotion familiale, et des illusions perdues, fleurs effeuillées, soupirs de la brise et des nuits amoureuses. Des figures étrangères, gracieuses évocations, passent, et des impressions d'après des poètes. *Claire*, une jolie idylle. offre sa fraîcheur. Parfois de l'observation. Voici des jeunes filles, entre lesquelles hésite le rimeur. Laquelle séduit le mieux son cœur changeant ? *L'Eglantier* est une bonne poésie, sur des visions féminines qui se succèdent, la brûlante, la timide, la coquette, l'indolente, — et sur celle qui viendra :

> Que sur son front beau de candeur,
> Que sur sa lèvre purpurine
> Vive et meure chaque églantine,
> Car notre églantier, c'est mon cœur !

Ce premier recueil poétique a de la solidité, de l'unité.

Tremlès, qui le termine, est une comédie féerique en cinq actes, dont le sujet se déroule en Suisse, au xv⁰ siècle. Le début ne manque pas d'animation. Des soldats s'en reviennent, vainqueurs pour la liberté. Carlos va revoir Tremlès, sa fiancée. Zulnaz raconte la victoire à Pimpernette, sa promise, et lui offre un brillant collier qui l'enchante. Mais Carlos, inquiet, cherche Tremlès, interroge ; elle est folle, lui dit-on :

> Elle rêve longtemps, les yeux sur les montagnes,
> Nous appelle du doigt, puis, quand nous approchons,
> Se sauve en souriant, sous les arbres se cache,
> Revient en se voilant des rameaux qu'elle arrache,
> Et rentre à petits pas, tandis que nous cherchons.

Il n'y veut pas croire ; cependant elle arrive en chantant une romance, et ne le reconnaît pas. Puis de son chant, airs et paroles tournent, malgré les appels de Carlos, en thèmes de folie.

Au deuxième acte, dans les bois, des lutins se content des histoires, en vers mélodieux et légers. Azul, leur roi, s'est épris de Tremlès ; et Lellina, reine des sylphides, jalouse, a fait passer l'âme de la jeune fille dans sa perruche favorite. Et depuis, plus d'ébats, plus d'allégresse. Mais deux amoureux s'approchent : c'est Zulnaz qui parle mariage, et Pimpernette qui lui répond :

> Oh ! c'est un doux métier que d'être jeune fille,
> Quand on n'est pas trop laide et qu'on sait s'habiller ;
> Les plus jolis garçons suivent votre œil qui brille,
> Et l'on peut tous les jours changer de cavalier.
> Ici c'est un salut, plus loin c'est un sourire ;
> On est fière avec l'un, l'autre vous attendrit ;
> La voisine est jalouse, et le voisin soupire ;
> Les sots pour vous parler trouvent un peu d'esprit.

Comme Zulnaz lui fait le tableau des joies familiales, elle l'envoie cueillir la fraise, se couche et s'endort. Les lutins l'entourent, l'éveillent, l'emmènent. Quand Zulnaz reparaît, ses appels ne font venir que Lellina et ses sylphides. Il veut être aimé, dit-il. La reine des bois le touche de sa baguette, et le voilà transformé, embelli, rêvant à d'autres femmes. Il sort. Pour bercer le repos de Lellina, les sylphides dansent, en chantant des rimes alanguies et caressantes.

Une fête champêtre assemble le peuple. Carlos, sombre, rêveur, veut s'enrôler parmi les mercenaires

du roi de France ; mais Tremlès paraît, qui semble
d'abord le reconnaître :

Où donc vous ai-je vu ? Dans les prés, un matin.
Les oiseaux de leur aile effleuraient les corolles,
Ils chantaient, vous parliez, nous marchions sur le thym ;
Mais je ne comprends plus le sens de vos paroles...

Elle s'enfuit vers les bois. L'acte finit par une scène
animée, un dialogue brillant, des chants, des jalousies
contre le beau Zulnaz, battu à la fin, sous les railleries
des sylphides accourues.

Dans les bois, la lune éclaire le groupe léger des
fées et des lutins. Lellina querelle Azul à propos de
Tremlès :

Si belle qu'elle soit, elle est femme, et mortelle ;
Tu verras se ternir ses brillantes couleurs.
Ses lèvres pâliront plus vite que les fleurs,
Et, comme un arc-en-ciel entre deux jours d'orage,
De sa frêle beauté s'éteindra le mirage.

Il s'écrie :

J'en garderai du moins l'éternel souvenir !

et s'éloigne. Carlos survient. Lellina veut le tenter,
mais lui, noble et douloureux :

Aux champs pleins d'épis d'or demandez deux moissons,
Deux agneaux aux brebis, aux bois deux floraisons ;
Demandez deux ruisseaux à la source profonde,
Aux lilas des jardins une double couleur,
A l'oiseau deux chansons, deux créateurs au monde,
Mais ne demandez pas deux amours à mon cœur :

Elle écoute ses supplications en faveur de Tremlès, qui s'approche, murmurant :

> L'amour, ah ! je sais bien, c'est un bel étranger ;
> Je le vis un matin s'asseoir devant ma porte ;
> Il avait un bouquet fait de fleurs d'oranger,
> Et me dit : C'est pour toi, Tremlès, que je l'apporte.

> Il dit, mon cœur battait, et des divines fleurs
> Arrivait jusqu'à moi la senteur caressante ;
> Et l'amour souriait, et je versais des pleurs,
> Tant je me sentais bonne, heureuse et confiante !..

Alors Lellina lui rend son âme. Tremlès reconnaît Carlos et tombe dans ses bras. Azul accourt, la reine des bois l'arrête ; il voit le couple embrassé, et... un peu vite, revient à l'amour de Lellina.

Mais Pimpernette ? Les lutins l'entourent de rires et de jeux. Or, elle s'ennuie :

> Il me faut mon village,
> Ma maison, mon foyer, mon lit blanc, mes grands draps,
> Mes poulets, mes brebis, mes choux, mon chien, mes chats,
> Le cri de nos grillons, les grelots de ma mule,
> Les longs mugissements des bœufs au crépuscule,
> Le tic tac du moulin et le bruit du fuseau,
> Le son du vieux coucou, la plainte du berceau,
> Le chant du vagabond, le roulement des coches,
> Et l'orgue succédant au tintement des cloches.

Eux aussi se fâchent, et l'un riposte :

> Jase, tourne, frétille, enfante, sois nourrice,
> Élève tes bambins, fais paître ta génisse,
> Epluche tes navets, pleure beaucoup, ris peu,
> Et geins sous le bâton d'un époux ivre ; adieu !

Ils disparaissent. Par où va-t-elle aller ? Mais voici Zulnaz, boiteux, piteux, le bras en écharpe. Juste à point pour la réconciliation ! Ils font leur paix. Les esprits de la forêt les environnent ; Lellina guérit Zulnaz, et les convie tous deux à la noce de Tremlès et Carlos. — Un deuxième tableau, dans un jardin, sous le clair de lune, est une jolie et joyeuse scène d'idylle autour du mariage. Des rondes de jeunes gens, de jeunes filles, alternent avec les jeux et les chants des lutins, des sylphides, qui s'éloignent en envoyant des baisers aux époux, sur leur balcon, embrassés.

Tremlès est une pièce douce, gaie, fleurie. Plusieurs genres y sont réunis avec souplesse. L'ensemble est fragile ; mais il offre une fraîcheur d'idées sentimentales, indiquant la voie prochaine du poète.

Dans *Contes et Féerie* sont rassemblés la plupart des éléments romantiques de la jeunesse d'Emile Blémont ; on y distingue, en promesses, la synthèse de l'œuvre future : lyrisme intime, amour de la poésie populaire, sens du théâtre.

Le débutant adressa son livre à des critiques, à des poètes. Francis Magnard (*le Derby*, 7 avril) en écrivit : « Il a de la grâce et un certain souffle qui promet pour l'avenir un poète sincère. » Dans *le Nain Jaune* du 18, Arnold Mortier énumérait : « Il y a là un peu de philosophie, beaucoup de nature, les amours du Quartier-Latin, des contes émouvants, des poésies gracieuses, et une comédie-féerie fort originale. » Jules Janin promit, par lettre, de « conserver ce beau livre. »

Blémont avait porté le volume à Emile Zola ; il le trouva en haut d'une vieille maison de la rue de Seine, dans une chambre mansardée, où le futur créateur des Rougon-Macquart fumait sultanesquement sa pipe entre plusieurs jeunes femmes. Il fut un peu déconcerté. Zola lui fit néanmoins un aimable article dans *l'Evénement* du 20 avril : « Impossible, y disait-il, de manier le vers d'une façon plus habile et plus souple ; » mais il se déclarait « désespéré de cette habileté... M. Emile Blémont m'a charmé ; j'aurais préféré qu'il m'eût irrité. D'ailleurs, je vous le dis, pouvez-vous trouver quelque chose de plus charmant et de plus gracieux que ces strophes intitulées : *la Marguerite ?* » Et Zola citait la pièce.

Chez Leconte de Lisle, l'accueil fut moins indulgent, voire un peu dédaigneux, un peu hautain. Le jeune auteur n'avait-il pas mis en tête de son recueil : « On a dit que la poésie était morte !.. » Pourquoi ne s'était-il pas dirigé plutôt vers la tombe de Musset, puisqu'après Musset aucun poète honorable ne lui semblait subsister ? Et Leconte de Lisle exécuta Musset : un aphrodisiaque dandy de lettres ! « Il n'en a pas moins laissé de bien belles pages, objecta Blémont. — Lesquelles ? — *Les Nuits*. — Des clairs de lune étrangement lâchés ! » C'était sévère, mais injuste.

M. Rollin, dans *la Revue française* du 1ᵉʳ octobre, dit en un bienveillant article : « Voici un livre qui annonce un beau talent, une imagination brillante, une voix souple et harmonieuse ; il est plein de promesses... L'auteur est de la famille des vrais poètes. »

Banville écrivit à Blémont : « Pardonnez à un malade surchargé de mille occupations, de ne vous avoir pas remercié plus tôt de votre gracieux et fraternel

envoi. J'ai lu et relu vos *Contes* et votre *Tremlés* ; et
j'ai été tout à fait charmé par votre poésie jeune, vive,
amoureuse, où toutes les magies de la couleur se ré-
unissent pour nous faire voir un monde vraiment
féerique ! Je ne suis pas un juge, et nous avons trop
les mêmes admirations et les mêmes sympathies pour
que je puisse vous lire autrement qu'avec une partialité décidée ; aussi n'ai-je à vous transmettre qu'une
impression, mais excellente et tout à fait amie. J'admire avec quelle liberté, avec quelle puissance de
verve originale vous adorez Shakespeare, sans rien lui
prendre que l'ardent amour par lequel il évoque les
mille vies cachées de la nature. Votre versification,
comme votre pensée, est bien à vous, aussi bien dans
ses énergies que dans ses rares défaillances. Je ne doute
pas, monsieur et cher poète, que vous ne vous fassiez
bien vite la place qui vous est due ; et d'ailleurs, quel
que soit le résultat de vos efforts, vous avez déjà
vaincu les plus grandes difficultés en trouvant votre
manière sans rien emprunter à nos maîtres ! Le reste
n'est rien, quand on est organisé comme vous l'êtes,
c'est-à-dire avec le don de créer et de peindre. Croyez
que vos succès ne rendront personne plus heureux
que votre très reconnaissant et très dévoué Théodore
de Banville. »

Blémont, vivement touché, se présenta chez Banville,
et fut reçu d'une façon qui le toucha plus encore ; de
cet instant, il voua à cet homme exquis une affec-
tueuse reconnaissance. C'est par Banville que le
monde des lettres lui fut ouvert, c'est chez lui qu'il se
lia d'amitié avec les jeunes poètes du Parnasse : Va-

lade, Verlaine, Mérat, des Essarts et tant d'autres. Il
ne peut se rappeler sans un profond et mélancolique
attendrissement « les heures ailées qu'il passa dans le
petit salon de la rue Crébillon, près de l'Odéon, puis
dans le salon plus large du rez-de-chaussée de la rue
de l'Eperon. La bonne grâce de Banville était si fine
et si cordiale ; son esprit si vif et si joyeux, sans mé-
chanceté ni amertume, paternel et fraternel avec ses
jeunes amis ! »

Le débutant avait adressé aussi son livre à Victor
Hugo. Il ne reçut pas de réponse. Mais vingt ans plus
tard, invité à passer un mois d'été en la célèbre résidence de Guernesey : Hauteville House, il retrouva
l'exemplaire, autrefois envoyé, sur un rayon de l'étroite
bibliothèque du *look-out*, parmi les livres peu nombreux que Hugo gardait près de lui, en haut, dans ce
petit cabinet de travail, tout vitré, d'où il dominait les
îles et la mer.

Lé Parnasse

Emile Blémont écrivait, poussé par l'instinct, sans même, en ce temps, s'aviser que les écrits, lorsqu'ils naissent viables, sont naturellement destinés à des communautés d'efforts littéraires. Il n'existe pas d'œuvre absolument individualiste. Rien ne peut se soustraire à l'âme générale dévolue aux peuples et à l'humanité. Le jeune poète, par ses lectures, ses voyages, ses aventures, avait complété sa vision personnelle ; il avait fait du romantisme sans le savoir. Avec l'âge, avec l'expérience, on se connaît mieux ; on donne à ses actions, à ses travaux, une facture réfléchie, une direction voulue, un aspect marquant leur place dans l'ensemble des œuvres humaines. Blémont, pour l'instant, se laissait vivre, se laissait songer. Mais bientôt il allait commencer à connaître l'influence des circonstances et des compagnonnages, aussi nécessaires à la formation des tempéraments que le sont les dons naturels.

Cette même année 1866, il concourut pour le prix de poésie de l'Académie française : *La mort du président Lincoln*. L'amour des vers avait mis quelque trouble dans les études de droit ; cependant, le 28 février 1867, Blémont soutint devant la Faculté sa thèse pour la licence. La question de droit romain portait sur l'Exception de la chose jugée : *De exceptione rei judicatæ*, et la thèse française traitait *Des Présomptions*. Son diplôme lui fut délivré le 1er avril. Il se fit inscrire le 4 mai au tableau des avocats stagiaires à la cour de Paris, quitta l'étude d'avoué, et devint secrétaire de Me Oscar Salvetat, avocat jouissant d'une belle clientèle dans le haut commerce. D'origine polonaise, et républicain, ce fut Salvetat qui, avec Floquet, cria : Vive la Pologne ! quand le tsar Alexandre vint visiter le Palais de Justice pendant l'Exposition de 1867.

Le jeune avocat eut là force travail. Il voulait d'ailleurs se bien mettre au courant de sa profession ; les menus litiges que lui abandonnait Me Salvetat lui servirent à cet effet. Il plaidait aussi d'office aux Chambres correctionnelles et à la Cour d'assises. Ce fut pour lui une bonne école de psychologie morale. Ainsi, il fit acquitter une jeune femme accusée d'abus de confiance ; après quoi, diverses circonstances, non décisives mais assez suggestives, changèrent son opinion sur cette belle et douteuse personne. Cette leçon le rendit quelque peu sceptique.

Dès qu'il retrouva quelque loisir, il revint à la littérature, retourna chez Banville avec plus d'assiduité, se lia plus intimement avec le groupe des poètes employés à l'Hôtel de ville : Mérat, Verlaine, Valade, Franck, Armand Renaud, etc. Par Verlaine, il connut Coppée ; ces deux derniers, voisins aux Batignolles, formaient avec quelques autres le groupe batignollais.

Blémont était revenu demeurer chez son père, à demi retiré des affaires, dans un appartement de la rue La Bruyère ; le fils aîné, Henri, dirigeait la maison de commerce. L'avocat-poète était libre d'aller et venir. L'homme de lettres luttait en lui contre l'homme de loi ; mais le père guettait, usant les forces vives du fils en tiraillements fiévreux et stériles, pourchassant la poésie, cette oisiveté ! Jamais on ne pourra persuader aux gens que les poètes sont les plus ardents, les plus acharnés des travailleurs, et non les moins utiles ni les moins respectables.

Le jeune homme était beaucoup plus occupé que ses camarades poètes-employés ; tandis qu'ils se donnaient presque entiers à leur art, notre avocat compulsait laborieusement ses dossiers ; c'est en de courts loisirs qu'il écrivait ses vers, parus plus tard dans *la Renaissance* et dans *Portraits sans modèles*. Il publia toutefois, en 1866-1867, quelques petits poèmes dans *les Coulisses parisiennes*, ainsi qu'un article sur *les Idées de Madame Aubray* qui lui valut quatre pages de Dumas fils. Il écrivit aussi au *Nain Jaune*, où ses *Pitiés de la nature* (n° 29, septembre 1866) offrent, nous semble-t-il, une frappante analogie avec le dénouement d'un des plus célèbres poèmes de la deuxième *Légende des Siècles*, poème que Hugo, sur le brouillon, a daté du 20 août 1876 : le rouge-gorge qui, dans *les Pitiés*, crève les yeux du spectre, joue exactement le même rôle que *l'Aigle du Casque*.

Quant à *la Sous-Maîtresse* (8 août 1866), nous constatons qu'elle a précédé *le Crépuscule* des *Poèmes modernes* de François Coppée. Un soir d'été, Blémont reçut à dîner, rue La Bruyère, quatre ou cinq poètes amis, dont Coppée. On dit, on lut des vers. Pour sa part, l'amphitryon récita *la Sous-Maîtresse*, et aussi un

poème alors inédit, intitulé *Confession*, sorte de monologue où, après quelques vers de mise en scène, un
jeune homme, dans sa prison, raconte comment il
assassina le mari de sa maîtresse. Le dernier alexandrin était :

> Je ne sais plus comment j'ai fait, je l'ai tué!

Lorsque Coppée donna ensuite *la Grève des Forge-
rons*, les amis des deux poètes pensèrent que la forme
en pouvait bien avoir été suggérée par celle du récit
que Blémont avait lu rue La Bruyère. Coppée avait
compris l'avantage que présentait cette forme du monologue dramatique ; il supprima toute explication
non parlée, donnant immédiatement la parole à son
personnage.

Dans la nuit du 14 janvier 1869, après la première
représentation du *Passant*, un souper rassembla chez
Nina de Callias, rue Chaptal, presque tous les parnassiens. En revenant au logis, Blémont songeait au
théâtre, qui le tentait de plus en plus. Il avait ébauché
des pièces : *le Premier mai*, petite comédie lyrique ;
Berthe d'Aiguebrune, tragédie ardente en une prose
concise, nerveuse ; *Carmen*, grand drame romantique
en vers. Il lut cela à ceux qui lui témoignaient de la
sympathie. Il voyait souvent Paul Arène, allait Place
Royale visiter Alphonse Daudet. Chez Léon Valade,
il rencontrait les deux frères Cambon, les futurs am-
bassadeurs, qui, ainsi que Mallarmé, raffolaient
d'Edgar Poe, et qu'il retrouvait au Palais. Parfois,
avec Villiers de l'Isle-Adam et quelques noctambules,
il passait la nuit chez Brébant ; on parlait esthétique et

psychologie, on disait des vers, on chantait des chansons de la vieille France, on jouait sur le piano Schu-
mann, Berlioz, Wagner, et l'on rentrait à l'aube, la tête
vibrante de musique et de poésie. Ce qui n'empêchait
pas Me Petitdidier de plaider ensuite à la 3e ou
4e chambre du Tribunal civil telle petite affaire intéressant Dumas fils ou Catulle Mendès.

Blémont s'était lié plus intimement avec Mérat et Valade, qui avaient visité l'Italie et brûlaient d'y retourner. En l'été de 1869, ils partirent tous les trois ensemble. Ce voyage fut un enchantement, une initiation.
Le jeune poète reçut au cœur la vive commotion de l'art
italien, sous le merveilleux épanouissement de cette
limpide et chaude lumière. Toute la nuit on voyageait,
et l'on courait tout le jour à travers les villes de
marbre, les villes de beauté. On vit Turin, Milan, Pa-
doue, Vérone, Venise, Pise, Florence, Bologne, Rome,
Naples. Et il rentra, poussiéreux, harassé, brisé, mais
rapportant à Paris, sur les feuilles de son carnet, en
rimes griffonnées au crayon, cette Italie conquise au
pas de charge, en vingt jours ! Tous ses *Poèmes d'Italie*,
sauf la grande pièce finale : *Beatrice Cenci*, ont été
composés sur place ; à Venise, il rimait en gondole.

Après les vacances, il reprit la robe noire et ne put
d'abord mettre au point ses rimes italiennes. Et puis,
son père voulait le marier, affirmant que la vraie
poésie, c'était le ménage et les enfants. Blémont n'avait
pas de prévention contre le mariage, estimait au contraire que le devoir et le bonheur d'un homme honnête, d'un citoyen loyal, consistent à être un sage et
digne père de famille. Mais il ne partageait pas les

3

idées et les goûts de son père ; cela rendit vaines plusieurs négociations. Il y eut des entrevues au théâtre, des rencontres au musée du Louvre, des promenades au bois de Boulogne. Salvetat s'était ligué avec le père. Des parents, des amis, des négociants, d'autres avocats, offrirent leurs bons offices ; et un beau jour, il se fiança à la fille d'un grand industriel parisien. Le lendemain des accordailles, la guerre était déclarée entre la France et l'Allemagne.

1870

Le Journal du Siège

« A Berlin ! Vive la Guerre ! » criait-on. Un soir,
Blémont faillit être écharpé avec quelques camarades,
pour avoir crié : « Vive la paix ! » On renversa leur
table au café Riche, parmi des huées, des menaces ; les
« blouses blanches » montraient le poing. Il eut une
discussion épique avec le belliqueux Charles Cros.
Puis, ce furent les fausses nouvelles de victoires, les
fausses joies, et les lendemains sinistres, les défaites
précipitées ; enfin, Sedan, l'écroulement de l'Empire,
le Quatre-Septembre où Paris ensoleillé avait un air
de fête, où les gardes nationaux marchaient vers le
Palais-Bourbon, où le drapeau rouge flottait aux can-
délabres de la place de la Concorde, pendant que des
jeunes gens, des enfants, chantaient *la Carmagnole*, et
que les gendarmes faisaient semblant de barrer le pont
qui mène au Corps législatif.

La vie de Paris était peu changée: Blémont faisait sa
cour à sa fiancée ; il plaidait presque tous les jours. Il
corrigeait les épreuves des *Poèmes d'Italie* ; le dernier
feuillet porte : « Achevé d'imprimer le 26 août 1870. »
Sedan et le Quatre-Septembre empêchèrent la mise en
vente ; toute l'édition fut placée en réserve pour un
moment plus favorable ; elle ne devait voir le jour
qu'un an plustard : c'est en juillet 1871 que le livre fut
annoncé dans le *Journal de la Librairie*.

Le mariage, fixé pour la fin de septembre, dut être ajourné. La bourgeoisie parisienne s'affolait, beaucoup de familles partaient. Michelet, malade, s'en alla ; Renan comparait Paris à Jérusalem assiégée par Titus ; Hugo, après dix-neuf ans d'exil, accourait. Le père et la mère de Blémont emmenèrent les deux fils du frère aîné aux Sables d'Olonne. Mais notre poète voulut rester dans l'appartement de la rue La Bruyère ; sa future belle-mère et sa fiancée demeuraient aussi dans leur pied-à-terre de Paris, tandis que le futur beau-père allait surveiller son importante usine d'Arpajon.

Et les longs mois sinistres commencèrent. Dans la 3e compagnie du 116e bataillon de la garde nationale, levé quartier Fontaine, Blémont fut élu sergent-fourrier. D'anciens militaires instruisaient les recrues. Blémont s'occupait de l'équipement et de l'habillement des hommes de sa compagnie, et il portait le drapeau, quand, par l'aube pâle, au vent frais du matin, après avoir pris le mêlé-cassis au square Vintimille, on descendait en armes, le long de la grande avenue déserte, occuper le poste de la porte Saint-Ouen. Le service lui prenait une partie de la journée. A titre de fourrier, il avait le privilège de rentrer coucher chez lui. La fiancée et la future belle-mère parfois venaient voir s'il avait l'allure vraiment martiale sous le képi et la vareuse galonnée.

Quand Paris se sentit définitivement cerné, il y eut chez les assiégés un singulier sentiment de malaise et d'inquiétude. Puis chacun tâcha de s'organiser ; assez vite, on s'habitua à cette vie nouvelle, malgré les alertes, les angoisses, la famine, le mauvais pain noir de paille

ÉMILE BLÉMONT EN SERGENT-FOURRIER

(Par Félix Régamey)

hachée. On apprenait les vains efforts extérieurs par
les pigeons voyageurs, aussi par les communications
calculées des assiégeants. On allait vers l'inconnu
sombre, dans une nuit sans fin, pleine de frissons, de
rumeurs, d'écroulements, et tout à coup déchirée
d'éclairs aveuglants. La nouvelle de l'infâme reddition
de Metz déchaîna l'esprit révolutionnaire.

Blémont, dans les notes qu'il traçait au jour le jour,
raconte les faits dont il fut témoin le 31 octobre. Il put
pénétrer avec les manifestants dans l'Hôtel de Ville,
jusqu'à la salle des délibérations où siégeaient Favre,
Simon, Ferry, Garnier-Pagès, Trochu. Quelle foule
houleuse, quel tumulte ! Des cris, des motions, des applaudissements, des invectives. Survint Gustave Flourens, que Blémont n'avait pas revu depuis le lycée.
Flourens lut une liste de citoyens candidats aux élections communales, liste acclamée, disait-il, par six
mille personnes ; et il ajouta : « Les membres du gouvernement devront donner leur démission. » Debout
sur la grande table verte, il aperçut Trochu assis pi-
teusement à ses pieds, ridicule et plat. Il ne put s'empêcher de rire. Favre refusa de démissionner. Huées et
vacarme. Flourens, avec des tirailleurs de Belleville,
fit évacuer la salle. Blémont, en sortant avec la foule,
aperçut Blanqui installé dans une autre salle, à une
autre table verte. Millière aussi était là. Dehors, il
pleuvait à torrents.

Blémont remonta péniblement le boulevard Sébastopol, la tête brisée, et dîna chez son frère. Le soir, il
voulut rejoindre des amis sur la rive gauche, et ne
rencontra personne. Au boulevard Saint-Michel, il tra-

᠂sa des groupes discutant les incidents de la journée ;
᠂ quais, il vit des colonnes de mobiles défiler silen-
᠂᠂eusement. La place Saint-Michel et les ponts étant oc-
cupés, il revint par le Pont-Neuf, rentra chez lui. Ordre
était venu de rejoindre sa compagnie, place Vendôme ;
il s'y rendit, minuit sonnant, ne trouva aucune trace
de son bataillon ; des gardes nationaux lui apprirent
que les membres du gouvernement étaient libres, que
Flourens avait quitté l'Hôtel de Ville après un compromis. Vers trois heures, il regagna son appartement,
accablé de fatigue. Les partisans de l'action énergique
n'avaient pas réussi à prendre la direction des affaires ;
le seul mouvement capable de sauver Paris venait
d'échouer ; c'était, à bref délai, la capitulation.

Blémont tenait plus ou moins régulièrement un
« Journal du Siège ». Quand le bombardement de la
rive gauche commença, Léon Valade quitta sa maison
du boulevard Montparnasse pour se réfugier près de
lui, rue La Bruyère. Là, le soir, ils faisaient parfois de
la politique et de la stratégie en chambre avec quelques camarades, ou relisaient les poètes. Même ils ri-
mèrent ensemble quelques vers.

« 25 novembre. — Ce soir, je suis revenu tard avec
Valade ; et c'était une impression singulière que de
traverser ce Paris muet et solitaire, sans gaz, sans
bruit de voitures, où ne vibrait que le grondement
lointain du canon. Au retour, nous fîmes un peu de
feu pour nous dégeler ; et nous profitâmes du feu pour
rimer une parodie du fameux *Crépuscule* des *Contemplations*, sous le titre de *Crépuscule obsidional*... »

Le « Journal » fut interrompu quelques semaines,

par suite des exigences du service, de l'exaltation puis de l'accablement qu'éprouva son auteur lors des batailles sur la Marne. Il ne fut repris qu'aux derniers jours de l'année. En voici quelques extraits :

« 27 décembre. — On ne sait ni nous faire vivre, ni nous faire mourir. Si la France est sauvée, ce sera peut-être grâce à Gambetta, ce ne sera pas grâce à Trochu.

« 7 janvier. — ... Trochu affirme qu'il ne capitulera pas. Je ne crois pas en lui. Quelle que puisse être l'issue, c'est un homme étroit et médiocre.

« 8 janvier. — Ceux qui savent le mieux tuer, sont les maîtres du monde. Et pourtant, ceux qui savent le mieux mourir, ne gouvernent-ils pas l'humanité du fond de leur tombeau?

« 15 janvier. — Valade fait tranquillement des vers. Toujours la canonnade. Toujours des enterrements de petits enfants.

« 16 janvier. — Soirée chez ma future belle-mère. On a joué du Mozart, avec le canon allemand à la cantonade. »

Le 18, il passe une heure au café-concert, y entend *le Sire de Fich-ton-Kan*, *Rendez-moi mon militaire*. La salle est pleine de mobiles en uniforme et de femmes. « Ah ! dit-il, comme nous avons de la peine, en France, à prendre au sérieux les choses les plus sérieuses, même la guerre, la ruine et la mort ! »

Le 20, il attend Verlaine et Valade, inutilement ; il va dîner chez sa future belle-mère, et sa fiancée chante des airs de *Mireille*. Le 21, il va voir le pauvre corps foudroyé d'un cousin, tué à Montretout, et con-

soler sa tante, rue de l'Ecole-de-Médecine, sur cette
rive gauche où tombe la mitraille allemande. Le lendemain, c'est l'enterrement au cimetière Montparnasse :
des obus sifflent, éclatent à quelque cent pas. Au retour, dans la rue de Rennes, on voit la chaussée trouée
par la chute des bombes. Certaines boutiques ont leurs
volets de fer brisés. La mitraille fait fureur derrière
nos gens et semble les poursuivre; machinalement, ils
se retournent, puis allongent le pas ; au-delà de Saint-
Germain-des-Prés, on est à peu près hors d'atteinte.

Le 24, c'est la mort de Regnault, à vingt-sept ans.
« Pourquoi ce cruel aveuglement du destin? N'importe! faisons le bien, aimons le beau. » Le bombardement redouble. Le 26, on traite, on va capituler.
« On se sent devenir polonais. »

Le 1er février, Blémont va rejoindre Valade au café
du Gaz, en face de l'Hôtel de Ville ; il y rencontre Edmond Lepelletier, en caporal lignard. Lepelletier s'était
engagé, il avait passé cinq mois aux avant-postes.

Le 6, le futur beau-père vient chercher sa femme et
sa fille, qu'il emmène à Arpajon, où son usine est sauve.
Blémont reçoit une lettre de son père : tous les parents
et amis des Sables d'Olonne sont en bonne santé.

Le 12, il va passer deux jours à Arpajon, non sans
quelques difficultés, les trains ne marchant pas encore ;
mais là, dans la famille de sa fiancée, quel bon lendemain de tant de tourmentes !

Le 15, il dîne avec Camille Pelletan, qui, partant
pour le sud-ouest, se charge des lettres et des photographies destinées aux parents de Blémont. Le 24, thé
chez Verlaine, quai de la Tournelle, au coin de la rue

du Cardinal-Lemoine. Blémont a rimé quelques vers
en marchant, *Gloutonnerie dangereuse*, un rude cri
contre la vorace Allemagne ; puis ce *Baiser filial* où
frémit l'amour de la patrie, et qui est ici publié pour
la première fois :

> Tandis que la Mère Nature
> Berce l'enfance du Printemps,
> Paris, qui cache sa blessure
> À ses ennemis insultants,
>
> Sous le ciel léger d'azur tendre
> Où ruissellent des nappes d'or,
> Secoue à l'air plus doux la cendre
> De la bataille. On voit encor
>
> Les traces noires de la poudre
> Sur ses murs, dans les trous béants
> Qu'avec le fracas de la foudre
> Ont creusé les canons géants...
>
> Paris, cité libératrice,
> Immortelle et sainte cité,
> Je baise, hélas ! la cicatrice
> Qui vient d'ennoblir ta beauté.

Le 26 février, il lui semble que dans Paris monte
une sourde colère. Le lendemain, est publié un armis-
tice de quinze jours. C'est la défaite subie. Toute la
journée on manifeste place de la Bastille. En haut de
la colonne de Juillet, au bras du Génie, flotte le drapeau rouge. Blémont voit un long détachement de
mobiles qui descend vers la colonne ; leurs étendards
sont voilés de deuil ; ils vont au pas, en silence.
« Une émotion poignante m'a serré le cœur ; les

larmes me sont venues aux yeux. » Mais des gens rient dans des groupes, on ne sait pourquoi. « Vaste scène de tragi-comédie, pleine de petitesses et de grandeur. »

Le 1er mars, les Allemands occupent les Champs-Elysées et les Tuileries. Blémont va chercher Verlaine à l'Hôtel de Ville, tous deux descendent la Seine en bateau jusqu'aux ponts de la Concorde et du Point-du-Jour ; ils reviennent par les quais de gauche, jusqu'au Palais-Bourbon entouré de soldats et de gendarmes français ; ils reconnaissent Théophile Gautier, traversent le fleuve au pont des Tuileries, gagnent la place de la Concorde, où les soldats allemands se dandinent comme des ours. Un de ces lourds vainqueurs ricane en voyant leur petit bouquet d'immortelles ; Blémont le regarde fixement, l'Allemand se détourne. Ils passent ; aucun bruit ; on parle bas, comme dans une maison mortuaire. Ils reviennent affreusement tristes. Après dîner, Blémont monte à la butte Montmartre. Paris dort sous la lumière pâle de la lune, comme dans les blancheurs d'un linceul.

Le lendemain, avec quelques braves gens, il réussit à dégager deux officiers allemands en bourgeois, place de l'Hôtel de Ville. On les avait reconnus, on criait : A l'eau ! Ils avaient peur de la mort, et pleuraient.

L'ancienne vie reprenait son cours. On oubliait déjà. « Quel cataclysme faudrait-il donc pour que ce peuple cessât de se corrompre et de se démoraliser ? » Cependant on sentait de l'orage dans l'air parisien.

Le 9 mars, ce fut le retour des parents. Le 17, Blémont rendit visite à Mérat, qui, malade, avait quitté

Paris avant le siège. Soirée chez Verlaine, d'où il s'en
revint avec Lepelletier, qui lui confiait ses ambitions
administratives et politiques. Le 18 mars, c'était la
guerre civile !

Le 19 fut calme. Le 22, troubles, luttes, morts et blessés. Blémont alla rejoindre en armes ses camarades du
116e dans la cour du Grand Hôtel ; mais rien de sérieux. On rentra par les rues désertes, entre les boutiques closes. Le 26, élections municipales : il vota pour
Gambetta, Ranc, Ulysse Parent, etc...

Le 29 mars : « Je viens de griffonner assez follement
des vers politiques. A quoi bon ? Voici l'aube. Bon-
jour, jour ! Mais je vais reposer quelques heures ; j'en
ai grand besoin. Du calme ! »

Nous avons pu copier ces vers jusqu'à présent
inédits :

> Ma parole d'honneur ! ces hommes-là sont fous,
> Fous à lier, fous à mettre sous les verrous.
> Quand Garibaldi vint vers eux, la plume au feutre,
> Ils crurent que c'était la fin du monde. Un pleutre
> Se leva sans vergogne et lui dit : « Taisez-vous ! »
> Or, le héros, voyant tous ces pauvres hiboux
> Cligner des yeux, resta pensif, et sans réplique
> Partit, ne pouvant plus servir la République.
> Hugo voulut parler. Des faiseurs de procès
> Crièrent : « Ce bavard ne sait pas le français. »
> Martyre au cœur divin, France, France meurtrie,
> De l'Idée et du Droit immortelle patrie,
> O Mère, n'est-ce pas, ces hommes-là sont fous !
> Quand l'aveugle destin s'acharnait contre nous,
> Quand, épuisé de faim, de combats, de souffrances,
> Mais gardant sous le deuil les fières espérances,

Paris, frappé, brûlé, souillé par l'Allemand,
Saignait encor, Paris leur parut alarmant.
Ils dirent : « Cette ville émeutière et fatale
Nous déplaît. Il nous faut une autre capitale,
Moins tragique, moins grande, ayant des appétits
Moins énormes. Nous y paraîtrons moins petits. »
Paris, plein de dédain, les laissait dire et faire,
Et songeait. Mais un jour, la cité du tonnerre,
Les voyant qui venaient l'outrager sans pudeur,
S'est redressée enfin de toute sa hauteur,
Et quoiqu'elle prévît leurs promptes représailles,
Les a fait reculer, pâles, jusqu'à Versailles... »

Le 1er avril, Peyrouton proposa à Blémont d'accepter avec lui les fonctions de délégué de la Commune au Ministère de l'intérieur ; il demanda à réfléchir. Le 2, grave engagement à Courbevoie. Le 10, Flourens a été tué ; une affiche annonce un décret de levée en masse. Blémont cède aux sollicitations du père, aux larmes de la mère : il quitte Paris.

Il arriva chez ses futurs beaux-parents, près de sa fiancée, à Arpajon, au moment où renaissait la nature, où les paysans reprenaient leurs travaux. Il se mit à lire Diderot, à traduire Shelley, pour ne point penser aux canonnades entendues parfois. Mais une fièvre d'anxiété l'énervait. Il lut encore Proudhon, et d'autres, cherchant l'oubli. Le 20 mai, le canon gronda depuis quatre heures du matin. Le 21, Blémont recueillit un *Appel au peuple des campagnes*, — bien tardif, bien inutile, émané de la Commune, et qu'éparpillait là-haut un ballon rouge au col noir. Puis, ce furent les Versaillais par les rues, les massacres, les incendies Le 24, dans la nuit, la capitale était en feu.

On reçut, le 25, une lettre du père, alors en Lorraine, où il était allé voir le village natal. Bismarck y avait occupé, pendant trois jours, avec son fils, chez la tante Nanette, la chambre même où couchait autrefois Blémont enfant, près du lit de sa mère.

A Arpajon, on savait l'horreur des exécutions sommaires. Le 27, Blémont écrit avec sa clairvoyance coutumière : « Les journaux de Versailles ont des joies et des ricanements infâmes. Quand l'histoire établira les responsabilités, ce n'est peut-être pas pour les naïfs et misérables Fédérés que la postérité aura le plus de malédictions. En attendant, on les fusille comme des chiens enragés. Sancho fait assassiner don Quichotte. Comme cela, les temps héroïques seront vraiment clos. » — Oui, l'histoire, l'Histoire impartiale va bientôt fixer les responsabilités. Vous avez vu clair, Blémont ; et votre poésie : *les Fous*, a exprimé exactement l'état d'âme de Paris au 18 mars et l'héroïque colère d'un peuple trahi.

Il ajoute, le 28 : « La France a été frappée de la foudre ; mais elle reverdira, elle refleurira, avec sa confiance tenace, la grande, l'éternelle patrie de l'idéal et de l'amour. »

Autour du poëte, la nature resplendit de sa vie toujours neuve.

Le 3 juin, il rentre dans Paris, court chez Verlaine, qui lui décrit l'incendie de l'Hôtel de Ville, vu de ses fenêtres, puis la bataille, les balles qui brisaient les pierres de son balcon. Mme Verlaine mère, effarée, ayant vu fusiller cinquante fédérés qui, munitions épuisées, refusaient de se rendre, criant : « A Sedan, les capitulards !.. » Blémont alla voir l'Hôtel de Ville. Les ruines offraient un aspect grandiose et tragique. Tout près, la terre du square de la tour Saint-Jacques était grosse de cadavres. Des Tuileries, seuls quelques murs restaient debout. Et les cafés regorgeaient d'officiers, de filles. Les Versaillaises, aussi revenues, riaient ! « Ce matin, en traversant cette ville mortuaire, cette ville en deuil, je croyais être dans un cimetière ; ce soir, on est dans un bouge. »

Le 8, il déjeuna chez Verlaine, avec Valade. Verlaine avait gardé son emploi à l'Hôtel de Ville en avril et mai, et l'on recherchait les employés civils de la Commune. Blémont s'inquiétait pour lui.

Le lendemain, 9 juin, Alphonse Lemerre mit en vente les *Poèmes d'Italie*. Trop tard, hélas ! Ou trop tôt !

Salvetat, réfugié aux Sables-d'Olonne, près des Petitdidier, fut nommé, à son retour, préfet des Alpes-Maritimes. Blémont refusa d'être son secrétaire de préfecture. Alors Salvetat lui abandonna ce qu'il pourrait garder de sa clientèle. D'autres séparations, d'autres départs s'effectuèrent. Léon Cladel s'en allait à Montauban ; Verlaine, à Fampoux. Blémont n'avait guère le temps ni le cœur de songer à son nouveau livre. Il loua un appartement rue de Trévise ; et, le 22 juillet, il se mariait.

Là, naturellement, finit le *Journal intime du Siège*.

L'Italie

Les **Poèmes** d'Italie ! Peu de livres ont subi autant de tribulations que ce volume de vers. Achevé d'imprimer à la veille de Sedan et paraissant au lendemain de la semaine sanglante, il était condamné à passer presque inaperçu. Pourtant, que de bonnes et vives qualités il offrait, qui eussent été si remarquées dans une période de paix !

Nous pénétrons, baignés de rayons éclatants,
Dans la patrie où l'Art est roi, la Beauté reine,
Dans l'antique Italie, encor jeune et sereine
Sous les baisers vermeils de ses nouveaux printemps.

Entre deux larges mers d'azur, aux flots chantants,
Elle s'allonge au pied des monts, et sur l'arène
Sommeille au grand soleil, ainsi qu'une sirène
Dans un coup de filet prise par les Titans.

Mais parfois le sol chaud tremble. L'ombre de Dante
Passe ; voici son front pensif, sa lèvre ardente.
Un long frisson le suit, un cri part . Liberté !

Le Vésuve, l'Etna, ces deux larges mamelles,
Inondent l'horizon de leurs flammes jumelles,
Et la douleur emplit le ciel ensanglanté.

A *Venise*, dans l'église du Rédempteur, le poète remarque les vierges de Giambellini, blondes, au doux
regard. Il se remémore l'ancien rêve, quand à vingt
ans on s'enthousiasme de cette Italie, deux fois res-
plendissante au cours des âges. Ce qu'il admirait alors
de la reine de l'Adriatique, c'était la Venise ancienne,
superbe, vivante, triomphante ; celle qu'il voit maintenant a connu l'adversité, mais il l'en aime mieux encore. Elle a d'ailleurs toujours la pureté de l'azur,
l'eau qui brille, ses femmes, ses gondoles, tout un
rythme harmonieux qu'il sait retrouver autour du lion
de Saint-Marc :

> Aujourd'hui le lion près des palais déserts
> Repose, l'œil noyé dans l'infini des mers,
> Vieux, triste, ayant tordu sous l'éclair des épées
> Ses ailes, dans le sang et l'écume trempées.
> Ils sont passés, les soirs voluptueux, les soirs
> Pleins d'élans, d'abandons et de doux nonchaloirs,
> Où Venise, gagnant d'un pied léger les marches
> De ses escaliers blancs encadrés par les arches,
> Appelait ses rameurs d'un accent argentin,
> Et soulevant du doigt son masque de satin,
> Rieuse, promenait au tiède clair de lune
> L'harmonie et l'amour sur sa gondole brune !..

Toute la pièce est fort belle de lyrisme, d'une pensée à la fois vigoureuse et rêveuse, d'un rythme doux
et fort de ballade « où l'âme aux souvenirs lentement
s'abandonne ». Elle est digne de figurer dans les bonnes
anthologies classiques.

A *Vérone*, le poète visite Saint-Zénon :

> L'église qu'au dehors inondait de clarté
> L'éblouissant et chaud soleil des moissons mûres,
> Était pleine au dedans de fraîcheur, de murmures,
> D'ombre et d'intimité familière...

Il va ensuite à l'aventure, dans cette ville pleine des monuments du Moyen-Age. Du musée de *Bologne*, il emporte la vision d'une Madone aux grands yeux célestes, lourds d'amour.

> Sous le regard limpide
> De cette Vierge au front maternel et candide,
> Le cœur, divinement ému, n'est pas troublé.

Florence : le Persée de Benvenuto lui inspire une poésie sculpturale :

> On dirait que cette statue,
> Avec son regard souverain,
> Sa splendeur, son glaive qui tue,
> Son immobilité d'airain,
>
> Est l'image de l'Art lui-même,
> Dont le bras nerveux en suspens
> Vient d'étouffer dans son blasphème
> L'Envie au front ceint de serpents.

Voici, d'après des tableaux, les deux grands poètes primitifs. Pétrarque a l'air d'un doux diplomate...

> Comme sur une source pure
> Qui pleure dans un bois profond,
> Sur son âme au divin murmure
> Il pencha longuement son front...

Et Dante semble un inflexible soldat...

> Il créait au fond de ses peines
> Des enfers et des paradis,
> Peuplés des amours et des haines
> Dont il avait vécu jadis...

Puis, en alexandrins solides et sonores, s'affirme cette impression du rêveur déconcerté :

> Florence, la cité des noirs palais massifs,
> Etonne, et rend beaucoup de voyageurs pensifs.
> On s'attendait à voir une ville fleurie,
> Pleine de chants ; et l'on reconnaît la patrie
> De l'austère sculpteur Michel-Ange...

La triste *Pise*, avec sa tour de marbre et son Campo-Santo, apparaît solennelle et silencieuse. A *Rome*, dans les campagnes de la Sabine, vingt siècles de ténèbres et de ruines planent sur la funèbre nature :

> Rome, Rome n'est plus la Rome d'autrefois !

Les dieux païens, vaincus par le Dieu de la Bible, sont évoqués en une poésie mélancolique, grave, soutenue de recueillement, de réflexion, de vision antique. La Rome papale, qui sent le cimetière, ferait presque regretter les Césars :

> . . . . .
> Rome, réveille-toi ; tout combat et tu dors !
>
> Et les peuples nouveaux, qui sont dans la carrière,
> A ton grand corps gisant en travers du chemin
> Trébuchent. Faudra-t-il retourner en arrière ?
> Non ! relève-toi donc aux cris du genre humain,
> Et marche à l'Avenir dans ta robe guerrière !

Voilà qui ne manquait pas de l'accent prophétique, puisque, deux ans après l'écriture de ces vers, Victor-Emmanuel apportait dans Rome capitale la vie nouvelle de l'Italie.

Près d'*Albano*, merveilleux coucher de soleil sur les champs et la ville. A *Naples*, le soir, au pied du Vésuve sombre et fumant, les jeunes Napolitaines dansent, deux à deux, la tarentelle. O l'adorable pays d'amour et de paresse !

> Les femmes n'y sont pas de frêles sensitives,
> Qu'un rayon brûle et qu'un souffle ternit, des fleurs
> Penchantes, qui pour vivre ont besoin de nos pleurs
> Et sans notre soutien seraient vite abattues ;
> Elles ont l'œil ardent, les mamelles pointues,
> Le teint mat et doré comme l'est un fruit mûr,
> Le cœur tendrement fier sous le sein large et dur,
> Et sur le front l'orgueil de la beauté suprême.

Suivent des *Portraits et Légendes* : César Borgia, d'après Léonard de Vinci, figure étrange que fait revivre le poète, et qu'il commente par l'histoire du sombre drame familial des Borgia, simplement raconté ; — puis, Béatrice Cenci, d'après le Guide, autre évocation belle et sinistre en des scènes de passion criminelle et d'impitoyable châtiment.

Tel est ce livre, ardent et sincère, qui parut à une si triste date, aperçu seulement des fins lettrés, parmi la buée des massacres et la fumée des incendies de la Guerre et de la Commune. Blémont y est encore romantique, lorsqu'il fouille le Moyen-Age et qu'il rapporte des impressions étrangères sous l'aile de l'enthousiasme : un de ces poètes voyageurs qu'a suscités

la muse mondiale dès les débuts du xix° siècle. Mais
ce n'est plus le pittoresque qui domine ; c'est la forme
choisie, cultivée, qui s'entend chanter ; et par là ce
recueil est principalement un acte de parnassien ;
c'est même un des meilleurs, il est temps de le dire.
S'il fut effacé d'abord par des recueils qui firent tapage,
c'est que les plus retentissantes des œuvres ne sont
pas toujours les plus méritoires, et que la modestie, la
bonhomie de certains auteurs retarde parfois leur
succès. Pourtant, ce que je préfère en ce livre, c'est
l'homme jeune et enthousiaste qu'attira la vision d'un
pays enchanté. Il y alla doux et souriant ; mais
presque partout il rencontra un passé mort, des nécro-
poles d'héroïsmes, des ruines de palais. Un rimeur
pessimiste n'eût eu que des lamentations ; lui, resta
fidèle aux souvenirs de sa croyante adolescence, à son
illusion première. Traversant, presque toujours sans
s'y attacher, les choses modernes, planant sur les
ruines et, si la cité était morne, vantant le paysage, il
retrouva en lui, il vit, il chanta ses rêves : l'Italie antique. C'est elle qu'il reconnut, qu'il persista à vouloir
reconquérir, l'admirant de toute sa jeunesse amoureuse d'art et de grandes idées. Il se révéla poète opti-
miste, ému certes devant les décombres, mais célébrant
l'autrefois pour amener un bel avenir digne de cet
autrefois ; et si quelque vie éclatait, si quelque belle
fille s'animait, alors il y voyait joyeusement un présent vigoureux encore. Et çà et là, devant des tableaux
vieillis ou d'actuelles figures, par des récits de jadis ou
des paysages nouveaux, il se montrait peintre sagace
et délicat en même temps que songeur doux et alerte.

Plus tard, Adolphe Pelleport lui écrivit : « J'ai lu vos *Poèmes d'Italie*. J'en suis enthousiasmé... J'ai revu le noble lion ailé dans votre poésie qui, elle aussi, a de la fauve énergie et des ailes. » (22 juillet 1873). Arsène Houssaye (X. de Villarceaux), dans *L'Artiste* de février 1874, disait : « J'ai été charmé de faire tout un voyage en Italie dans mon fauteuil, grâce à M. Emile Blémont. Jamais on n'a mieux peint en vers, en beaux vers, les aspects de cette Italie toujours chère aux rêveurs... M. Blémont a le sentiment de la vérité comme le sentiment de la poésie, de la poésie méditative qui ressuscite le passé avec l'âme de l'avenir. Ceux qui vont en Italie feront bien d'emp. rter ces poèmes qui sont déjà l'Italie ; ceux qui n'y vont pas la verront par ce mirage lumineux... »

Plus tard encore, dans *la Plume* du 15 mars 1897, Louis Labat écrira : « Ce que M. Emile Blémont voit mieux que tout, ce dont, remarquez-le, il souffre, et sincèrement, pour son compte, c'est la misère de cette Italie que deux maîtres se partagent, et dans l'âme de qui s'agitent de si généreux ferments de rénovation... L'Italie de son livre, c'est une Italie formelle, d'une certaine minute historique, en mal de nouvelles destinées, sur laquelle il s'est penché, dont il a écouté le cœur battre, pour laquelle son propre cœur a battu. » Enfin le professeur Aniceto Specchio (*Gran Mondo*, 1er août 1903) remarquera : « ... On peut considérer Emile Blémont comme un trait-d'union entre la dernière période littéraire et celle d'aujourd'hui, car, ayant su s'assimiler toutes les qualités les plus précieuses des grands poètes français d'hier, il répand

maintenant autour de lui un large rayonnement qui
montre la voie à la génération nouvelle. Aussi, dans
mon volume : *La France et son mouvement littéraire,*
ai-je assigné à Emile Blémont une des plus hautes
places, ayant pleine conscience de son grand mérite
poétique... Nous lui devons d'ailleurs une double reconnaissance : d'abord parce que son œuvre est humaine et sociale ; ensuite, parce que dans ses *Poèmes
d'Italie* il témoigne, pour notre ciel, notre caractère,
notre dignité, notre histoire, un enthousiasme qui dément une fois de plus le mot de Lamartine : — L'Italie
est la terre des morts ; — la formule de Metternich : —
L'Italie est une expression géographique, — et l'injure
du général pontifical Christophe de La Moricière : —
Les Italiens ne se battent pas ».

Récemment, Gaston Deschamps (*le Temps*, 5 mars 1905)
rappelait qu'Emile Blémont fait partie du chœur des
poètes ayant dignement chanté l'Italie.

La Renaissance et le Rappel

Après les événements de 1871, Blémont avait repris sa robe d'avocat. Il plaida en Cour d'assises et devant les Conseils de guerre, sans négliger ses relations littéraires. Il correspondait avec Verlaine, se rapprochait d'autres camarades parnassiens. Le 27 avril 1872, il fonda, avec Jean Aicard, Léon Valade et Pierre Elzéar, une Revue hebdomadaire : *La Renaissance littéraire et artistique* (bureaux, 42, rue Jacob). Blémont était rédacteur en chef. Ses collaborateurs furent Victor Hugo, Michelet, Sainte-Beuve, Banville, Charles Asselineau, Léon-Cladel, Sully Prudhomme, François Coppée, Camille Pelletan, Albert Glatigny, Stéphane Mallarmé, Albert Mérat, Paul Verlaine, Ernest d'Hervilly, Charles Cros, Antony Valabrègue, et d'autres : on peut dire tout ce que la littérature comptait alors de bons auteurs ou d'auteurs célèbres, anciens et nouveaux. Le programme, ce fut une lettre de Hugo, insérée au numéro du 4 mai ; je la cite textuellement, car elle éclaire le noble but d'aider à relever la patrie qu'avait Emile Blémont; et, par le fait, elle commente une page d'histoire :

« Paris, 1ᵉʳ mai 1872.

« Mes jeunes confrères,

« Ce serrement de main que vous me demandez, je vous l'envoie avec joie. Courage. Vous réussirez. Vous n'êtes pas seulement des talents, vous êtes des consciences ; vous n'êtes pas seulement de beaux et charmants esprits, vous êtes de fermes cœurs. C'est de cela que l'heure actuelle a besoin.

« Je résume d'un mot l'avenir de votre œuvre collective : devoir accompli, succès assuré.

« Nous venons d'assister à des déroutes d'armées ; le moment est arrivé où la légion des esprits doit donner. Il faut que l'indomptable pensée française se réveille' et combatte sous toutes les formes. L'esprit français possède cette grande arme : la langue française, c'est-à-dire l'idiome universel. La France a pour auditoire le monde civilisé. Qui a l'oreille prend l'âme. La France vaincra. On brise une épée, on ne brise pas une idée. Courage donc, vous, combattants de l'esprit.

« Le monde a pu croire un instant à sa propre agonie. La civilisation sous sa forme la plus haute, qui est la république, a été terrassée par la barbarie sous sa forme la plus ténébreuse, qui est l'empire germanique Eclipse de quelques minutes L'énormité même de la victoire la complique d'absurdité Quand c'est le Moyen-Age qui met la griffe sur la Révolution, quand c'est le passé qui se substitue à l'avenir, l'impossibilité est mêlée au succès, et l'ahurissement du triomphe s'ajoute à la stupidité du vainqueur. La revanche est fatale La force des choses l'amène. Ce grand xixe siècle, momentanément interrompu, doit reprendre et reprendra son œuvre ; et son œuvre, c'est le progrès par l'idéal. Tâche superbe. L'art est l'outil, les esprits sont les ouvriers.

« Faites votre travail, qui fait partie du travail universel.

« J'aime le groupe des talents nouveaux. Il y a au-jourd'hui un beau phénomène littéraire qui rappelle un magnifique moment du xvie siècle Toute une géné-ration de poètes fait son entrée. C'est, après trois cents ans, dans le couchant du xixe siècle, la pléiade qui re-paraît. Les poètes nouveaux sont fidèles à leur siècle ; de là leur force. Ils ont en eux la grande lumière de 1830 ; de là leur éclat. Moi qui approche de la sortie, je salue avec bonheur le lever de cette constellation d'esprits sur l'horizon.

« Oui, mes jeunes confrères, oui, vous serez fidèles à votre siècle et à votre France. Vous ferez un journal vivant, puissant, exquis. Vous êtes de ceux qui com-battent quand ils raillent, et votre rire mord. Rien ne vous distraira du devoir. Même quand vous en sem-blerez le plus éloignés, vous ne perdrez jamais de vue le grand but, venger la France par la fraternité des peuples, défaire les empires, faire l'Europe. Vous ne parlerez jamais de défaillance, ni de décadence. Les poètes n'ont pas le droit de dire des mots d'hommes fatigués.

« Je suivrai des yeux votre effort, votre lutte, votre succès. C'est par le journal envolé en feuilles innom-brables que la civilisation essaime. Vous vous en irez par le monde, cherchant le miel, aimant les fleurs, mais armés. Un journal comme le vôtre, c'est de la France qui se répand, c'est de la colère spirituelle et lumineuse qui se disperse ; et ce journal sera, certes, importun à la pesante masse tudesque victorieuse, s'il la rencontre sur son passage ; la légèreté de l'aile sert la furie de l'aiguillon ; qui est agile est terrible ; et, dans sa Forêt-Noire, le lourd caporalisme allemand, assailli par toutes les flèches qui sortent du bourdonnement parisien, pourra bien connaître le repentir que donnent à l'ours les ruches irritées.

« Encore une fois, courage, amis.

« VICTOR HUGO ».

Emile Blémont publia dans *la Renaissance*, sous le titre : *La Poésie en Angleterre et aux Etats-Unis*, des études fort différentes de cette critique froide et sans but qui se borne à photographier les ouvrages et leurs auteurs. Elles animèrent les œuvres présentées, en donnèrent l'intime pensée, et révélèrent un domaine d'idées que l'on connaissait à peine en France : Swinburne, Tennyson, Walt Whitman, l'Ecole préraphaélite, les Poètes spirites d'Amérique, Robert Browning, les Poètesses anglaises, les Parnassiens britanniques, Longfellow, John Payne. Blémont fut des premiers, et le premier en certains cas, à faire connaître chez nous ces écrivains anglo-saxons que, quinze à vingt ans après lui, on parut découvrir.

Il donna aussi des « Choses de la Semaine », actualités vibrantes, où, tantôt il soulignait des excès de la brutalité allemande en Alsace, et tantôt, à Francisque Sarcey ayant écrit : « Où sont les jeunes gens ? » il répondait : « Les jeunes gens travaillent, luttent, produisent ; mais ils succombent la plupart du temps devant l'indifférence ou la mauvaise volonté... La jeunesse s'arrête, dévoyée, désespérée... C'est pourquoi l'on voit les forces vivaces, qui devraient régénérer la patrie, ne servir, par une fatalité lamentable, qu'à l'accabler de deuils, de ruines et de ténèbres. » Il com-

mentait l'anniversaire de Corneille, il brossait un petit
tableau pittoresque de l'inauguration de la statue de
Ronsard à Vendôme, à laquelle il avait assisté. Je cite
encore, dans cette série : « L'Homme-Femme », où il
redressait avec logique les errements passionnels de
Dumas fils ; « Sur la tombe de Théophile Gautier » ;
« *L'Année terrible* appréciée par Swinburne » ; « le
Théâtre de bric-à-brac », « le Théâtre faisandé ». « On
s'habitue aux capitulations de conscience, s'écriait-il.
Toujours l'exécrable système du fait accompli, toujours
la négation de la morale et de la justice, poussent
les sociétés de chute en chute et d'abîme en abîme. »

Le 7 septembre 1872 parut de lui une poésie : *Grâce!*
pour les proscrits de la Commune. Le 19 octobre, dans
la Critique et le Théâtre, à propos de *l'Arlésienne*, je
lis : « Messieurs nos critiques ordinaires se sont doucement habitués au spectacle alléchant des victoires
que remporte, en chair et en os, le vice insolemment
paré des attraits féminins. Ils ne peuvent plus se passer de courtisanes sur la scène... Hélas ! la littérature,
le théâtre souffrent, comme tout en France, de l'acca-
parement persistant des places par le déplorable personnel du régime déchu... Nous ne pourrons réellement marcher vers de nouvelles destinées que quand
nous serons purgés de ce poison de fièvre et de mort.
Pour d'autres œuvres, il faut d'autres hommes. »

Le 8 février 1873, après une courte interruptio.` *la
Renaissance* continua en précisant ainsi son programme : « ... Par ces temps de triomphes frelatés et
de gloires factices où le mercantilisme menace de faire
de tout art et de toute littérature une simple et impure

exploitation, nous n'aurons souci ni du succès vulgaire ni de l'injustice de certains insuccès. Honorant haute- ment la vraie poésie et la vraie vérité, nous tâcherons d'en inspirer le respect à ceux qui l'ont oublié ou ne l'ont jamais appris... Nous aurons ainsi l'occasion de réfuter les doctrines odieuses de quelques sceptiques intéressés, qui se complaisent à prêcher la décadence de leur patrie. La France, si cruellement trahie par le destin, n'a rien perdu de sa suprématie dans les luttes de l'art et de la pensée. »

L'administration fut confiée à Richard Lesclide.

Le 15 février, Blémont publia une solide étude sur *Marion Delorme*. De lui encore : le 22 mars, *la Messe des Anges ;* le 26 avril, *le Mariage d'Octave ;* le 24 mai, *Stuart Mill ;* le 31 mai et suivants, les *Esquisses améri- caines de Mark Twain,* alors inconnues chez nous ; et d'autres études, d'autres nouvelles, sans oublier les poésies, parmi lesquelles la pièce : *Le Mal,* que les bio- graphes de Leconte de Lisle ont comparée au *Qaïn.*

Le 28 décembre, nouvelle interruption. Le 18 jan- vier 1874, *la Renaissance* fut réorganisée et agrandie, avec Henri Polday comme directeur artistique et Jules Rouquette comme administrateur. Elle continua d'être un tableau fidèle des lettres du moment, avec des aperçus très variés sur les mœurs, les travers in- tellectuels. Blémont, le 25 février, étudia *Quatrevingt- treize,* ce roman abrupt ; le 15 mars, les *Effrontés :* « ... L'effronterie règne et gouverne... Les grands hommes s'en vont... Tout s'abaisse, tout devient ca- duc. On n'a plus de passions, on n'a que des intérêts... De tout petits reporters cassent et recassent en mille

morceaux le miroir de la vérité, et tirent la langue au
génie en éclatant de rire. » Le 12 avril, il écrivit sur
la Tentation de M. Flaubert. Puis, Rouquette et Polday
ne purent s'accorder ; toutes les charges retombèrent
sur Blémont. Le 3 mai, parut le dernier numéro de la
Revue, qui avait été plus ouverte, plus vivante que
le Parnasse contemporain de 1866, et qui reste un
excellent document à consulter sur le renouveau littéraire et artistique aux lendemains de la Guerre et
de la Commune.

Emile Blémont fut l'âme de *la Renaissance*. C'est à lui
que revient le mérite d'avoir réuni là, après nos désastres, presque toutes les forces vives qui représentaient
intellectuellement la France de la veille et la France
de l'avenir. Toutes les phases de la belle campagne
menée dans cette publication étaient remarquées, suivies avec sympathie ; et quand fut ouverte la souscription pour les frais d'une pierre tumulaire à la mémoire du poète Albert Glatigny, mort en avril 1873,
Victor Hugo souscrivit par cette lettre :

« A M. Emile Blémont, directeur de la Revue *la Renaissance*.

    « Mon jeune et cher confrère,

« J'envoie à nos vaillants et gracieux amis de *la Renaissance* mon obole pour notre cher Albert Glatigny.

« *La Renaissance* me charme ; et je lis avec bonheur
cet éloquent et spirituel journal. Dites-le à nos
amis.

« Vous êtes chef dans la jeune légion des esprits qui
sont aujourd'hui l'honneur de cette fin de siècle. Vous
êtes une de ces âmes de lumière que j'aime ».

C'est le groupe représentatif de *la Renaissance* que Fantin-Latour a peint dans son célèbre tableau du *Coin de Table*. Debout, au centre de la toile, Emile Blémont a Pierre Elzéar à sa droite, Jean Aicard à sa gauche ; et au coin de la table à demie desservie, où l'on vient de dîner, sont assis Paul Verlaine, Arthur Rimbaud, Léon Valade, Ernest d'Hervilly, Camille Pelletan. Albert Mérat devait compléter le groupe, à côté de Pelletan ; mais il ne vint pas, ayant alors un certain éloignement pour Verlaine et Rimbaud ; il fut remplacé par un grand géranium blanc, et Fantin se consola en disant qu'il avait métamorphosé un poète en fleur. Le tableau fut exposé pour la première fois au Salon de 1872. On l'a revu à l'Exposition universelle de 1900. Aujourd'hui, il appartient à Emile Blémont.

Quand parut *la Renaissance*, au printemps de 1872, Paul Meurice, qui dirigeait la rédaction littéraire du *Rappel*, avait prié Edmond Lepelletier de lui amener Blémont ; il chargea celui-ci de la critique des livres au journal de Hugo, tiré alors à plus de deux cent mille exemplaires. Le jeune écrivain y gagnait un public nombreux, une autorité précieuse ; mais il y perdait quelque liberté de penser et de dire, une part de l'indépendance et du recueillement nécessaires aux œuvres durables.

Blémont goûtait peu les plaisirs mondains ; il n'aspirait qu'aux satisfactions intimes du travail régulier et du bonheur familial, sentiments dont il avait eu l'exemple en ses parents. Le 13 mai 1872, son père, lorrain d'origine, opta pour la nation française. Le

13 juillet, il lui naquit un fils, Gaston, et ce fut la plus
grande joie de son existence. Tout lui souriait, il était
en bon chemin au Palais, et le monde littéraire com-
mençait à le connaître, à l'apprécier.

Mais l'enfant mourut, le 6 avril 1875 ; et le père ne
s'en est jamais consolé. Ce fut un écroulement brusque,
suivi d'une infinie tristesse. Sans autre enfant, il n'eut
plus pour ambition que de réaliser dans une œuvre
poétique son idéal le plus pur et le plus haut. Et
d'autre part, voyant peu à peu s'évanouir la probabi-
lité de la revanche nationale qui tant lui tenait au
cœur, il vécut, non dans une retraite absolue, mais
dans une réserve pensive, laborieuse et discrète.

Sa santé s'altérait. Une laryngite persistante l'empê-
cha de plaider ; il renonça sans retour à ses goûts de
fumeur et à la profession d'avocat. Pendant quelques
années encore, il fit de la littérature militante ; mais il
lui préféra de plus en plus le calme travail des Revues,
dans le culte désintéressé des belles-lettres et de la
poésie indépendante.

En 1873, il avait été un des principaux collaborateurs
de *Paris à l'eau-forte*, administré par Richard Lesclide.
Il y donna d'abord des vers, des fantaisies en prose,
signés d'initiales ou d'un pseudonyme (Hilarion) ; puis,
pendant un an (1874-1875), régulièrement, une chronique en tête de chaque numéro, signée de son nom.
C'est l'une de ces chroniques, envoyée du village bre-
ton de Saint-Enogat (été 1874), qui fit connaître ce petit pays aux artistes parisiens : ils y vinrent, et aujour-
d'hui ce hameau est devenu une riche et belle station
balnéaire. Des pages de lui accompagnèrent des eaux-

fortes : tel *le Guide spirituel*, où un jeune vicaire
ayant manqué de respect à une figure de la Vierge, en
rêve, se croyait damné. L'évêque de Meaux, où s'im-
primait la Revue, frappa ce numéro d'interdiction,
menaça de retirer sa clientèle ; et « l'ordre moral »
poursuivit et condamna à l'amende, sous un autre prétexte, *Paris à l'eau-forte*. Blémont donna aussi des
types de Paris, d'émotion intime, comme *Auguste,
coiffeur*, portrait tout simple, mais si vrai ! d'un être
tout simple ; *A travers le Vieux Paris*, excursion singulièrement suggestive dans le moyen-âge hardi et amoureux ; *la Veillée* où les grand'mères content aux enfants des histoires de fées, douces parfois, souvent
terribles, — fin et agréable tableau de simplicité, de
calme, de bonheur.

Je note, en 1873, des stances de Blémont pour le
Tombeau de Théophile Gautier (A. Lemerre).

Champfleury lui écrivit à propos des *Esquisses américaines* : « Merci, mon cher confrère, de m'avoir fait
lire cet article vraiment humouristique de Mark
Twain. D'après les autres morceaux déjà publiés par
vous, il me semble que l'homme vaut la peine d'être
plus connu en France. Vous devriez réunir en volume
ce que vous avez traduit ; nous aurions là un véritable
railleur, sans analogies heureusement avec ces prê-
cheurs et ces bas-bleus dont les Revues nous donnent
de si filandreuses tartines. Publiez vite votre Mark
Twain ; nous avons besoin de fortes provisions de
bonne humeur. » (29 septembre 1873).

Théodore de Banville envoya aussi ces lignes au critique du *Rappel*, le 16 novembre de la même année :

« Votre bel article du *Rappel* sur mes *Ballades* m'a rendu très heureux et je vous en remercie de tout cœur. Dût-on me répondre : Vous êtes orfèvre ! je dirai qu'il n'y a que les poètes pour faire de la vraie critique, car il n'y a qu'eux qui sachent se mettre au point de vue de l'ouvrier lui-même. J'aurais bien d'autres éloges à vous adresser, et sans être suspect de partialité comme dans le cas présent : je vous lis fidèlement dans *la Renaissance* et toujours avec la plus vive sympathie, pour votre imagination et pour votre courage ».

Paul Bourget lui manda, le 7 septembre 1874 : « Vous dites plutôt ce que j'avais l'intention et le désir de faire que ce que j'ai fait ; je n'ai que plus de motifs de vous remercier », — et, après *la Vie inquiète* (1874) : .« Vous m'avez accordé la plus vraie et la plus désirable louange en reconnaissant dans mon livre un effort sérieux... Je n'oublie pas que c'est sous vos auspices que j'ai écrit ma première copie à *la Renaissance.* »

Les *Étrennes du Parnasse*, pour l'année 1874, furent publiées par *la Renaissance* et *Paris à l'eau-forte* (chez Michel Lévy). Blémont en écrivit la Préface, où il disait, à propos des Anthologies : «... Nous avons été encouragés par le succès qu'ont obtenu jadis tant de *Trésors des Grâces*, tant de *Guirlandes d'amour*, de *Couronnes poétiques*, de *Merveilles du goût* et d'*Ecrins de Psyché*. Schiller et Gœthe, ces deux belles moitiés d'un homme de génie, ne dédaignèrent pas d'ailleurs de s'unir pour publier un *Almanach des Muses ;* et nous avons lu, si notre mémoire est fidèle, des vers admirables de Victor Hugo et de Lamartine dans certaines *Annales romantiques.* »

Il faisait, de verve souriante, la description pittoresque du Parnasse contemporain, et concluait avec une
juvénile énergie : « Voilà quelques-unes des stations
de notre moderne Parnasse, ce Calvaire des rimeurs.
On n'y avance qu'avec une petite couronne d'épines
au front, plusieurs petites plaies au flanc, et l'on s'y
fait un peu crucifier et recrucifier, par ci par là. La
foule vous regarde railleusement d'en bas ; vos amis se
détournent et vous renient au besoin ; les sages
haussent les épaules, les sots aboient, les méchants
mordent. Et pourtant on va toujours, on marche
jusqu'à la mort. C'est qu'à travers toutes les haines,
toutes les inepties, toutes les calomnies, toutes les
insultes, toutes les douleurs et toutes les misères, on a
cet orgueil insensé et invincible de se croire, de se
sentir supérieur aux heureux et aux adulés. C'est qu'on
a d'âpres joies interdites au vulgaire, des mirages et
des rêves auprès desquels pâlit toute réalité. C'est que
l'on comprend le chant des petits oiseaux et des grands
arbres s'accompagnant au clair des astres ; c'est que
les fleurs vous aiment et que les étoiles vous bercent.
C'est que la Muse vous verse des parfums précieux,
comme une autre Madeleine. C'est enfin que l'on espère,
en expirant, ressusciter le troisième jour, dans la
gloire et pour l'éternité. » — La contribution d'Emile
Blémont à l'ouvrage comprenait de plus : *le Nouveau-
Né*, poésie publiée plus tard dans : *En mémoire d'un
enfant* ; deux contes, d'après Mark Twain ; *Nocturne,
Matinée d'avril, Bergerie*, poésies, et un poème en
prose : *Scènes d'Alsace.*

C'était clore d'une façon vive et vaillante, et sans

rupture d'ailleurs, en gardant au contraire fidèlement
les alliances d'idées et les relations littéraires, cette
période où il fut intimement mêlé au mouvement parnassien, cette première campagne qui laissa de lui un
beau livre : *Poèmes d'Italie*, et un acte mémorable :
la Renaissance littéraire et artistique.

Evolutions

Nous avons vu Emile Blémont, dans sa première jeunesse, s'éveiller à l'art spontanément et parmi les influences romantiques encore vigoureuses. A côté d'autres livres qui devaient munir le futur homme d'action, la lecture de Chateaubriand, de Lamartine, avait bercé les rêves initiaux de son âme poétique; Victor Hugo l'entraîna, Shakespeare l'émut; Balzac lui révéla le moderne réalisme d'observation, et Musset l'idéalisme moderne de sentiment : sans relations littéraires pour l'aider à franchir le cercle de ces premières influences, il fut romantique, comme tout le monde d'ailleurs l'était encore. Mais il vint à une heure où s'achevait l'expansion du mouvement parvenu à son apogée de 1830 à 1848 ; souple et mobile, il devait s'en dégager. Il passa aisément au Parnasse, lequel ne fut, comme je l'ai montré dans mon livre sur le *Romantisme*, qu'un courant de cette littérature dont Hugo est le chef. Là, par ses travaux, par ses amis et camarades rencontrés ou choisis, il fut vraiment parnassien quelques années ; mais là encore, inquiet de l'avenir, gardant au fond de lui cet amour des traditions qui est le signe des esprits bien doués et porteurs d'œuvres futures, car le futur est formé beaucoup de passé, —

il ne pouvait s'enfermer dans un procédé, dans une
école. Le culte de la forme qui dominait au Parnasse,
n'apaisait guère le désir de vivre et d'agir pour le bien,
le vrai, le beau, qui faisait battre son cœur aimant et
zélé, qui faisait vibrer son esprit ferme, énergique. Il
lui fallait davantage, il lui manquait quelque chose.
Quoi ?.. Il cherchait, il travaillait, il sentait se former
en lui les premières trames d'une pensée qui se com-
plèterait, s'élargirait, se fortifierait plus tard, pour lui
montrer alors l'œuvre française suprême vers laquelle
tout son être tendait, presque inconsciemment encore.
Mais elle était loin, cette œuvre à laquelle ses efforts
persévérants devaient contribuer ; si loin, que ce
résultat, deviné par son instinct de poète, n'était
encore aperçu que vaguement par son jugement de
critique. Les circonstances, les incidents quotidiens
nous obscurcissent l'avenir. Pour l'instant, sa seconde
jeunesse allait subir ce va-et-vient, ces reculs hésitants, ces avancées hardies, que l'on nomme des évolutions, et qui sont comme les travaux d'approche
d'un siège. N'est-ce pas un siège aussi, et le plus grand
de tous, celui qui a pour but de saisir l'idéal de splendeur, de justice, qui nous console des pauvretés terrestres et nous fait connaître ce seul vrai bonheur
humain, qui n'a pas de nuit, pas de larmes, pas même
de cette vanité que rencontrait partout l'Ecclésiaste ?

La critique au *Rappel* permettait à Emile Blémont
de sonder les œuvres et les hommes ; la variété des
idées lui livrait l'âme multiple, trop multiple, de son
époque ; la différence des personnes lui montrait les
destinées diverses des efforts intellectuels. Un jour,

lui parvenait cette lettre d'un des précurseurs du xxᵉ siècle :

« Versailles, 18 janvier 1875.

» Monsieur,

» Recevez tous mes remerciements pour votre compte-rendu de l'*Esprit nouveau*. Je suis heureux de me sentir d'accord avec vous sur des sujets si importants. Je sens, en vous lisant, ma pensée germer sous un bon et salutaire rayon.

» C'est comme une conversation avec un ami inconnu. Puisse-t-elle devenir une réalité ! Laissez-moi, au moins, vous serrer ici bien cordialement la main qui a écrit ces excellentes pages.

» EDGAR QUINET. »

Un autre jour, il revenait en plein domaine romantique : dans une des soirées où Auguste Vacquerie réunissait l'élite du parti radical, politique et littéraire, il fut présenté par Vacquerie à Victor Hugo, qui l'accueillit avec une dignité simple et cordiale, lui témoigna une généreuse bienveillance, et lui dit en souriant : « Vous n'êtes pas un inconnu pour moi, et depuis votre début je vous ai suivi attentivement. »

Blémont fit la critique des livres au *Rappel* pendant huit ans (1872-1880). Deux ou trois fois par mois, il y étudiait les œuvres des lettrés anciens et nouveaux, des poètes. Il propagea les auteurs étrangers, présenta les romanciers, s'inquiéta, ce qui valait mieux encore qu'une analyse descriptive, des idées et des actes. Il ne négligea pas les philosophes, les historiens, les sociologues, qui touchent de près à la littérature. Sa série des réceptions à l'Académie forme une galerie de

portraits suggestifs. Parfois il opéra des incursions
dans le domaine des beaux-arts.

En 1874-1875, il fit avec succès quelques conférences,
très documentées, à la salle du boulevard des Capu-
cines, sur le théâtre d'Auguste Vacquerie, l'œuvre
d'Edgar Poe, etc. Il étudia les primitifs de l'Inde et de
la Perse, les Mystères du moyen-âge, Dante, Rabelais,
Saint-Simon, les Encyclopédistes, Joseph de Maistre et
Proudhon. Mais en dehors du journalisme, il produisit
peu d'œuvres littéraires.

Ses stances : *Pour les Inondés*, furent dites au bénéfice des inondés de la Garonne, le 15 juillet 1875, par
Mounet-Sully, et publiées ensuite en plaquette chez
Lemerre. C'est un tableau graduel, de plus en plus
pathétique, de l'inondation, puis l'appel plein de cœur
en faveur des survivants. Le derniers vers :

> Soyez bons, vous serez plus dignes d'être heureux !

devrait, certes, constituer le principe de dispensation
du bonheur.

M. Duquesnel, directeur de l'Odéon, demanda un
acte à Émile Blémont et Léon Valade pour l'anniversaire de Molière ; ce devait être le début au théâtre
des jeunes auteurs. Mais une maladie immobilisa
Valade, qui ne voulut pas signer la comédie entièrement composée à la hâte par Blémont, auquel il écrivit
le 7 décembre 1875 : «... La part que j'ai prise au
scénario fait en commun, il y a plus d'un an, est vraiment trop peu de chose pour que je puisse prétendre
au partage de la signature et des droits. Je vous adresse
donc ma démission, de meilleure grâce, n'en doutez

pas, qu'un ministre de l'ordre moral... Un droit que je
n'avais pas, et qui m'est rendu en qualité de simple
spectateur, c'est celui d'applaudir chaudement le soir
de la première. J'en userai, et en attendant, je vous
serre très cordialement la main. » Rien ne fut changé
à la pièce, qu'il fallait sans aucun retard, faire copier,
lire au théâtre, distribuer et mettre en répétitions.
Mais Blémont, malgré la lettre du 7 décembre, maintint
le nom de Valade à côté du sien ; et il l'y maintient
encore, en souvenir d'une amitié qui lui est restée chère.

Le 15 janvier 1876, le théâtre de l'Odéon donna donc
la première représentation de cette comédie en un
acte : **Molière à Auteuil** éditée chez Calmann-Lévy).
Le décor est le jardin de Molière. Laforest, servante,
annonce un jeune homme ; mais d'abord se présente
Marotte, qui veut se retirer du théâtre · elle est toute
fàchée d'avoir encore un rôle effacé, et voudrait jouer
Vénus dans *Psyché*. La discussion, amusante, est
interrompue par l'entrée du jeune Armand, très ému
dès qu'il a reconnu Marotte. Heureusement elle s'es-
quive ; et, moins troublé, il explique qu'il veut être
comédien. Molière lui conseille de ne pas se hasarder
au théâtre :

> Ce n'est qu'un vain décor, des voix et des costumes,
> Le tout entremêlé de rimes et de plumes,
> Ayant un lumignon pour astre, ayant pour fleur
> La rhétorique, et pour providence un souffleur.
> Le reste est dans l'esprit du parterre et des loges ;
> Et marquis à rubans, écoliers de Limoges,
> Gens des halles, bourgeois des quais ou du Pont-Neuf,
> Campagnards au cerveau lourd et lent comme un bœuf,

Pour peu que ces gens-là soient faux ou soient fantasques,
Ont le droit de chuter et de huer les masques !

. . . .

Rien au fond n'est moins gai que d'égayer les hommes.
Dominique, ce fou, cet Arlequin vanté,
Il a l'esprit si noir qu'il en perd la santé.
L'autre jour, il consulte un moderne Esculape.
On le tâte, on le tourne, on le palpe, on le tape,
On regarde sa langue. — « Oh ! oh ! dit le docteur,
C'est de l'hypocondrie, un mal persécuteur.
Il est à votre cas un remède, l'unique :
Allez voir Arlequin. — Alors, fit Dominique,
Je suis mort. Arlequin, c'est moi. »

A cette bien bonne anecdote, Armand ne se rend
pas. Survient l'ami Chapelle, qui proteste en faveur du
jeune homme, exige qu'on l'entende déclamer.
L'épreuve ne convainc pas Molière ; et Chapelle discute, non sans une certaine rude éloquence, quand
Marotte revient annoncer qu'elle épouse un riche pré-
tendant. « Quoi ! dit Armand avec tristesse, vous vous
mariez ? vous abandonnez le théâtre ? » Elle répond
prestement :

Y voyez-vous du mal ? On a si mauvais goût
A Paris, aujourd'hui ! Le grand nombre préfère
Des tours de chiens savants aux pièces de Molière.
Bah ! j'ai rêvé la gloire aussi, moi ! Maintenant
Je ne me repais plus de ce mot bien sonnant.
Qu'ai-je gagné ? L'injure avec la calomnie.
Notre vertu, monsieur, on s'en moque, on la nie ;
Et l'on ne reconnaît jamais notre talent
S'il n'est pas soutenu d'un cortège galant.

Elle invite tout le théâtre, Armand compris, à sa
noce, et part. Armand, désabusé, se retire, renonce
aussi. Et c'est Laforest qui donne la clef de l'énigme :
il venait pour les beaux yeux de Marotte, et non par
grand amour de la comédie. La vocation du théâtre ?
allons donc !..

    Connaîtrons-nous jamais les hommes ? — Et les femmes !
disent Molière et Chapelle en guise de morale.

    « La donnée est ingénieuse, écrivit Francisque
Sarcey dans *le Temps* du 17 janvier 1876 ; le dialogue
est semé de jolis vers ; le rôle de Chapelle est amusant et gai. » Charles de la Rounat, dans *le XIXe siècle*,
nota le succès de cette petite comédie, qui avait gagné
promptement son auditoire. « On était d'autant plus
curieux samedi, remarquait le *Daily news* (17 janvier),
que l'un des auteurs est M. Emile Blémont, un des
rédacteurs les plus distingués du *Rappel*... Il serait
difficile de rendre justice à l'esprit et à la grâce du
dialogue. En outre, la portée philosophique de la
pièce est d'un caractère plus sage et plus réel que ce
qu'on représente communément. »

    A propos d'une étude sur *Etienne Moret*, roman de
Francisque Sarcey, celui-ci, le 22 avril 1876, écrivit à
Blémont : « Vous imaginez aisément avec quel plaisir
j'ai lu votre article. Il est impossible d'être plus précis,
plus fin et plus délicat. Les dernières lignes sont char-
mantes. C'est une trouvaille. Vous avez bien raison de
dire que j'ai refondu mes aspirations et mes goûts,
avec une peine extrême, à force d'études, et d'études
poursuivies avec bonne foi et patience. Mais si vous
saviez combien de gens sont dans la nuit où j'étais et

y restent ! Si vous saviez combien peu dans le monde
bourgeois, élevé par l'université, combien peu com-
prennent et goûtent cette *Légende des Siècles !* J'ai là-
dessus bien des confidences, qui ne vous arrivent pas,
à vous qui vivez dans un autre milieu. » L'aveu a du
prix ; je le livre aux méditations des universitaires.

Voici une lettre de 1876, où la veuve de Michelet
explique la dernière attitude de l'historien devant
l'Angleterre : « Je viens de lire votre bel article, j'en
suis très émue. Il n'y avait point dissentiment d'opinion sur l'Angleterre ; M. Michelet la voyait sombrer
dans un avenir prochain, en punition de son désintéressement moral aux affaires de ce monde. Mais il ne
croyait pas l'heure bonne pour dire ces dures vérités.
— Les destinées de la France, si aventurées aujour-
d'hui, lui ont fait un devoir de ne pas creuser le dé-
troit déjà si profond qui sépare les deux peuples. Il
voulait plutôt nous créer une alliance et que se dernières paroles, car il se sentait mourir, fussent des
paroles de réconciliation... Merci, monsieur, j'avais été
bien touchée de votre appréciation de *l'Insecte,* si délicate ! Vous avez la touche des grands artistes. — (Mme)
A. J. Michelet. »

La campagne du *Rappel,* on le voit, marchait bien.
Blémont n'est pas de ces écrivains qui accaparent
bruyamment l'attention publique ; mais dans le calme
et dans le travail, il est de ceux qui remuent des idées,
qui préparent et maintiennent cette action prudente,
sage, bien ordonnée, sur laquelle repose le monde intellectuel et sans laquelle les chefs-d'œuvre même de
la passion périraient.

Il donna, cette même année, *la Chanson de Marthe*
au *Parnasse contemporain* (A. Lemerre), et publia *les
Cloches*, poème d'Edgar Poe, librement traduit, avec
quatre eaux-fortes de Henry Guérard qui, tirées sur
zinc, matière vite usée, ne permirent que cent exemplaires : curiosité luxueuse d'amateurs (Librairie de
l'Eau-forte). Le texte de Poe est en regard de celui de
Blémont. Les naissances, cloches d'argent, légères,
jolies, joyeuses, changeantes ; le miel des cloches nup-
tiales, cloches d'or, douces, triomphales ; les cloches
d'alarme, de bronze, drame de terreur en leurs vacarmes ; et le glas, les bouches glacées, les cloches de
fer, aux angoisses funèbres, sont interprétés en vers
alertes et sonores, qui rendent le poème de Poe exactement, dans son idée, sa sève et sa verve origi-
nelles.

Les incursions de Blémont, au *Rappel*, sur les domaines voisins de la littérature, ne passaient pas sans
être remarquées. Parmi les lettres reçues, en voici une
de Spuller, datée du 7 octobre 1876 : « ... C'est beaucoup que de réussir auprès d'un esprit orné et ferme,
tel que le vôtre. J'attachais un grand prix à votre suf-
frage ; je ne me trompais pas, en espérant que ce travail serait apprécié par vous avec autant de solidité
que de justesse. De plus, au fond de vos jugements,
j'ai cru sentir une sympathie dont je suis vivement
touché. »

Et cette autre, d'un proscrit de la Commune :

« Cher et excellent collaborateur,

« Votre article m'a été au cœur. C'est pousser trop
loin la confraternité. Merci ! Merci ! Vous me comparez

à Swift comme s'il en pleuvait. Il est vrai que j'ai fait un voyage d'une certaine importance, mais ce n'est pas celui de Gulliver.

« Je vous serre bien amicalement les mains en attendant le jour où je vous embrasserai, soit à Paris, soit, hélas ! plutôt à Genève.

« Votre ami,

« HENRI ROCHEFORT. »

Cette année-là, Blémont commença en outre sa collaboration à *la Vie Littéraire* (1876-1879) et à *la Muse républicaine* (1876-1881).

L'année suivante, le 15 janvier, le Barbier de Pézenas, comédie en un acte, par Emile Blémont et Léon Valade, fut représenté pour la première fois sur le théâtre de l'Odéon (Calmann Lévy, éditeur). — Maître Gély achève de raser Molière ; il voudrait bien dîner, mais il est seul, et son garçon s'attarde en ville. Qu'il ne se tourmente pas ! Molière s'offre à garder la boutique. Et voilà Molière installé : les clients trouveront à qui parler. Ce début est vivement enlevé, en un style simple et alerte que n'eût certes pas désavoué l'auteur du *Médecin malgré lui*. — Le messager d'Aniane survient, en coup de vent ; il presse... le garçon, tout en lui remettant une lettre pour la servante Claudine ; il s'emporte devant les retards calculés de son interlocuteur, réclame linge, savonnette et la suite. Molière, qui vainement a essayé de placer un mot, se résigne ; très grave, il savonne le messager, et commence à prendre sa revanche : « Vous n'avez rencontré personne sur la route ? demande-t-il fort poliment ; l'on ne vous a pas attaqué ? Vous n'avez pas été suivi,

surpris, traqué?.. » L'autre s'étonne. « Eh! les bri-
gands, les incendiaires! — Hein? — Ils ont pillé,
brûlé, tué!.. » L'autre pâlit sous son savon. « Les hu-
guenots maudits sont descendus des montagnes, ils
sont dans Pézenas! » Le messager se lève, de plus en
plus... blanc. « Hélas! l'achève Molière, peut-être mon
pauvre maître, qui ne rentre pas, a-t-il été pendu par
eux!.. » Cela, c'est une preuve : le messager s'affole.
« Ils nous pendront peut-être aussi... mais, votre
barbe? » Sa barbe! il s'agit bien de sa barbe!.. Le
messager s'élance, c'est en vain qu'on le retient; il
s'échappe, se sauve, tout barbouillé de savon. Et telle
fut cette « barbe impossible ».

Mais voici maître Gély, un peu inquiet; puis le
jeune Polydore de la Roustecagnac, qui se vante
d'avoir trempé dans le sang de trois coquins l'épée
qui bat son maigre flanc; il a coupé les oreilles à
l'un d'eux, il les a même sur lui... Tiens! elles n'y sont
plus :

> Quelque chien, trop goulu, n'ayant rien dans le ventre,
> A dû les y happer sans vergogne...

Il déroule ses forfanteries, parle des lettres qu'il reçoit de la grande Mademoiselle; mais ces billets aussi
ont disparu de ses poches!

> Je les avais serrés, j'en suis sûr, là-dessous.
> Les voici !.. non. Mordiou ! qui m'a pris ces merveilles ?

Molière très sérieux :

> C'est peut-être le chien qui vola les oreilles.

Claudine rit, Polydore se fâche. Pour les séparer,
tandis que Gély et son garçon revenu rasent des

clients, Molière remet à Claudine la lettre d'Eloi, son
amoureux, qui est au service. Mais elle ne sait pas lire.
Molière ouvre la lettre, qu'il trouve niaise ; et voyant
Claudine tout émue d'avance, il se décide à remplacer
les phrases rustaudes d'Eloi par des phrases à lui ;
c'est « la lettre improvisée », autre tradition. Il lit.
Comme il m'aime ! s'écrie la jeune fille. Molière,
qui l'observe, ajoute des choses. Eloi devient étonnant :

> Je crois te voir, je vois ta prunelle mutine,
> Ta bouche aux blanches dents où le rire est si prompt,
> Tes cheveux bruns, si bien arrangés sur ton front,
> Ta fossette au menton, ta fossette à la joue,
> Tes narines au vent, et ta gentille moue
> De jeune chat qui veut boire du lait trop chaud...

Et Claudine convaincue :

> Hein ! comme il se souvient de moi, monsieur ! Il faut
> Qu'il m'aime joliment !

Molière est lancé, il poursuit. Voici une grande bataille où Eloi a fait des prodiges de valeur. Qu'il est
brave ! s'écrie-t-elle. Mais Molière, en son entraînement :

> J'eus le bras fracassé soudain par une bombe...

Cri d'angoisse. Claudine se trouve mal. La fiction a
emporté trop loin Molière ; il veut réparer, et, à travers
les sanglots, il peut glisser qu'Eloi, vite et bien pansé,
a guéri Claudine rit, pleure, se jette à son cou. Alors
Molière couronne la lettre : Eloi est admiré pour sa
vaillance, par des seigneurs, de belles dames ; et la
plus belle veut l'épouser. Colère de Claudine ! Mais à

propos, Roustecagnac sait-il lire ?.. Non, dit Gély. Or, donc, cette belle dame, c'est la grande Mademoiselle ! Roustecagnac proteste ; Molière lui tend la lettre : Voyez plutôt ! Roustecagnac, après avoir fait mine de lire :

C'est vrai. Continuez. je tombe de mon haut.

Molière triomphe, tient son public, et termine. Eloi ne pense qu'à Claudine, l'embrasse à l'étouffer, n'aspire qu'au jour de la revoir ; ah ! s'il avait seulement les deux cents livres nécessaires ! Claudine dévore la lettre de baisers, cependant que Molière dit au barbier :

Gély, je m'en vais faire un tour à mon théâtre.
La petite est charmante ; et quant à ce bellâtre,
Il m'a fort amuse. Peut-être quelque jour
En divertirons-nous la ville.

Il part. Claudine crie sa joie ; les clients la questionnent. Malgré Gély, elle leur montre la lettre, où Eloi est aimé de la cousine du roi. Et l'un d'eux : « Estu folle? il ne dit pas un mot de ça ! » D'autres confirment. Indignée, elle leur arrache la lettre :

Allez, l'autre monsieur lisait bien mieux que vous!

Elle avise Roustecagnac ; lui aussi avait bien lu ! Elle lui donne le papier, le voilà pris : il se tire de l'embûche en déchirant la lettre. Exaspérée, Claudine le frappe ; il se sauve. — Molière revient ; pour la convaincre, il lui apporte, lui remet les deux cents livres, la seule chose mentionnée dans la lettre. Claudine est joyeuse : Eloi va donc être libre ! Le messager et Roustecagnac rentrant furieux, elle menace '◦ premier de ses ciseaux, oblige le second à s'excuser. Molière arrange tout en faisant venir du vin. Et la pièce se termine comme elle a commencé et duré, fort gaiement.

Voilà un acte bien distribué, plein de verve, sans longueurs. Des gaietés, de l'action, une souplesse de scènes et de verbe, des vers vifs, coupés sans effort ; de la vie, et toute la tradition ; et c'est de notre temps quand même, pour l'allure si moderne. Œuvre digne du personnage Molière, qui revit là par ses aspects d'observateur réjoui des travers humains. Son ombre a dû remercier les auteurs, dont l'enthousiasme avisé l'a si bien aimé et ressuscité. — Dans le feuilleton du *Moniteur Universel* (22 janvier 1877), Paul de Saint-Victor fit cette piquante observation : « ... C'est la mise en scène, très gaiement et spirituellement versifiée, de la célèbre anecdote... Et c'est une idée heureuse que celle du rasoir de Beaumarchais étincelant dans la main de Molière. On dirait un legs fait de loin, un présage lancé, d'un siècle à l'autre, à son brillant successeur. » Francisque Sarcey n'était pas moins favorable *(le Temps*, 22 janvier) : « ... Ce récit a été mis en scène avec un art exquis. Voilà du théâtre, du vrai théâtre ; et cela vaut mieux, au théâtre, que les tirades les plus poétiques. Les auteurs ont imaginé une foule de petits détails, qui animent une comédie et la font vivre... Tout cela est leste, gai, spirituel, vivant. De tous les à-propos que j'ai vus, c'est le seul, je crois, qui m'ait donné l'idée que les auteurs, au lieu d'être simplement d'habiles ouvriers en poésie, pourraient bien devenir des écrivains dramatiques. » A la fin de son compte-rendu, dans *la Presse* du même jour, Jules Claretie observait que « la comédie a quelque chose de l'accent moliéresque. C'est presque une *restitution*. Le vers est bien frappé ; les scènes sont lestes et amusantes. » Alphonse Daudet *(Journal Officiel, 22 janvier)* écrivit : « *Le Barbier de Pézenas* est une véritable petite comédie, amusante, attachante, conduite avec une légèreté et aussi une sûreté de main peu ordinaires chez de jeunes auteurs... Tout cela, raconté en vers excellents, avec beaucoup d'esprit, de gaieté, d'émotion... Le public des représentations populaires a fait aux deux auteurs et à leur ouvrage l'accueil le plus chaleureux et le mieux mérité. » Louis Moland *(le Français*, même jour), Edmond Stoullig *(l'Homme Libre*, 23 janvier), en disaient le même bien et en soulignaient aussi le brillant succès.

Lorsque la Comédie-Française reprit *le Barbier de Pézenas*, le 15 janvier 1898, Henry Fouquier, dans *le Figaro* du 17, expliqua la pièce, ajoutant : « En vers bien tournés, cet acte est fort agréable. » Olivier de Gourcuff *(le Pays*, même jour) : « ... Elle a gracieusement accompagné, le 8 août dernier, l'inauguration du monument de Molière, à Pézenas ; la voici enfin qui monte d'un pas léger sur les planches de l'illustre théâtre. Elle mérite à tous égards pareille distinction. C'est un type achevé de la *pièce-anecdote* telle qu'excellaient à l'écrire des hommes d'esprit, proches voisins des maîtres, et qui s'appelaient Colin d'Harleville et Andrieux. » *Le Rappel* du 20, par Eugène Lintilhac, publiait : « ... Une bluette exquise, avec des malices de bon aloi et d'après nature comme voulait le maître fêté, des imaginations spirituelles, une veine de gaîté qui court à travers les épisodes bigarrés où Molière mystifie et observe, émeut et console les clients du barbier Gély, et, par dessus tout, une langue claire et drue, de verte allure et sans contorsion ni dislocation... » Emile Faguet consacra à la comédie une partie de son feuilleton *(Journal des Débats,* 24 janvier)* : « ... Tout cela, y remarquait-il, est d'un joli mouvement, gai, alerte et jeune ; et ce qui en fait l'intérêt, c'est précisément de voir jeune, fringant, étourdi, moitié page, moitié étudiant, ce Molière qui semble n'avoir jamais été gai que dans ses œuvres et qu'on nous présente toujours au théâtre comme triste à l'égal de la mort... »

En l'année 1877 où *le Barbier de Pézenas* avait été donné pour la première fois, *Rome libre,* fragments d'opéra d'Emile Blémont et Raoul Gineste, fut représentée au Conservatoire ; la musique était de P.-V. de la Nux, qui agrémenta ensuite de mélodies diverses pages de Blémont. Léopold Dauphin mit aussi en musique son *Eléphant jaune,* opéra-bouffe non terminé, et plusieurs de ses poésies.

Emile Blémont, au *Rappel,* se souvint, dans une circonstance, qu'il était encore avocat ; il défendit, le 17 septembre 1877, à côté de Charles Floquet, le gérant du journal. Ce fut une de ses dernières plaidoiries : quelques mois plus tard, il renonçait définitivement à la chicane.

Après son étude sur *le Nabab (Rappel* du 4 février 1878), il reçut ces mots d'Alphonse Daudet : « Merci, mon cher Blémont ! L'éloge m'a fait plaisir, mais la langue, la tournure de cela m'ont particulièrement frappé. »

En janvier 1879, il publia *les Filles Sainte-Marie*, ronde illustrée finement par Frédéric Régamey, et accompagnée de la musique d'Alma Rouch (A. Quantin). Elles vont aux bois, par la prairie, se baignent dans l'azur du lac, et le soir s'en retournent où l'on prie ; mais une s'est enfuie, au diable se marie : courte histoire, offrant ensemble de la couleur ancienne et de l'esprit moderne.

Cette même année, je cite parmi les lettres relatives à la campagne du *Rappel*, celle-ci de Philippe Burty : « Je vous remercie bien cordialement du soin que vous avez mis à lire mon livre, *les Lettres d'Eugène Delacroix*, et à présenter au public la fine et profonde analyse du cœur et des mœurs artistes de ce beau génie. Votre talent a fait de cette étude un morceau dont tous les gens de goût vous sauront gré. — 4 février 1879. » Et ce mot de la vieille gouvernante de Delacroix : « Heureuse d'avoir trouvé en vous un homme qui sait les angoisses qu'a pu supporter Eugène Delacroix, je ne puis m'empêcher de vous remercier de les avoir si savamment dépeintes dans votre article du 3 février. »

Voici encore, à l'occasion du volume : *le Banquet*, une lettre de Mme Michelet : « Je ne puis trop vous remercier. C'est plus et bien mieux qu'une analyse. Vous avez été au plus profond de la pensée de l'auteur et vous avez merveilleusement indiqué le but qu'il poursuit. Vous avez ajouté à son livre par votre exposition lumineuse, et vous agrandissez l'œuvre, en disant à votre manière, dans une forme vraiment supérieure, ce que Michelet a senti et voulu pour le bien de l'humanité. — Certainement votre âme était en communion avec la sienne pendant que vous écriviez cette belle page sur les mondes à venir, sur le profit de la douleur, la grandeur du sacrifice. Cela mérite d'être conservé. Il y a des mots d'un rare bonheur. — 9 mai 1879. »

Cette même année, Blémont collabora à *l'Union républicaine de l'Eure*, au *Molière*, à *la Cravache*.

Portraits sans Modèles

En mai 1879, furent publiés **Portraits sans mo-dèles** (Lemerre, éditeur). J'ai dit, précédemment, que Blémont, en sa marche instinctive vers l'avenir, ne pouvait rester enfermé dans le Parnasse. Un autre parnassien, Paul Verlaine, s'y soustrayait aussi, mais pour s'attarder à ces jeux de lumière et de musique que l'on nomma Décadence, tandis que Blémont accomplissait des évolutions tendant à un but autrement lointain. N'importe ! ils descendirent alors vers la vie, qu'ils tentèrent d'unir intimement à l'art ; et j'aime à rapprocher de ce titre celui de Verlaine : *Romances sans paroles*, et à rappeler que Blémont fut le seul dans la presse parisienne à signaler ce recueil. Les deux poètes furent alors plus fraternels qu'ils ne l'avaient été même dans l'existence ; et si l'un resta dans ce domaine peuplé de musiques consolatrices, pendant que l'autre gagnait des voies plus difficiles mais aussi plus élevées, tous deux nous ont transmis le long et profond frémissement d'art de cette époque.

Emile Blémont ouvre son volume par de fraîches AQUARELLES, où luit le renouveau. Avril et mai s'éveillent ; on a des aurores dans l'âme :

> Chaque femme est vierge comme Eve,
> Et tous les pommiers sont en fleur.

Idées, rythmes, mots, tout récite gracieusement l'enfance des saisons. De sa muse en *Toilette claire*, le poète sollicite cette grâce :

> . . . . .
>
> Le soir tu me diras de vieux airs oubliés ;
> Et dans mon rêve ému montera ta voix pure,
> Comme un frisson d'eau vive entre les peupliers...

Des repas champêtres, en une vieille auberge, éclatent de rires et de chansons. Tout près, fleurit *le Jardin des Rêves*, où l'on marche à deux, émus, troublés.

> Tout paraissait rêver. Sous les feuilles plaintives,
> Des clartés poursuivaient des formes fugitives ;
> Et nous sentions flotter l'âme des chastes fleurs,
> Qui s'ouvrent seulement dans l'ombre où sont des pleurs.
>
> . . . . .
>
> Déjà l'aube accourait, pieds nus dans la rosée.
> Alors nous revenions à pas très lents, parmi
> Les songes parfumés du grand parc endormi...

C'est une jolie pièce, tendre, sentimentale. *Au Verger* en forme la suite amoureuse. Une *Naïade* évoque un rythme ondoyant comme elle :

> Son regard est une eau très profonde et très pure,
>   Son corps flexible est un roseau ;
> Dans sa voix on entend tinter le frais murmure
>   De la fontaine où boit l'oiseau.
>
> Ses cheveux blonds, roulant sur ses blanches épaules,
>   L'inondent de leurs flots soyeux ;
> Et, comme un ciel que berce un lac bleu sous les saules,
>   Son âme nage dans ses yeux.

Hallucination achève par une note vive cette gamme limpide d'Aquarelles, où le poète, se libérant de plus en plus des influences de première jeunesse, se laissant mieux inspirer naturellement, est attiré vers les fines, gracieuses et souriantes manifestations printanières.

Les FUSAINS ET SANGUINES ont plus de mélancolie. Mais le poète a pour le soutenir les *Pitiés de la Nature*. Il a tui dans la forêt ; et le chêne, les violettes, la source, les buissons, les oiseaux chassent le spectre de celle qui a trahi : image touchante des consolations que la terre maternelle réserve à la souffrance humaine. Ce sont ces *Pitiés de la Nature*, parues d'abord au *Nain jaune* en 1866, dont le dénouement fantastique et symbolique est le même que celui de *l'Aigle du casque* écrit par Hugo en 1876. — *Nuit de juin* est une déclaration douce et grave :

> Ton amour est la source où l'on boit la beauté.
> Ton amour est le fleuve, où, sur la transparence
> Des flots dont le courant mène à l'immensité,
> L'on s'endort, ne laissant veiller que l'espérance :
>
> L'ange est au gouvernail, il est vêtu de blanc,
> Il regarde le ciel. La brise enfle la voile,
> L'harmonie émeut l'air ; l'eau scintille en tremblant,
> Et de l'azur parfois il y tombe une étoile.

Un frisson romantique, baudelairien, passe dans cette *Galanterie tragique*, très expressive :

> Vos longs cheveux ont les frissons funèbres,
> Les reflets bleus des ailes du corbeau ;
> Ils laissent voir à travers leurs ténèbres
> Votre sein blanc, mystérieux tombeau.

Effet de neige donne une impression d'ensevelissement.
Mythologie, *Révolte*, rehaussent le ton, le fortifient.
Une Agonie est la plainte d'un rêve amoureux qui n'espère plus que l'oubli. *A la première venue*, termine en sentiment matériel ces Fusains et Sanguines, moins caractéristiques de la nature de l'homme que les Aquarelles, malgré le relief de leurs expressions vigoureuses. *Nuit de juin*, toutefois, est, nous venons de le voir, une remarquable page, révélatrice du lyrisme tendre et fier du poète.

Aux PASTELS qui suivent, nous sommes d'abord devant une *Bergerie*, dans la couleur rosée, bleuâtre, des pastorales que retracèrent des écrits et des tableaux du xviiie siècle ; il y a là des mots si bien dans cette note qu'on les voit ornés d'un peu d'ironie :

> Près des ruisseaux nous cueillons des bouquets.
> La fleur de feu ne croît pas sur ces rives ;
> Mais l'églantine y prend des airs coquets,
> Et le muguet des pâleurs si plaintives !...
>
> Les nids cachés chantent des menuets ;
> Nous ébauchons une danse fluette,
> Puis nous faisons de beaux saluts muets
> Sous le ruban qui flotte à ma houlette.
>
> Du lait, des fruits forment nos soupers fins.
> Je ne sais plus si nous avons une âme ;
> Mais nous avons des sens vraiment divins,
> Qu'un paradis très délicat réclame.

Volupté calme, *Ecole de Séville*, *Nocturne*, sont des notations sobres, des éveils d'art. *La Fauvette* est un conte gracieux où l'on voit que, lorsque tout dort, « l'amour seul reste éveillé. » *Rose pâle*, bien-aimée au cœur frêle, à l'âme comme un parfum, et *Promenade sentimentale*, au soir, dans l'air tiède, extase languissante, achèvent la courte série de ces Pastels clairs et doux.

MÉDAILLONS DE COMÉDIENNES : *Baronnette*, ballade de la rieuse et piquante Parisienne ; *Girofla*, candide et malicieuse ; *Phédre*, au charme tragique ; *Niniche*, oseuse et fine ; *Stella*, vibrante et loyale, forment un raccourci théâtral assez curieux.

Les NATURES VIVANTES sont des raccords avec la vie quotidienne : *Retour du bal*, amours d'étudiant ; *Scène populaire*, croquis réel de coins faubouriens ; *Simple profil*, d'infidèle frivole ; *Matinée parisienne*, tableautin animé et coquet ; *Amaryllis*, figurine que l'amoureux exalte ; *Céline*, dont le vice se masque de vertu.

UN PEU D'IDÉAL nous rappelle d'abord le pays messin :

Sous le ciel paternel de la verte Lorraine
Que nous étions heureux, quand nous étions enfants !
Que d'amour ignoré dans notre âme sereine,
Que de joyeux ébats et de cris triomphants !..

O pays de mon père, ô vallon d'Arriance,
Champs féconds, frais ruisseaux bois sauvages et doux,
O villages amis, n'êtes-vous plus la France ?
Quand donc en liberté nous reconnaîtrons-nous ?

La Sous-maîtresse est un mélancolique et attendri souvenir d'une rencontre fugitive comme un rêve ; *Instants d'oubli*, autres remembrances, mais plus substantielles ; *la Fiancée de Neige*, titre qui constitue une description de la pièce. Et voici une élégie : *Lise*, pas dans le ton élégiaque classique, non, mais vraiment

contemporaine ; on la revoit, cette Lisette de la
bohème :

> Tout son trousseau tenait dans sa vieille commode.
> Deux fois l'an elle avait une robe à la mode ;
> Ni bagues, ni collier, ni manteau de velours !
> Elle donnait des sous aux pauvres dans les cours ;
> Elle aimait l'orgue et la musique militaire.

On la revoit... et elle n'est déjà plus ! *Mademoiselle X*,
qui la suit, est une douce et fluette personne. Mais
Madame *** est une vision de bal qui a semé du trouble,
et cette poésie fervente serait à citer entièrement :

> Je la cherche partout, je n'ose lui parler ;
> Je la vois, je la suis, je ne sais rien lui dire ;
> Mais parfois son regard s'amuse à me troubler
> Et sa fierté parfois se plaît à mon délire...

> Sa beauté m'appartient du droit du mieux aimant.
> Qu'elle en convienne ou non, il ne m'importe guères !
> Sa beauté musicale est un noble instrument
> Qui ne saurait vibrer entre des mains vulgaires...

> Jadis, cœur maladif, esprit sombre et boudeur,
> J'étais l'enfant qui souffre et qu'il faut qu'on endorme ;
> Je me sens aujourd'hui renaître en sa splendeur,
> Mon âme nostalgique a sa beauté pour forme :

> Telle, au lever du jour, légère, en longs élans,
> L'alouette au chant clair se perd parmi la flamme ;
> Telle, au fond de ses yeux si doux et si brûlants,
> Si brûlants et si purs, monte et se perd mon âme.

Une Confession est ce récit mouvementé, poignant,
tragique, en beaux vers passionnés, que, dès 1868, rue
La Bruyère, Blémont lisait à ses amis.

En de hautes VISIONS SYMBOLIQUES, le poète ne sépare pas le mal du bien dans la création :

> Et les suprêmes paradis
> Devraient s'ouvrir aux tristes âmes,
> Que les instincts les plus maudits
> Font ici-bas les plus infâmes.

Sans les arrangements de la philosophie nouvelle qui
expliqueraient pourquoi, et qui d'ailleurs laisseraient
les plus infâmes au plus bas étage paradisiaque, cela
me paraît excessif. Le poète est entraîné ; et c'est ici
que la justice semble salutaire. Mais lisez *les Sources*,
cette fière défense des rudes et farouches hauteurs de
la terre, et de l'âme :

> Les monts géants, les fiers sommets
> Sont couverts de neige éternelle.
> Ils sont couronnés d'azur ; mais
> Sur ces âpres hauteurs, jamais
> Un bruit, un brin d'herbe, un coup d'aile !
>
> Si ton âme touche le ciel,
> Ton âme semblera stérile :
> Aucune musique, aucun miel !
> Rien qu'un suaire solennel
> Sur un grand silence immobile.
>
> Pourtant, c'est du sein des glaciers
> Que sortent les flots bleus des fleuves,
> Des larges fleuves nourriciers
> Qui chantent sous les verts osiers
> Et font pousser les moissons neuves.

Voilà, non pas un vague et obscur symbolisme, mais
l'éternel et clair symbole. Lorsque l'âme est en liberté,
nous dit ensuite le poète, elle voit l'amour comme un

dieu jeune, beau, triomphant ; et au-delà de la mort,
elle se dilate, enfin heureuse, dans la clarté. — *La
Ronde des Mois* clôt le livre ; elle déroule et dépeint,
en brèves images évocatrices, la liane variée, souple,
tantôt nue et froide, tantôt fleurie et gonflée de sève,
que forment, en se tenant par la main, les Déesses des
Mois :

> A travers la brise ou la bise,
> Sous la pluie et sous le soleil,
> Avec une harmonie exquise,
> Toutes lèvent leur fin orteil.
>
> Je suis entraîné dans la ronde ;
> Je les vois passer tour à tour,
> Sans savoir, âme vagabonde,
> Quelle est la plus digne d'amour.

Ces figures vous mènent, par le temps et l'espace, vers
la tombe ; mais on les aime. Elles fuient, on court sans
regrets avec elles. La pièce est remarquable ; il faut la
connaître. *La Ronde des Mois* « a été mise en action
récemment par la Société de Littérature française de
Liverpool. Elle figurait dans le programme d'une soirée dramatique de gala donnée à la « Royal Institution » devant un public d'élite. Pendant qu'une personne lisait les strophes, des tableaux vivants et animés,
représentant les Mois, groupes gracieux et costumés à
souhait, se suivaient sur la scène, sous le feu de varia-
tions lumineuses. » (Jules Kienlin, *Revue d'Europe*,
mai 1901). Je lis aussi dans *le Penseur* de mars 1901 :
« ... Le plus vif succès fut pour le tableau final, dans
lequel tous les Mois, ou plutôt toutes leurs belles per-
sonnifications, apparurent, menant leur ronde autour

de l'enfant Amour qui courait après elles, un bandeau
sur les yeux. »

Ces *Portraits sans modèles* laissent une impression
de phases lumineuses et douces, reliées par de brèves
stations de verve parisienne ou d'humaine fermeté ;
leurs couleurs sont vives parfois, mais généralement
nuancées avec délicatesse. Ils font partie des tendances transitoires de la littérature d'alors, mais
s'orientent franchement vers la nature. La nature !
elle semblait finie, la lignée des poètes qui la chérirent
et la chantèrent ; à part Banville et Verlaine, qui osait
seulement la faire pressentir ? Et ce n'étaient pas les
photographies du réalisme, encore moins les documents lourds, disgracieux, du naturalisme, qui pou-
vaient ramener vers elle des lecteurs dévoyés et
aveuglés. Blémont aime vraiment la nature ; et puisqu'il l'aime, il ne s'attarde guère à ses laideurs : il la
célèbre quelquefois en amoureux, plus souvent encore
en ami qui lui gardera de fertiles et durables fidélités.
Dans ce temps de littérature frelatée, nauséabonde, ou
stérilisée par l'abus de la forme, ce livre est une
source limpide tout à coup découverte sous de vrais
ombrages, peuplés de vie calme et bonne où fré-
missent d'ardentes promesses.

« C'est une vraie bouffée d'amour que votre livre,
mon cher Blémont, lui écrivit Léon Cladel, et je vous
remercie bien cordialement du charme que j'ai
éprouvé en le lisant deux fois de suite. Je crois que
vous tenez un succès. Tout est ravissant ; mais vous
me connaissez : le drame m'obsède, et c'est pourquoi
je prise par dessus tout *Une Confession*. C'est très

beau, très beau, je le répète avec conviction et bonheur, et je ne suis pas le seul que cette tragédie a
remué de fond en comble. Le : « Il s'interrompit »... et
la reprise : « Je ne sais plus comment j'ai fait, je l'ai
tué » — est une trouvaille. Ça prend les entrailles ; et
les miennes en sont encore serrées. Et puis c'est humain, mais d'une humanité interprétée par un artiste ! »

Sully Prudhomme le félicita de la bonne tenue de
sa poésie : « ... Vous avez déployé des ressources et
des qualités d'artiste bien remarquables au service de
sentiments très fins. Je vous sais un gré infini, en face
du réalisme grossier qui menace d'envahir tous les
arts et la littérature, de respecter et de représenter la
seule aristocratie qui doive durer, celle du goût,
qui bientôt n'aura plus de sens dans notre langue. Je
ne saurais vous dire avec quel plaisir je constate
votre fidélité à la muse élégante et délicate, et noble
aussi. »

Voici une remarque judicieuse de Stéphane Mallarmé :
« ... Aucune des subtilités les plus lointaines et les
plus fuyantes, dont aima à noter les dégradations notre
jeunesse parnassienne, ne vous est étrangère ; et cependant, vous les retrempez toujours dans quelque
chose de franc, d'heureux et de simple, qui est la vie,
et ne négligez même pas cette touche spirituelle, très
délicate ici, sans quoi rien n'est français. »

Emile Pouvillon admirait la Ronde des Mois :
« ... Impossible de symboliser d'une manière aussi
vivante, avec un art aussi léger, aussi fin. Cela res
semble à un bas-relief de la Renaissance, avec cette

sorte de grandeur en plus que donne la pensée moderne. Votre volume m'a tout à fait ravi et charmé.
J'ai été frappé surtout de votre liberté d'art, et de voir
à quel point vous êtes vous-même dans tout ce que
vous faites. Votre poésie est toujours souple, toujours
française et dans la veine la plus large, avec l'inspiration la plus haute. »

Le Reboullet publia dans le Temps du 9 mai : « ... Le
poète est un amoureux des belles choses, des ciels
bleus, des fleurs et des femmes, de tout ce qui rit, qui
chante et qui sent bon, ce qui ne l'empêche pas,
comme toute âme vibrante, d'avoir ses heures de mélancolie après les heures de gaieté. Plus d'un de ces
petits tableaux mériterait d'être détaché de son cadre. »
— Julien Goujon dans le Molière du 18 : « ... Un ravissant petit musée, d'une légèreté éblouissante de touche
et d'un merveilleux coloris. » — Charles Canivet, tout
un article avec citations au Soleil du 30 : « ... Un recueil
plein de choses exquises !.. Les souvenirs personnels y
tiennent une grande place ; rien n'inspire mieux le
véritable artiste... Le poète a su faire marcher de front
la philosophie, l'observation et la description, dans un
langage de maître et sous une forme étudiée, sans
apparence de travail et de peine... » — Auguste Ba-
luffe, dans l'Hérault du 13 juin : « Une impression de
langueur voluptueuse et de saine virilité, de philosophie païenne et de délicatesse subtile, selon la page et
le sujet, vous reste quand vous fermez ce livre. »

Voici des lignes précieuses de Théodore de Banville
sur la facture du poète (le National, 2 juin) : « ... Que
de progrès chez ce jeune et habile artiste, depuis les

7

vers de sa première *Féerie !* Plus que jamais épris
d'idéal, il s'est appris aussi à bien voir, à bien saisir la
réalité, à la peindre d'un trait net et décisif, et tous ses
tableaux, composés avec un juste sentiment de la proportion, frappent l'esprit par une vision intense et
éclatante des choses... Rapidité et variété de l'image,
harmonies bien pondérées, éclat et originalité de la
rime, telles sont les qualités qui donnent aux vers de
M. Emile Blémont cette étrangeté sans laquelle la
beauté ne serait rien pour nous ; il a l'art de dire la
chose à laquelle on ne s'attend pas, et qui cependant
est celle qu'il fallait dire. Surtout, il trouve du premier
coup, ingénieusement, le trait caractéristique. »

La Paix du 17 donnait ses préférences à une aquarelle et ajoutait : « Il y a bien de la finesse dans les
stances de ce petit poème. Nous parlions d'anthologie
au commencement de cette étude, voilà un vrai morceau d'anthologie moderne, à placer après la pièce
célèbre de Musset : Si je vous le disais pourtant, que
je vous aime ! » — Une chronique de Léon Valade, dans
le Progrès artistique du 4 juillet, décrivait les étapes
antérieures du poète, « désormais initié à toutes les
nuances et à tous les secrets de son art, où il s'affirme
dans la pleine possession de sa forme définitive... Un
lien commun de ferveur esthétique unit entre elles
toutes ces strophes où l'Eternel Féminin est pour-
suivi avec une curiosité passionnée dans l'épanouissement de ses attractions sans nombre... M. Blémont
excelle à enchâsser dans une forme concise une image
piquante ou une idée neuve. »

Emmanuel des Essarts (*Courrier du Soir*, 14 juillet)

remarquait : « C'est à la fantaisie que pourrait être dédié ce recueil, à la fantaisie de l'Arioste et de Watteau, de Marivaux et de Shakespeare. Rien de plus délicatement fantasque, de plus délicieusement cavalier que ce livre de Décaméron, radieux de jeunesse et d'élégance... » Je cite encore, de Valéry Vernier *(République française)* : « ... La correction est la première parure de ses vers ; elle s'allie à une inspiration vraie et sincère... La tendresse lui est naturelle ; ses vers d'amour donnent envie d'aimer. » — De Maxime Gaucher (*Revue politique et littéraire*, 30 août) : « ... Tout cela est d'une touche légère, d'un trait net, d'un coloris aimable sans empâtement ni enluminure... » — D'Albert Delpit *(la Liberté)* : « ... Emile Blémont est de ceux qui aiment d'autant plus la poésie qu'elle est plus insultée. »

La Prise de la Bastille. — Le Porte-Drapeau

La France venait de célébrer avec enthousiasme la première Fête du 14 juillet. Blémont, fidèle aux impressions de vaillance comme à celles de nature, naquit alors vraiment à cette poésie française et républicaine dont une source vive était en lui. Il écrivit ce poème : la Prise de la Bastille, qui parut le 14 juillet 1879, en un grand placard populaire, avec, en tête, une large composition de H. Meyer. Cela se vendait quinze centimes, « au profit des amnistiés ». Un fragment, occupant trois colonnes, parut en même temps, parmi des vers de Hugo, l'Avenir, et des articles de Louis Blanc, Schœlcher, Maret, Spuller, Anatole de la Forge, Ranc, Camille Pelletan, Clovis Hugues, dans un journal vendu pour le même objet sous le titre : le Quatorze juillet.

La Prise de la Bastille, dont le succès se prolongea, fut rééditée en octobre, chez Lemerre ; la plaquette était illustrée par Frédéric Régamey.

Le poète dégage d'abord l'impression sinistre que causait la Bastille, en des vers qui font songer à la toile lugubre de Klooger, et à cette aquarelle terrible du temps, représentant des cachots d'horreur et d'épouvante :

> On y voyait surgir de lugubres images,
> Des moribonds mangés à moitié par les rats,
> Des troncs décapités battant l'air de leurs bras,
> Les yeux tout grands ouverts d'une tête coupée,
> Les lèvres appelant la Pompadour Poppée,
> Des porte-clefs forçant des captives, des fous
> Tout nus et s'esclaffant de rire sous leurs poux,
> Des squelettes encor chargés de lourdes chaînes,
> Des fantômes tordus au loin, comme des chênes
> Sous un vent orageux, et hurlant : Dieu n'est pas !

Qui eût tenté de s'attaquer à ce monstre de pierre ? Or, c'est sous la menace de la Cour, des régiments étrangers, que le peuple marche contre la Bastille. Le poète conte ce fait d'épopée en un langage simple, populaire. On s'élança ! ce fut insensé, mais sublime.

> Or, le peuple étant fou d'héroïsme, d'espoir,
> Il arriva ceci, que sous son granit noir
> La Bastille devint folle de peur...
> . . . . . .
> La Bastille, perdant le cœur, perdant l'esprit,
> Soudain trembla, baissa son pont-levis, ouvrit
> Toute grande sa porte, et livra son tonnerre
> Au tragique torrent révolutionnaire ..

C'est la victoire pour la France, et aussi pour le monde. Par une noble invocation, le poète montre, en ce triomphe, Prométhée même brisant enfin ses chaînes, et chassant le vautour si longtemps nourri de son cœur. Et ces beaux vers, pleins de vigueur et de lyrisme, retrouvent l'étincelle de la Révolution :

> ... L'amour
> Triomphait de la haine, et l'aube des ténèbres.
> Le laurier l'emportait sur les cyprès funèbres,

Et le peuple héros sur le peuple valet.
L'énorme cachot noir du Passé s'écroulait,
Du fracas de sa chute ébranlant tout un monde.
L'Avenir, rayonnant de lumière féconde,
Apparaissait, avec ses magiques lointains,
Ses vignes s'étageant sur les volcans éteints,
Ses champs de blonds épis remués par les brises,
Ses vergers pleins d'oiseaux jaseurs et de cerises,
Ses bois pleins d'ombre verte et de fraîches amours,
Ses fleuves d'argent clair en ses prés de velours,
Ses fermes, ses hameaux couverts de tuiles roses,
Ses villes célébrant dans les apothéoses,
Au lieu des conquérants, les pacificateurs...

Le peuple, en prenant la Bastille, a gagné le droit
d'avoir une âme. — Certes,

Le travail est encor l'esclave de l'argent,
Qui n'est pas un bon maître...
. . . . .
L'ignorance, la haine et le crime aux yeux faux
Rôdent encore autour des rouges échafauds ;
La Guerre enfin, qu'on voit, prostituée ignoble,
Fouler, comme au pressoir les grappes du vignoble,
Les cœurs pleins d'un sang pur sous ses talons d'acier,
La Guerre, vieille gouge aux dents de carnassier,
Aux yeux froids et perçants comme des baïonnettes,
Qui se range, fait des calculs, met des lunettes,
Et gagne un argent fou pour des cuistres hautains,
La Guerre est le suprême arbitre des destins !..

N'importe ! la Révolution est le lever d'un beau jour
qui brillera encore :

Le germe indestructible est semé dans les cœurs.
Malgré le vent, la grêle et les oiseaux moqueurs,

> Malgré les gens de mal ouvrant leurs yeux d'orfraie,
> Le bon grain mûrira, délivré de l'ivraie...

Qui jugerait Emile Blémont seulement d'après la poésie de sentiment naturel et délicat où il excelle, se tromperait grandement ; on voit qu'il possède aussi la corde d'airain. Il y a même en lui, à côté de l'œuvre littéraire, généralement fondue avec elle, toute une œuvre d'homme d'action ; et ce poème est un acte autant qu'il est un chant. J'aimerais voir la jeunesse lire ces vers d'énergie et d'enthousiasme. Aujourd'hui surtout que des gens osent amoindrir ou avilir ce fait épique de la Révolution, il serait bon de propager des pages fières et véridiques comme celles-là.

« Voilà un grand souvenir qu'il faut perpétuer dans la mémoire du peuple, écrivit Mᵐᵉ Michelet à Blémont ; c'est la victoire de l'Humanité. Vous l'avez dit avec une grandeur magistrale... L'âme des victimes était en vous, vous les avez superbement vengées. » Autres lettres. De Stéphane Mallarmé : « La charmante plaquette forme bien à elle seule un tout parfait et contient un de ces beaux éclats de voix que donne le poète devant la perpétration ou au souvenir d'un grand fait... » — D'Antony Valabrègue : « J'ai été très vivement frappé de l'allure large et des qualités lyriques de ce poème qui est, je crois, le meilleur que j'aie lu de vous. Les vers ont, très souvent, un accent vraiment supérieur... » Une appréciation, qui dut remuer très intimement le cœur du poète, fut celle-ci : « Ta nouvelle œuvre est largement conçue. Il y a là certains vers qui, dans leur vaste brièveté, sont, à eux seuls, des volumes d'histoire... Ce sont là, certes, de grands et ma-

gnifiques vers, de bonnes et solides pensées. Je t'en
félicite de tout mon cœur de vieux républicain, de
toute mon âme d'ancien poète...

« Ton oncle qui te serre cordialement la main,

« AUGUSTE JOLLY. »

A propos d'une étude sur *Shakespeare*, Emile Blémont reçut ces lignes du plus célèbre poète anglais
contemporain :

« London, 6 mars 1888.

« Monsieur,

« Je viens de lire votre admirable et cordial article
du *Rappel* d'avant-hier, dont je m'empresse de vous
offrir mes remerciements. Mais, pour les exprimer
aussi clairement que je le voudrais, il faudrait m'arrêter à chaque période, en commenter chaque phrase. Je
suis heureux que vous ayez remarqué sans la flétrir,
ainsi qu'elle a pu paraître le mériter, l'audace que je
me suis permise d'oser contrarier le jugement de notre
Maître à tous, à l'endroit du pauvre Falstaff, dont son
roi ingrat a brisé, broyé le cœur, et dont la souffrance
ingénue et mortelle impressionna même des sacripants
comme Nym et Pistol...

« ALGERNON CH. SWINBURNE. »

Cette même année, Blémont donna diverses poésies
au *Nouveau Parnasse français* (Leipzig), et une notice
sur l'Abbaye-au-Bois dans *les Chefs-d'œuvre d'art au
Luxembourg* (Baschet, juin 1880).

Il publia aussi le **Porte-Drapeau**, illustré par Régamey (Strauss). C'est un épisode de 1870-1871, de « cette
guerre à l'œil faux, au travail clandestin », que décrit

le poète en un langage d'amère tristesse, et qui, si vite,
nous mena de Wissembourg à Sedan !

> . . . Que ne peut-on, ô céleste clarté,
> O vous, témoins muets, plaine, tombeaux, cité,
> Que ne peut-on, par quelque élan expiatoire,
> Arracher ce feuillet du livre de l'histoire !..

Parmi les défaites, les chutes, qu'évoque une description nourrie, forte, expressive, et quand la France
est envahie, un vieillard, dans Mulhouse, se sent
mourir devant l'Alsace perdue. Il demande qu'on l'en-
sevelisse dans un drapeau tricolore ; et le poète
exprime cette belle idée que, depuis lors, le drapeau
français n'a pas quitté la terre d'Alsace :

> . . . Là-bas, il est, je vous le dis,
> Un cadavre qui serre entre ses bras raidis,
> Gage d'inébranlable espoir, sainte relique,
> Les augustes couleurs de notre République ; —
> Qui, sous le sol gonflé d'un généreux ferment,
> Pour notre France en deuil garde fidèlement
> Le cœur sombre, le cœur profond de la contrée ; —
> En qui du passé fier l'âme s'est concentrée ;
> Qui sans relâche attend, qui les nuits et les jours
> Attendra, les lointains et longs roulements lourds,
> L'immense bruit de pas, la sonore fanfare,
> Annonçant le réveil à ce nouveau Lazare...

C'est la vieille Alsace personnifiée :

> Déjà même, dit-on, quand la lune irisée
> Plane au ciel de minuit sur la ville apaisée,
> Les passants attardés que poursuit, comme un glas,
> Sur les trottoirs déserts l'écho sourd de leurs pas,

> Parfois, le front hagard et la bouche béante,
> S'arrêtent, en voyant surgir, forme géante,
> Un spectre sépulcral, qui parmi les pâleurs
> S'avance, grave et lent, drapé dans nos couleurs...

Voilà un poème digne de *la Prise de la Bastille*; il offre même, par l'invention, plus de personnalité; mais un égal souffle viril l'anime. Il fut d'abord publié aussi en un placard populaire, tiré à cinquante mille exemplaires et vendu dix centimes. Plus de trente mille furent achetés en deux jours. On s'apprêtait à faire un nouveau tirage, quand l'éditeur fut avisé officieusement d'avoir à reprendre le placard, dont la vente ne serait plus tolérée. Ces rimes héroïques avaient le tort de rappeler avec trop de succès l'Alsace-Lorraine à la France, et de réveiller l'esprit de relèvement. Blémont connut ce jour-là que la politique, lorsqu'elle est faite par des esprits vulgaires, est une ennemie féroce de la littérature.

Théodore de Banville, dans son compte-rendu au *National* (19 juillet), cita « la touchante et énergique péroraison, dont les grands vers fondus d'un seul jet, éclatent avec le retentissement de l'airain sonore... Voilà certes, ajoutait-il, une belle langue et de grandes images. »

Parmi les dernières lettres de la campagne du *Rappel*, empruntons quelques extraits à celle de M. de Lescure, lauréat de l'Académie ; ils sont du 6 août 1880 : « Je suis très touché, très flatté et très reconnaissant de la façon dont vous avez bien voulu parler de mon *Eloge de Marivaux*. Je suis aussi très frappé de la finesse d'aperçus de votre article... Je crois que vous étiez très capable de nous donner un Marivaux très nouveau, très original. Il est fort heureux pour moi que vous n'ayez pas concouru... Je vous prie d'agréer l'hommage de mon discours. Il était dû à l'écrivain qui, dans la presse parisienne, a fait incontestablement le meilleur article sur le sujet où je suis flatté de me rencontrer par tant de points avec vous, et que je n'aurais pas osé traiter si je vous eusse lu avant, au lieu de vous lire après ».

On se rend compte, sans qu'il faille insister, de l'activité de Blémont, ainsi que des directions variées que prenait sa pensée en ce temps d'évolutions. Il travaillait avec acharnement, pour oublier la mort de son enfant.

Mais, fatigué, brisé, n'ayant d'ailleurs plus de goût pour le journalisme, il avait cessé de collaborer régulièrement au *Rappel*. Toutefois, il ne se replia pas encore définitivement vers les calmes Revues. Banville lui avait proposé le *Gil Blas* ; il préféra entrer au *Réveil Social*, fondé par les amis de Louis Blanc. Il y fit pendant deux ans (1880-1882) la critique dramatique et littéraire ; ses feuilletons hebdomadaires étaient suivis attentivement. On avait remarqué surtout celui où, précisant le rôle social de la littérature et du théâtre, il avait appelé de tous ses vœux l'avènement d'une formule nouvelle qui serait l'*Ecole humaine* (27 janvier 1880.)

Il collabora aussi au *Paris Moderne* (1880-1881), où il fit paraître onze poèmes d'Edgar Poe interprétés en vers français. A cette occasion, il reçut de Banville la lettre suivante :

« Paris, 5 décembre 1881.

« Je viens de lire avec une vive joie dans *Paris Moderne* votre interprétation des poèmes d'Edgar Poe. C'est bien la musique même du grand poète. Après avoir su un peu d'anglais quand j'étais enfant, je m'en rappelle si peu que rien du tout ; mais cette musique de Poe, je l'entends en vous lisant et je la retrouve, telle que Baudelaire me la faisait sentir, en m'en expliquant les procédés, lorsqu'il me récitait lentement *le Corbeau* et les autres poèmes.

« A la bonne heure ! voilà une traduction (si on veut employer ce mot) qui nous donne autre chose qu'une carca se. Je vous applaudis de tout mon cœur, cher ami...

« Votre bien dévoué,

« THÉODORE DE BANVILLE. »

Avec et pour Victor Hugo

La campagne du *Rappel*, où Blémont s'était voué à la propagation de ses idées les plus chères, avait eu particulièrement cette haute signification : le bon combat soutenu avec et pour Victor Hugo. Entré dans l'intimité du grand poète, il le voyait chaque semaine, était souvent invité à sa table. Plusieurs causes établissaient entre eux une spéciale attraction. Ainsi que la plupart des esprits qui ont organisé le XIX° siècle, ils avaient leur commune origine dans la bourgeoisie. Hugo fut façonné, d'étape en étape, par les mœurs et les triomphes républicains de son temps ; et Blémont entendit dès son enfance les chants hardis de la muse populaire, cultivée dans sa lignée maternelle. Or, tout cela, c'était le courant révolutionnaire qui entraînait hommes et œuvres vers l'avenir. A côté d'autres cordes qui faisaient du premier un poète de l'épopée et de l'autre un poète du sentiment, ils possédaient tous deux cette fibre poétique qui vibre devant l'héroïsme de la Révolution française. Après la chute de l'Empire et l'avènement définitif de la République, il était logique que, si voisins d'opinions, d'espérances, d'inspiration démocratique, il se rencontrassent, se comprissent, pour l'œuvre commune où travaillaient aussi d'autres groupes formés par d'autres affinités.

La sympathie était naturelle par les origines et les penchants, autant que sociale par la nécessité de s'unir en vue d'intérêts publics nouveaux : motif qui compte tant dans tous les accords humains ! Mais pour des poètes, on peut assurer que ce motif fut secondaire ; ces calculs, pourtant indispensables, auxquels pensent tout d'abord les politiciens, ne sont généralement aperçus qu'après coup par les fervents de la muse. De Hugo à Blémont, il y eut l'agrément d'une bienveillance, j'allais dire paternelle ; et j'affirmerais que l'admiration de plus en plus profonde et libre de Blémont pour Hugo, fut une sorte d'instinctif et direct sentiment filial. En tout cas, si les évolutions de Blémont se poursuivirent encore, à cause du plaisir avisé mais très vif qu'il ressentait à *trouver*, son action respectueuse et vigilante à côté de Victor Hugo fut une première halte, une station choisie d'où sa pensée s'élancerait ensuite dans la meilleure voie de l'avenir.

Le 30 janvier 1881, *le Beaumarchais* parla de célébrer, le 26 février, l'entrée de Hugo dans sa quatre-vingtième année. La presse approuva. Le 12 février, fut élu un comité d'organisation dont fit partie Emile Blémont. La Fête s'ouvrit le 26 ; mais c'est le lendemain, un dimanche, que défila, devant la maison de l'avenue d'Eylau, cette inoubliable manifestation populaire dont toute la terre retentit. Dès le début, Blémont était là, commissaire de la Fête, recevant, avec les membres du Comité, les offrandes multipliées de ce peuple immense. Il se rendit ensuite à la grande salle du Trocadéro, pour l'ouverture de la matinée solennelle donnée au bénéfice des pauvres de Paris ; il y arriva à temps pour entendre l'allocution de Louis Blanc, le poème de Banville claironné par Constant Coquelin, et pour offrir son bras à Julia Bartet et l'introduire sur cette vaste scène, où, devant un public énorme et frémissant, elle dit les vers superbes de *la Mise en liberté*.

Le Beaumarchais du même jour fut un numéro spécial, proses et poésies, où se trouvaient des strophes de Blémont, qui, magistralement dites sur la scène du Vaudeville par Pierre Berton, avaient été redemandées et longuement acclamées. Le numéro suivant (6 mars) donna une relation des fêtes, et Blémont y rendit compte de la représentation de *Lucrèce Borgia*. Le 20 mars, il y dit adieu à son ami le poète Adolphe Pelleport ; et son récit montrait Hugo arrivant seul dans la pauvre chambre lointaine de la rive gauche où Pelleport, âgé de trente-huit ans, agonisait. Le 15 mai, *le Beaumarchais* publia le décret de Jules Grévy transformant l'avenue d'Eylau en avenue Victor Hugo, et un nouveau manifeste ouvrant une souscription pour ériger une statue à Hugo. Le 8 juin, à la salle Herz, se tint une réunion de plus de trois cents personnalités, qui élut un comité provisoire d'initiative de treize membres, dont Blémont ; le 15, il fit partie encore de la commission exécutive de vingt membres nommée aussi par élection. Il prit une part importante à la séance où la commission arrêta le texte de l'appel, qui ouvrit officiellement la souscription (14 juillet.)

Cependant Blémont ne négligeait pas son œuvre littéraire. Il publia cette année-là, en librairie, ses

Esquisses américaines d'après Mark Twain (Ollendorff.)
Ce sont de libres et fidèles interprétations, qui nous
donnent l'idée et le style de l'auteur, avec leur saveur
toute spéciale. On se rappelle la lettre de Champfleury
à ce sujet.

J'ai noté des vers sincèrement émus, dans le poème :
André Gill, de Blémont, qui fut dit à la représentation
du 3 novembre 1881, à l'Odéon, par Albert Lambert
(édité ensuite chez Tresse) :

> Il était né très noble et très pauvre ; il avait
> Loyalement conquis sa place à la lumière,
> Marchant, front haut, avec sa fierté coutumière,
>   Vers l'idéal pur qu'il rêvait...

> Quelque chemin qu'il prit pour aller en avant,
> Une ombre le hantait, le harce'ait sans trêve ;
> Comme un frêle château de cartes, son beau rêve
>   En lambeaux s'envolait au vent.

Blémont donna une notice sur Joseph de Nittis, dans
les Artistes modernes (Launette, 1881), et commença sa
collaboration à l'*Artiste* (1881-1890). Son étude dans
cette dernière publication sur *J.-J. Henner* (janvier 1882) fut éditée, en tirage particulier, avec deux
belles reproductions de tableaux. L'histoire du peintre,
son portrait, son œuvre où « le sens de la mélodie
plastique et celui de l'harmonie lumineuse se sont
développés pour s'épanouir en pure poésie », sont
traités avec cette solide texture de la critique de
Blémont, qui y met de l'âme, du cœur surtout, et du
savoir vrai. Pas trop de technique, mais beaucoup
d'impression ; et de la sensibilité, ce qui vaut mieux.

Aussi Henner revit-il entier, avec sa couleur et son idéal, dans cet essai.

Une analyse de *la Faustin* (au *Beaumarchais*) valut au critique cette lettre d'Edmond de Goncourt : « Quel aimable, quel caressant, quel élogieux article vous avez bien voulu consacrer à *la Faustin*, et cela dans une belle et délicate prose de poète qui flatte infiniment l'auteur ! On me promet de dîner prochainement avec mon critique, ce sera une occasion de le remercier plus longuement et de plus près. Recevez, cher monsieur, l'assurance de mes sentiments les plus sympathiques pour l'homme et son talent ». (26 janvier 82)

Cette année 1882, Blémont fit paraître le Jardin enchanté, avec dessins de Henry Guérard (Charavay frères). Une nuit d'hiver, l'enfant d'un bûcheron est gravement malade ; le père est sorti pour chercher assistance ; et la mère, lasse de ses veilles, somnole. La Mort passe, emporte la petite âme. Alors la mère s'éveille ; désespérée, elle s'élance dehors :

> Vingt fois elle trébuche et chancelle ; et toujours
> Elle reprend sa marche à travers les bois sourds.
> Mais elle sent enfin défaillir son courage ;
> En proie à l'ouragan qui l'aveugle et l'outrage,
> Elle tombe, elle gît au milieu du chemin.

La Nuit lui apparaît ; elle lui dira la route qu'a suivie la Mort, mais elle voudrait entendre ces chants qui s'élevaient, le soir, de la pauvre hutte ; et la mère chante ! La Nuit dit : « C'est par là. » — Par là, deux sentiers s'ouvrent sur le lointain : lequel prendre ? Un buisson blanc de givre lui demande qu'elle le ré-

8

chauffe, et elle serre les branches glacées contre sa
poitrine. « Va de ce côté », dit le buisson. — Elle
marche jusqu'à un fleuve ; le batelier a besoin de ses
cheveux ; elle donne ses cheveux et aborde sur l'autre
rive.

> Alors, au cœur d'un bois, où le grêle bouleau
> S'élançait, blanc et lisse, entre l'érable et l'orme,
> Elle aperçut de loin une sorte d'énorme
> Et merveilleuse serre, avec de grands jardins,
> Des bouquets d'arbres, des terrasses, des gradins.
> La place était pourtant solitaire et muette.
> Nul oiseau, si ce n'est une vieille chouette,
> Avec recueillement perchée en haut d'un if ;
> Et l'on n'entendait rien que le soupir furtif
> De la brise, fuyant sous les feuilles légères.

Les Parques sont assises sur le seuil ; l'une lui demande ses yeux, l'autre sa santé, la troisième sa jeunesse : elle les donne. Une des Parques la conduit
alors en ce domaine, où chaque existence est représentée par une plante. La mère doit chercher, deviner,
trouver l'arbuste lié au destin de son enfant, avant
que la Mort ne l'arrache ; et la Parque décrit les
plantes, qui offrent les caractères différents des personnes. Tableau plein de la connaissance des êtres et
du sentiment des similitudes, que suit une pittoresque
et délicate peinture de ce « Jardin enchanté », en mots
précis, rythmés, musicaux. Poème de choix dans ce
poème varié : trois pages d'anthologie dont on ne peut
citer un fragment, car tout s'y tient et tout y est à lire.
Parmi ces innombrables plantes, la mère touche un
faible liseron : c'est lui ! Mais la Mort approche.

> La Mort aux yeux profonds parut entre elles deux.
> Et la vision blanche aux mamelles de marbre,
> Faisant sous ses pieds nus craquer des feuilles d'arbre,
> Regarda fixement la suppliante en pleurs.

Elle s'étonne, devant la mère héroïque, puis veut l'écarter; mais l'admirant, elle lui fait rendre tout ce que celle-ci a donné pour sauver son enfant, et lui dit de regarder au fond d'un puits, où elle verra la vérité, l'avenir.

> La mère se pencha sur le puits. Mille scènes
> Passèrent sous ses yeux alors, amours et haines !
> Des chants, des cris, des pleurs, des rires et du sang !
> Ici, les songes d'or, l'espoir éblouissant,
> Les candeurs, les aveux divins, les harmonies,
> L'aurore, l'azur. Là, les noires insomnies,
> L'obsession, l'effroi, la meute des remords,
> L'instinct cabré, prenant aux dents le fer du mors,
> Les louches lâchetés pataugeant dans la boue,
> Les bandits honorés, les martyrs qu'on bafoue,
> Judas vendant Jésus pour les trente deniers,
> Et le vol des vautours chauves sur les charniers.

Et c'est lui, son enfant, lui, ce meurtrier voué à d'atroces funérailles et maudissant sa mère ! « Non ! ce n'est pas lui. — Qu'en sais-tu ? dit la Mort. — Qu'il vive ! s'écrie la mère ; plus tard nous verrons bien... » Mais voyant la Mort marcher vers le liseron, elle tombe sans connaissance... Et elle se retrouve dans sa hutte, où le père, revenu, guettait son réveil ; où l'enfant, sous un pâle rayon de soleil, repose, calme, sauf.

> Celle qui trop souvent prend nos fils sans retour,
> La Mort, s'était laissé désarmer par l'Amour.

Ce poème est d'un sentiment délicat d'amour, de bonté ; la forme en est douce et mesurée, avec l'agrément d'un petit roman d'un genre élevé ; il est bien dans la nature de Blémont, et suffirait à faire comprendre au moins le principe de sympathie qui règne en lui, l'aspect principal de sa littérature dégagée de ce qu'elle offre, en d'autres écrits, de virile énergie. Mme Alphonse Daudet écrivit à l'auteur : « J'ai lu et relu votre poème, et je veux vous dire combien je suis fière de la dédicace. C'est d'un sentiment si ému sous la musique du vers, vous avez si bien rendu la torture de cette mère à la recherche de son enfant ! Quant aux descriptions, je les trouve d'un art pénétrant et si vrai... Et la fin, quelle résurrection dans un joli rayon frileux !.. Je serais sortie en larmes de ma lecture si l'artiste en moi n'avait par moments apaisé la lectrice. » — « Ce n'est pas un volume, dit Louis Ulbach dans *le Rappel* du 27 février, mais c'est très certainement le meilleur des poèmes qu'il nous soit donné de lire aujourd'hui .. Parfait d'exécution, fin de sentiment, large de dessin, il a une tristesse poignante et pourtant une foi héroïque qui lui donnent un double attrait. Il comptera non seulement dans l'œuvre de M. Blémont au premier rang, mais aussi parmi les œuvres les meilleures de la jeune génération. »

Les quatre-vingts ans sonnés de Hugo furent célébrés dignement. Il y eut chez lui, le 26 février 1882, une solennité intime et touchante, où le Comité de 1881 lui offrit un bronze superbe : le *Moïse*. Lorsque Hugo parut, après le dîner, vers neuf heures, à l'entrée du salon, ce fut Emile Blémont qui s'avança à la tête du Comité et prit la parole en ces termes : « Maitre, le Comité d'initiative de la Fête du 27 février dernier, qui a eu l'honneur de vous envoyer pour ce jour un chef-d'œuvre de Michel-Ange, m'a chargé d'être son interprète auprès de vous. Veuillez recevoir ses humbles et respectueux hommages et accepter tous ses vœux pour les plus nombreux retours de cet heureux anniversaire. »

Victor Hugo répondit avec une profonde émotion : « Mes chers amis, je vous remercie ; je suis profondément touché, et celui qui parle en votre nom sait combien je l'aime. Vous connaissez également mes sentiments pour vous tous, vous savez que je suis entièrement avec vous. J'accepte avec reconnaissance votre don. Je l'accepte pour moi, mais je l'accepte surtout pour mes petits-enfants. — A l'âge où je suis arrivé, je n'attends plus pour moi-même qu'un don ; ce grand don, ce don éternel, c'est la mort, et je l'attends d'un cœur religieux. La mort, suprême récompense du bien que nous avons pu faire ici-bas ; car elle existe, cette récompense, n'en doutez point... »

Emile Blémont avait proposé au Comité des Fêtes de 1881 la publication d'un *Livre d'or de Victor Hugo*. La proposition fut admise ; mais le Comité ne pouvant accepter une responsabilité pécuniaire en cas de déficit, Blémont offrit de l'entreprendre à ses risques et périls, si on lui donnait mandat spécial et pleins pouvoirs : ce qui fut fait. Le mandat fut renouvelé en juin, par le Comité définitif de la statue. — La tâche de Blémont fut lourde. Il lui fallut rassembler les documents de la Grande Fête, y compris les adresses et communications que Hugo avait reçues de tous les points du globe et qu'il lui confia. Puis il lui fallut choisir, ordonner, édifier les matériaux d'un recueil devant caractériser la vie et l'œuvre du Maître, et qu'illustreraient les meilleurs artistes contemporains. L'auteur exécuta l'entreprise sur un plan large, clair, précis, selon l'ordre logique et chronologique, et il y mit tant d'activité que la première livraison parut le 15 mai 1882; ensuite, chaque semaine, fut publié un fascicule.

Le Beaumarchais ayant organisé, en juillet-août de la même année, une série de représentations de *Ruy Blas*, avec conférences préliminaires, dans plusieurs théâtres de Paris, Emile Blémont écrivit le poème : **Pour la Statue de Victor Hugo**, qui fut dit par Albert Lambert, à la fin de la pièce, en guise d'épilogue, devant le buste du Maître, avec le plus vif succès. Une des conférences fut faite par Blémont, qui pour un jour redevint brillant orateur au profit de l'art.

Dans son poème, édité avec deux beaux portraits de Hugo, chez Launette, Emile Blémont rappelait l'émotion du monde entier au 26 février 1881. Puis, évoquant cette carrière énorme, de lutte, d'exil, de triomphe enfin, il retraçait l'amour ardent du chef romantique pour le théâtre :

> Le théâtre, où le peuple est instruit par l'exemple,
> Pour le poète avait la majesté d'un temple ;
> Et sa pensée était d'écrire un drame, tel
> Que la scène semblât transformée en autel,
> Que le verbe vraiment s'y fît chair et lumière,
> Qu'un monde, retrempé dans la fierté première,
> Y pût communier, librement, chaque jour,
> Dans le dévoûment pur et dans le pur amour.

Hugo, le rêveur entré dans l'action, était peint avec orce dans son œuvre de châtiment :

Et là-bas, sur son roc batin des flots amers,
Accompagné du bruit formidable des mers,
L'âme, avec leur écume, éparse en la tempête,
Grand comme Prométhée, âpre comme un prophète,
Hanté de visions, pâle, vibrant, fatal,
Sentant frémir sous lui son large piédestal,
Il prend tout à témoin, les vents, les flots, la terre,
La douleur, le tombeau, l'insondable mystère,
Et, parmi les sanglots, les pleurs, les mornes deuils,
Aux sanglantes rougeurs errant sur les écueils,
Déchaîne, se dressant de toute sa stature,
La malédiction de toute la nature,
Pour toujours, en tous lieux, et par tous les chemins,
Sur les violateurs de tous les droits humains...

Ce poème si vibrant d'enthousiasme, et d'une si fière compréhension de la double mission poétique et sociale de Hugo, avait été publié intégralement dans *le Rappel*, et aussi dans *le Beaumarchais*. Blémont devint un des plus actifs rédacteurs de cette vaillante revue ; il y donna des chroniques, des fantaisies, des vers, des critiques (entr'autres sur les *Poètes grecs contemporains*) ; il y faisait aussi chaque semaine l'article Théâtres, et de temps en temps de la critique d'art. Il rendit compte des Salons de 1881 et 1882, qu'il émailla de rimes épigrammatiques ; telles, sur une toile de Bastien-Lepage :

Ce vieux mendiant maigre et jaune
A des trous dans son pantalon ;
Mais il pourrait faire l'aumône
Aux plus fortunés du Salon...

Le Réveil social étant devenu *le Réveil*, sous la direction de Valentin Simond, Blémont y fit le Salon de 1882 ; mais il démissionna à la suite d'une polémique avec Jules Vallès, rédacteur en vedette de ce journal renouvelé, et dont il ne partageait pas suffisamment les goûts et les opinions. Ses Salons, qu'avait précédés sa contribution poétique au *Salon illustré* de F.-G. Dumas (1879), lui ouvrirent les journaux et revues d'art. Aux notices que j'ai citées, il en ajouta une sur Léonide Leblanc, la Marotte de *Molière à Auteuil* (*les Actrices de Paris*, Launette et Decaux, 1882.) A l'*Artiste*, son importante collaboration dura pendant toute la direction de Jean Alboize (1881-1904). Outre son *Henner*, il y donna de nombreuses et variées Chroniques de Paris, des poésies, une série inédite de ses *Poèmes de Chine*, des essais sur diverses personnalités actuelles, sur les nouvelles recherches d'art. Régulièrement, il y présentait les expositions des cercles parisiens ; il y rendit compte des Salons de 1886, 1889, 1890, 1891. La *Nouvelle Revue* reçut aussi de lui (1882-1897) des poésies, et cette simple mais précieuse nouvelle : *Une vraie Française*.

La publication hebdomadaire du **Livre d'or de Victor Hugo** étant terminée, l'ouvrage parut au commencement de 1883 en un superbe volume in-quarto, à la Librairie Artistique (Henri Launette.) A côté de la documentation par l'image, fort considérable, Emile Blémont avait écrit la plus remarquable des études sur Victor Hugo. C'était la famille, l'enfance, l'adolescence. « son imagination débordant déjà en larges flots d'harmonie confuse », les premiers ou-

vrages, les premières campagnes, le mariage avec
Adèle Foucher, et les luttes romantiques : tout cela
très documenté, choisi et conté avec art, travail
précieux faisant revivre ces temps. C'était la fameuse
Préface de Cromwell, le Cénacle, le théâtre, les
triomphes. Et les poésies lyriques, *Notre-Dame-de-Paris*,
le journalisme : période de grosse production, de
succès continuel. Après la chute des *Burgraves* et la
mort de sa fille Léopoldine, noyée dans la Seine,
« Hugo se recueillit, chercha le sens de sa destinée,
tint conseil avec sa conscience ; ce fut un moment de
sombre rêverie, de doutes et d'anxiétés, de silencieuse
convalescence, de préparation mystérieuse, de gesta-
tion profonde. une halte entre deux épreuves, la fin
crépusculaire d'une première étape... Quel but poursuivre désormais ? Il essaya de l'action ; il se tourna
vers les régions, encore inexplorées par lui, de la
politique... »

Alors se dresse l'homme nouveau, trempé par l'exil,
sombre, maudissant, qui donne tour à tour *les Châtiments, les Contemplations, la Légende des Siècles :* « La
France et le monde, perdus dans l'obscure surprise
d'un guet-apens, étaient reconquis en pleine lumière
par la seule puissance de l'idéal ». Le 5 septembre,
Hugo est à Paris : « Citoyens, dit-il, vous me payez en
une heure dix-neuf ans d'exil ». Bientôt il publie
l'*Année terrible*, d'autres livres encore, et atteint enfin
les années de gloire universelle.

Cette étude à la fois biographique et psychologique
est la bonne, la définitive. Elle peut être augmentée,
et depuis Blémont a complété ses travaux sur Hugo ;

mais elle reste le fond précis, le livre de base. Le
Livre d'Or offre, en outre, d'excellentes études spéciales
sur chacun des ouvrages du Maître, avec de grandes et
belles illustrations inspirées par chacun d'eux, sans
oublier les polémiques soulevées et les articles essen-
tiels de la critique.

Cette analyse claire et profonde est suivie d'une
« philosophie de la vie et de l'œuvre », synthèse finale
dont cette phrase dira la rigoureuse clairvoyance :
« Le génie de Victor Hugo a pour caractère primor-
dial le rythme. Là est l'élément qui contient et domine
toutes ses autres facultés : universalité, force, liberté,
fécondité, progrès ». Blémont établit ensuite les bien-
faits de la venue de Hugo dans les lettres : « La littérature française déchue n'offrait que vulgarité et
ennui... L'art sans poésie, la poésie sans art, sont
également vains et stériles... L'esprit et la matière,
l'exact et le poétique, l'art décoratif et le sentiment
moral, la plastique et l'intellect, le burlesque et le
tragique, le style et le caractère, le grotesque et le
sublime, il réunit, balance et harmonise tout ». Et
voyez comme Blémont indique en Victor Hugo les
liens de l'action imaginative et de l'action politique :
« Ayant accompli la révolution littéraire, il comprit
tout le sens, toute la portée de la révolution philosophique et sociale ». La poésie devient « la grande
religion ouverte et libre, la piété universelle ». Hugo
est le poète des instincts : aussi il aime le peuple,
océan d'âmes soulevé par des ouragans de passion ;
la femme, au front de laquelle rayonne l'étoile sacrée ;
l'enfant, dont la tendre candeur console et purifie

l'homme. L'ensemble et le plan de cette existence, « c'est l'humanité même, évoquant l'idéal par la contemplation de la beauté, le précisant par le travail de la pensée, le réalisant par l'action, la lutte, le sacrifice... Il mène, par l'émancipation des formes, à l'émancipation des idées, puis à l'émancipation des êtres... Dans le grand poète panthéiste, l'âme de Rabelais semble renaître avec l'héroïsme d'Eschyle et le rythme d'Homère... C'est le sacre de la nature, l'apothéose de l'univers ».

Voilà une étude solide, bien conçue, très réfléchie, écrite avec un calme et une déduction qui assurent à cette analyse, puis à cette synthèse, une vérité serrée de près autant qu'il est possible. J'exprime un désir : que de ce bel ouvrage, magnifiquement illustré, la partie *étude* paraisse en volume ordinaire, avec quelques portraits seulement : ce serait vraiment le livre sur Hugo écrit et publié pour tous.

Cette luxueuse édition s'achève par un ensemble important d'images, reproductions, articles, etc., relatifs à la Fête des 26-27 février 1881.

Dès que l'ouvrage fut annoncé avec certitude, M. Henry Roujon, directeur des Beaux-Arts, fit signer par le ministre de l'Instruction publique une souscription de trois mille francs. Ce monument à la gloire de Victor Hugo, à la gloire aussi de l'art et de la littérature du xixe siècle, eut un gros succès. Ce fut une excellente affaire pour l'éditeur, H. Launette ; mais Blémont ne put jamais obtenir de lui le moindre règlement de comptes, la moindre rémunération de son temps et de sa peine ; il ne voulut pas lui faire un

procès où aurait été mêlé le nom de Hugo. Par la
suite il apprit que cet habile homme avait vendu,
avec les gravures, le droit de traduction du livre
pour les Etats-Unis, en se gardant bien de l'en aviser.

« ...La tâche de M. Emile Blémont, écrivit Henry
Houssaye dans le *Journal des Débats* du 25 février, ne
s'est pas bornée à un simple classement; il a pris la
plume et, reliant par des pages entières les innombrables citations qu'il avait réunies, il a fait une œuvre
personnelle d'un livre où tout le XIXᵉ siècle a collaboré... Lui même a jugé l'œuvre du grand poète avec
respect mais avec indépendance ». Gustave Geffroy
(*Justice*, 1ᵉʳ mars) terminait son article : « ...Il faut
féliciter M. Emile Blémont des belles pages qu'il a
écrites sur le rythme de la langue d'Hugo, et sur
l'esthétique qui fait corps avec ce rythme incessant et
cadencé comme une respiration ». La chronique de
Philippe Burty à *la République française* du 12 juillet
déclarait judicieusement : « ...M. Emile Blémont
attache son nom à une sorte d'album littéraire et
artiste qui sera le complément obligé des œuvres
complètes de Victor Hugo. On l'y voit vivant et agis-
sant sous toutes les lumières ».

En 1884, Blémont commença de collaborer au
Progrès artistique, où il publia (1884-1889) de la critique,
des poésies lyriques, des contes, notamment la légende
si originale de *Saint-Alain-des-Fleurs*, de nouveaux
poèmes d'Edgar Poe, une traduction en vers d'*Enoch
Arden*, le chef-d'œuvre de Tennyson. Il donna des
vers à d'autres périodiques, *la Revue de la Poésie*,
le Semeur (même année). Au *Monde poétique* (1884-1889),

il fit partie du conseil de rédaction, avec Auguste
Dorchain, Félix Jeantet, Zénon Fière. Il y publia des
rimes nouvelles, des essais en prose, des articles
bibliographiques, dont un aperçu fort curieux sur la
structure du vers anglais (août 1886); enfin la traduction des admirables pages d'Edgar Poe : *le Principe
poétique*, et de sa célèbre *Lettre sur la critique en
poésie*.

Le *Voyage sentimental*, de Laurence Sterne, traduit
par Emile Blémont, est aussi de cette année (H. Launette). Cette belle édition est illustrée par Maurice
Leloir. L'exemplaire que j'examine offre de plus, à sa
page de premier titre, une aquarelle originale de
Leloir, très fleurie, d'une grâce charmante. La traduction de Blémont donne toute la sève du texte anglais.
En tête il a étudié Sterne, conté l'enfance, la jeunesse,
les débuts à quarante-six ans, les voyages, le retour à
Londres, où il surveillait la publication de son livre
quand il mourut. Les souvenirs de ses pérégrinations,
esquissés d'abord dans *Tristram Shandy*, révèlent une
nature assez peu britannique. Son influence porta plus
à l'étranger qu'en son pays ; il fit école en Allemagne.
« Il est l'humoriste par excellence », dit Blémont, qui
fait un petit tableau remarquable de l'humour. Quant
à la forme : « Ses tableaux, enlevés en quelques traits
nets et légers, ont le relief saisissant, la fraîcheur
première, l'intense et chimérique réalité des images
japonaises. Et il nous ouvre tout d'un coup des profondeurs si limpides, que tout semble à portée de la
main ».

Le 1er octobre 1884, à l'occasion du deuxième cente-

naire de Corneille, M. Chelles, au Théâtre de l'Odéon
dit une poésie de Blémont : **Pierre Corneille** (éditée
ensuite chez Lemerre). Le poète y chante lyriquement
l'âme des peuples, la fleur divine, la poésie :

> Au bord de l'Ilyssus, en pleine apothéose,
> Homère t'a cueillie avec le laurier-rose ;
> David te respira dans le vallon d'Endor ;
> Virgile et Dante ont vu fleurir ton rameau d'or
> Au doux pays qu'emplit de musique sereine
> Le flot bleu des deux mers où chanta la sirène.
> Camoëns a conquis la palme des héros...

Puis, c'est Shakespeare, le dramatique ; et l'âme de
la France se révèle en Corneille, en ce puissant poète

> Fait de raison sublime et d'austère harmonie.

Blémont nous conte l'histoire poétique de Corneille,
sa fière et calme indépendance, le triomphe du *Cid* :

> Malgré l'Académie et le grand cardinal,
> Malgré les envieux, malgré leur arsenal
> De traits aigus trempés dans l'âcre calomnie,
> Paris eut un transport de tendresse infinie ;
> En cette chaste amante, en cet amant vainqueur,
> Un grand siècle viril avait senti son cœur...

Le poète atteint la vigueur cornélienne :

> Rien de haut n'échappait à son âme loyale :
> Rome républicaine et Rome impériale
>   Venaient l'inspirer tour à tour :
> César semble plus grand chez lui qu'aux bords du Tibre,
> Sertorius paraît plus superbement libre,
>   Et Cornélie a plus d'amour...

Il invoque ardemment le vieux Maître :

> C'est aujourd'hui surtout, inspirateur magique,
> Que la France a besoin de la sève énergique
> Qui bouillonne en ton vers sonore et généreux...

Et comme on est avec Blémont, lorsqu'il s'écrie :

> Suscite à notre tête, ô Corneille, un Rodrigue,
> Un Cid Campéador ! Ne retourne au tombeau
> Qu'après avoir, à ton éblouissant flambeau,
> Au lieu des feux follets dansant sur nos miasmes,
> Rallumé les ardents et purs enthousiasmes ;
> Qu'après avoir montré qu'on est heureux et fort
> En redoutant la honte, en méprisant la mort ;
> Et qu'après nous avoir laissés, comme Moïse,
> Dignes de pénétrer dans la Terre promise.

La forme de Blémont a les bonnes qualités classiques, mais tout en elle est de notre temps. Léon Millot, dans *la Justice* du 4 octobre, reprocha à la censure la suppression des vers qui nous souhaitaient dignes de pénétrer dans la Terre promise. « Il est impossible, n'est-ce pas ? remarquaient aussi *les Petites Nouvelles* (5 octobre), d'exprimer en un langage plus brillant, un sentiment plus généreux ? Eh bien ! ces admirables vers n'ont pas été dits à la représentation, le ministre de l'intérieur ayant cru devoir les frapper de véto et les interdire comme dangereux... A quelle étrange comédie assistons-nous, et pour qui de tels ménagements ? En vérité, c'est une singulière chose qu'on se permette de rogner les ailes d'un poète, quand ce poète trempe ses inspirations aux sources les plus pures et les plus élevées : l'amour, la libération et la grandeur de sa patrie ».

J.-J. Weiss (*Journal des Débats*, 13 octobre) constata
le succès de l'œuvre : « On a applaudi dans le *Pierre
Corneille* de M. Blémont un passage bien senti et bien
rendu sur la poésie. Quelques traits sur Corneille
lui-même sont heureux ». — L'auteur reçut cette lettre :

> « Paris, 8 octobre 1884.

« Mon cher confrère,

« Je vous remercie bien cordialement de l'envoi
que vous m'avez fait de vos beaux vers. Vous sa uez
dignement l'âme héroïque et le génie de notre vieux
maître.

« Recevez, je vous prie, mon cher confrère, avec
mes sincères félicitations, l'assurance de mes meilleurs
sentiments.

> « LECONTE DE LISLE ».

Paul Leser, président de l'Union française de la
Jeunesse, lui écrivit le même jour : « Après avoir
entendu et applaudi vos beaux vers traversés d'un
souffle ardent, leur lecture m'a procuré une nouvelle
et bien grande joie. Nos compatriotes d'Alsace,
auxquels je vais dire le succès de votre œuvre d'une
portée si haute, joindront leurs hommages aux nôtres
pour saluer le vaillant et bon poète qui a su chanter
les espérances de la patrie ».

Petites chansons sans paroles (Henry Lemoine,
mai 1885) sont vingt quatrains de Blémont sur lesquels
Léopold Dauphin a développé une musique pour piano.
Telles ces *Noces champêtres* :

> Entendez-vous tinter les cloches argentines
> Sur les frais et riants vallons ?
> Blaise épouse Babet. Ouvrez-vous, églantines !
> Chantez, flûtes et violons !

A la mort de Victor Hugo, la famille délégua neuf commissaires spéciaux, choisis parmi les poètes français, pour escorter le cercueil de la maison mortuaire à l'Arc-de-triomphe de l'Etoile. Emile Blémont fut désigné, avec Armand Silvestre, Albert Mérat, Edmond Haraucourt, etc. Ils veillèrent pendant la nuit suprême (30-31 mai 1885) la bière où reposait le corps. A l'aube, le long de l'avenue où le peuple avait défilé le 27 février 1881, Blémont suivit le simple corbillard qui emportait vers l'Arc-de-triomphe les restes du Maître ; et jusqu'au plein jour, il poursuivit la veillée funèbre au pied du grandiose catafalque. Ce sont des instants d'émotion sublime, inoubliable, où nous sentons à la fois tout ce qu'il y a de fragile et tout ce qu'il y a d'indestructible dans la vie humaine. Bientôt il assistait à ces funérailles épiques, vraiment dignes de la France et du poète expiré.

Une nouvelle impulsion fut donnée à l'œuvre du Monument. La Commission exécutive se réunit le 3 juin et constitua son bureau, avec Victor Schœlcher et Paul Meurice comme présidents, Emile Blémont comme secrétaire. La souscription dépassa bientôt cent mille francs.

Poèmes de Chine

Cette même année, Blémont donna des vers à la *Revue orientale*, accepta de collaborer à l'*Hérault* et à l'*Echo de l'Hérault* (1885-1900), et publia en librairie *Enoch Arden*, d'après Alfred Tennyson (Bibliothèque du *Progrès artistique*). Cette idylle, continuée et achevée en drame, pathétique comme un roman, d'un marin qui, après une longue absence, trouve sa femme remariée et meurt silencieusement, Blémont, comme en toutes ses interprétations, l'a rendue avec une fidélité, une souplesse et un charme dont ces quelques vers donneront l'idée :

> D'abord, elle écouta, puis, insensiblement,
> Son cœur distrait revint à son pressentiment ;
> Telle, à la fin du jour, une amoureuse en peine
> Lentement va chercher l'eau vive à la fontaine ;
> Elle pense à celui qui venait autrefois
> Mêler au long bruit sourd de l'eau sa douce voix ;
> Et l'eau tombe ; et d'abord, elle entend le murmure
> Que fait en ruisselant l'eau de la source pure ;
> Puis elle n'entend plus ; et le vase s'emplit
> Et déborde, tandis qu'elle rêve et pâlit.

« C'est très empoignant, d'une grande puissance d'émotion », lui écrivit Camille Pelletan. Et Stéphane Mallarmé : « La vraie traduction ! Et comme on entend

chanter le Tennyson à travers, pour peu qu'on ait
l'ouïe anglaise ! Je n'ai pas eu besoin de rouvrir
l'original, ce que je comptais faire après vous avoir lu ;
et votre vers m'a suffi, car il existe d'abord aussi par
lui-même ». (17 octobre 1885).

En janvier 1886 commença de paraître, dans *le
Monde poétique* (voir la suite aux numéros de février
1886, juin, juillet, août 1887), l'étude si remarquée :
France et Poésie. « De toutes les nations, la nôtre est
la moins poétique, » a écrit Voltaire ; et les étrangers,
avec trop de Français, propagent cette erreur. « Le
vers français est le meilleur instrument de poésie qui
ait jamais existé, répond Blémont. Depuis mille ans,
de toutes les nations, la nation française est la plus
poétique... On prétend arracher tout ensemble, coïn-
cidence significative, à la France l'hégémonie dans la
civilisation, à la Poésie l'hégémonie dans l'art ; nous
établirons que dans l'art et dans la civilisation l'hégémonie doit rester à la Poésie et à la France... La
démocratie française a, au plus haut degré, le devoir
et le pouvoir de donner aux lettres et aux arts tous
leurs organes et toutes leurs facultés. » Dès le premier
article, Auguste Marcade écrivit dans le *Figaro* : « Il
est nécessaire de signaler cette grande et magistrale
étude... Poète de talent, M. Emile Blémont y a exposé
avec une compétence particulière et une grande hauteur de vues la genèse et la fonction du vers français. »

Le 6 juin, au Théâtre-Français, M¹¹ᵉ Bartet dit le
poème d'anniversaire composé par Blémont : **Visite
à Corneille** (Lemerre, éditeur), libre et bel éloge orné
de diversions psychologiques, en des vers graves, ou

fleuris. Telles ces deux pensées, personnelles et remarquables, sur le poète et l'idéal :

> C'est l'âme du pays qui fait le vrai poète,
> Et qui, légère, ailée, ainsi que l'alouette,
> Chante, comme en plein ciel, dans les poèmes d'or.
> L'idéal, après tout, c'est le réel encor ;
> C'est le réel plus vrai, plus semblable à lui-même,
> Qui sait mieux ce qu'il veut, qui voit mieux ce qu'il aime,
> Et qui, prenant son vol, sans tarder, sans peser,
> Va cueillir dans le rêve un immortel baiser.

Vous qui vivez aujourd'hui, s'écrie Blémont, vous
qui venez au théâtre écouter Corneille,

> Vous en qui vibre encor sa rime au pur métal,
> O vous tous, selon lui poursuivez votre tâche ;
> Ecartez à sa voix tout acte faux ou lâche ;
> Et, pour ne pas périr, pour vaincre, soyez tels
> Que ses héros : soyez dignes d'être immortels !
> Croyez au beau ; que vers le grand, le beau vous mène ;
> Ressuscitez Rodrigue et vous aurez Chimène !

« Ce poème m'a beaucoup plu, dit Henry Fouquier
(*XIX⁰ Siècle*, juin), quoiqu'il sorte un peu de l'ordinaire des pièces de circonstance et peut-être parce
qu'il en sort... M. Blémont a bien raison d'exalter cette
tendance à l'idéal, car la folie héroïque est une belle
folie, et tout ce que je crains pour notre pays, c'est
qu'il en soit trop bien guéri. » Henri de la Pommeraye,
dans le *Paris* du 14 juin, rappelait la surprise devant
l'idée de Blémont : faire rendre hommage à Corneille
par une actrice vêtue à la mode de nos jours « Mais,
ajoutait-il, pourquoi la Parisienne de 1886 ne saluerait-
elle pas Corneille, qu'elle aime comme jadis l'aimait la

marquise de Sévigné ? M. Blémont le dit en fort bon style...»

« Le poème de M. Blémont, écrivit Edmond Lepelletier (*Echo de Paris*, 12 juin), est d'une composition originale et d'une portée philosophique rare en ces opuscules éphémères. » Henri de Pène (*le Gaulois*), Jules Lemaître (*Journal des Débats*, 15 juin), Louis Ganderax (*Revue des Deux-Mondes*, 15 juin), insistaient sur l'idée heureuse de l'hommage prononcé par une actuelle Parisienne ; et Ganderax observait : «... Comme, entre une tirade contre le pessimisme et un morceau patriotique, les définitions précises et justes, les vers d'une figure nette et d'un tour agile ne manquent pas, on n'a pas marchandé les bravos à M Blémont. »

La statue colossale due à Bartholdi, inaugurée à New-York le 28 octobre 1886, fut saluée par Blémont en un poème : *la Liberté éclairant le monde* (Librairie Strauss), qui montre de nouveau combien il possède le sens de la poésie patriotique issue de la Révolution ; c'est moins ardent qu'aux temps où jaillit *la Marseillaise*, mais c'est nourri d'un sentiment d'idéal élevé que ne connaissaient guère les poètes révolutionnaires :

> Là-bas, sur le vieux monde en proie
> Aux spectres des vieilles erreurs
> Dans un vent de mort se déploie
> L'aigle noire des empereurs ;
> Au bruit de sinistres paroles,
> Des mains criminelles ou folles
> Dans les mâchoires des idoles
> Poussent l'enfance aux cheveux d'or.
> Apparais, Liberté divine !..

Cette invocation véhémente précède un tableau du passé, depuis l'indépendance des Etats-Unis. L'âme a besoin de liberté, dit ensuite le poète ; voyez l'esclave :

> Pareille au feu follet d'un champ marécageux,
> La conscience en lui n'est qu'une lueur terne ;
> Son crâne est un lieu sombre, une sourde caverne
>   Qu'ensanglante un soir orageux.

> Que la liberté brille, et tout se transfigure !
> L'être vil se redresse, il contemple les cieux ;
> Il aime, il veut, il pense ; un orient joyeux
>   Pénètre en sa cervelle obscure.

C'est par des poèmes semblables à celui-là, glorifiant la patrie malgré les désastres, célébrant son passé, croyant en son avenir, et gardant ce qui fut grand et noble dans la tradition révolutionnaire, que l'on comprend bien l'intime, la profonde sympathie qui s'établit, bienveillante chez l'un, respectueuse chez l'autre, entre Victor Hugo et Emile Blémont.

En 1887, commença la collaboration à *la Lecture*, ainsi qu'à *Paris-Noël*. Blémont donna plusieurs poésies à l'*Anthologie des Poètes français* (A. Lemerre); et il publia ses **Poèmes de Chine** (Lemerre).

Dans une cordiale et spirituelle préface, Paul Arène félicitait son ami de la patience, de l'ingéniosité avec lesquelles il avait, « sans que l'arome s'en évaporât, transvasé dans le cristal de la strophe française cette pure essence orientale d'un exotisme si volatil. »

Blémont nous fait savourer les fraîches, les délicates chansons que là-bas le Printemps inspire. Sujets et objets diffèrent peu des nôtres ; et cependant on aperçoit bien l'âme primitive de ce vieux pays en ces

pages agrestes, en ces sentiments intimes, en ces
fleurs fragiles de pensée et de rêve, en ces gracieuses
visions de femmes. L'amitié est célébrée comme
l'amour ; les scènes et les aspects sont agréables, pleins
de finesse souriante, amène, et parfois d'une gaieté
accorte mais de bonne compagnie. Li-taï-pé, Mong-
kao-jèn, Tchin-tseu-ngan, revivent l'un après l'autre.
Voyez cette *Contemplation*, de Song-tchi-ouèn :

> J'arrive à la demeure sainte ;
> J'y reçois le touchant accueil
> D'un bon vieux prêtre, sur le seuil
> D'une mystérieuse enceinte.
>
> Alors, loin de ce monde obscur,
> Mon âme, montant vers les cimes,
> Se retrempe aux sources sublimes
> Que ne ride aucun souffle impur.
>
> Unis dans la même pensée,
> Mon hôte et moi, nous épuisons
> Les mots humains. Nous nous taisons,
> La parole humaine épuisée.
>
> L'oiseau chante, l'arbre est en fleurs,
> L'air est plein de douceur divine ;
> Je sens, je comprends, je devine
> Tous les rayons et tous les pleurs.

Comme leur printemps, l'Automne des poètes chinois
offre ces impressions primitives, cette limpidité orientale qui est suave et nous paraît candide; il faut un
Blémont, amoureux fervent des doux enseignements
de la nature, pour comprendre cette poésie et nous la
transmettre avec ses grâces les plus fugitives. Lisez ces
strophes languissantes de Sao-nan :

La lune, dans la nuit sereine,
Monte au cœur du clair firmament ;
Elle y monte, et, comme une reine,
S'y repose amoureusement.

Sur l'eau voluptueuse et lasse
Qu'un rêve bleu semble bercer,
Une brise légère passe,
Repasse, ainsi qu'un long baiser.

Quel accord pur, quelle harmonie,
Quel espoir calme en l'avenir,
Respire l'union bénie
Des choses faites pour s'unir !

Mais rien n'est complet dans nos fêtes,
Le bonheur est rare ici-bas ;
Et la plupart des choses faites
Pour s'unir — ne s'unissent pas.

Les tableaux se succèdent, sentiments et impressions
de clarté douce et large, absences et mélancolies, deuils
et plaintes, désespoir de l'abandon. Parfois le ton et
la pensée s'élèvent, comme dans *Le Roi de Teng*, du
poète Ouang-po :

Dès longtemps s'est éteint le bruit clair des clochettes ;
La joie a fui ces lieux et n'y prend plus l'essor.
Le palais est désert : sur ses portes muettes
Les stores en lambeaux pendent, mornes squelettes ;
Seuls, la pluie et le vent y pénètrent encor.

Lentement appareille un paresseux nuage.
Que reflètent les flots dans leur fuyant miroir.
Tout passe ! et rien ne peut s'arrêter au passage ;
Et dans le ciel immense où luit son blanc sillage,
L'astre le plus brillant trouve un sépulcre noir.

Que de fois l'âcre automne, avec ses pleurs de veuve,
A rempli ces vieux murs d'un long bruit de sanglots !
Où donc est le beau prince à la ceinture neuve,
Qui jadis, comme nous, regardait ce grand fleuve
Vers le même horizon roulant toujours ses flots ?

Et quelle fine observation que *le Cormoran*, de Sou-
tong-po !

Solitaire, immobile, un cormoran d'automne
Médite au bord du fleuve et suit, de son œil rond,
      La fuite de l'eau monotone,
      La fuite du flot souple et prompt

Parfois un homme vient, qui passe ou qui s'arrête ;
Le cormoran alors s'éloigne lentement,
      S'éloigne en balançant la tête,
      Et disparaît pour un moment.

Mais derrière un buisson qu'un pâle rayon dore,
Il guette le départ de cet indifférent,
      Car il aspire à voir encore
      L'eau monotone du courant.

Lorsque luit sur les flots la lune au doux mystère,
Le cormoran, devant ce paisible tableau,
      Grave, immobile, solitaire,
      Médite et rêve, un pied dans l'eau.

Ainsi médite, loin de la foule insensée,
Un amour dédaigneux des brèves passions :
      Toujours de la même pensée
      Il suit les ondulations.

Et toutes ces pages, tous ces croquis, prélevés sur la
nature ou tirés du sentiment, sont tracés sans préam-
bules ni commentaires ; ils vivent et ne théorisent pas.

Une troisième partie rassemble des VERS HÉROÏQUES :
chanson de paysan, morale politique, exhortation

avant le combat, tableau bref et vif d'une bataille, angoisse du foyer, retour du soldat.

Le volume s'achève par des CONTES ET LÉGENDES. *Lo-Foh*, c'est une belle jeune fille, adroite à se parer, et qui refuse de suivre le roi, car elle a son fiancé. Dans *la Guitare*, deux amis vont se quitter ; ils regrettent de n'avoir point de musique pour charmer leurs adieux, quand ils entendent les sons clairs et harmonieux d'une guitare, dont une femme joue dans l'ombre. Le récit, limpide et bien détaillé, se poursuit ; les deux amis invitent la femme à reprendre le chant :

> Le prélude indécis tremble, comme une étoile
> Pâle et timide, au bord de l'ombre qui la voile ;
> La mélodie, avant de prendre son essor,
> Hésite, et se berçant, semble rêver encor.
> Le sentiment se cherche et déjà se révèle ;
> Il se dégage, avec une douceur nouvelle ;
> Puis, dans une aube où l'ombre enfin s'évanouit,
> Tel qu'un arbuste en fleur, le chant s'épanouit.
> Les arpèges, courbant leurs arabesques libres,
> Parcourent l'instrument dont tressaillent les fibres ;
> Leur vol monte, descend, va, vient, remonte aux cieux,
> Plane, et vers nous retombe en sons délicieux.
> Sur un plateau de jade il pleut des perles fines.
> Plus bas, c'est un bruit d'eau roulant dans les ravines ;
> Ici tout luit, tout rit ; là s'effeuillent des fleurs ;
> Un rêve d'amour pur aux limpides couleurs
> Jaillit dans l'éther bleu, pour éclore en fusée ;
> Souple comme un rayon dansant dans la rosée,
> La gamme fait vibrer tous les échos des bois ;
> Et voici qu'on entend un fleuve aux mille voix,
> Qui, du haut des rochers, précipite en écume
> Ses nappes de cristal dont s'irise la brume.

Mais silence ! un oiseau passait, il s'est posé.
L'air s'achève ; on dirait un beau vase brisé
Qui gémit sous le choc, s'ouvre, éclate, s'écroule.
Une sourde rumeur s'enfle comme une houle :
L'esprit rapide évoque, au loin, dans un éclair,
Une charge emportant des cavaliers de fer.
L'archet est ramené ; tout frémit, tout expire ;
Et c'est comme un morceau d'étoffe qu'on déchire.

Ce joyau de poésie, d'harmonie imitative, terminé en toutes ses ciselures, cette description si bien ressentie et rendue du chant de la guitare, une fois achevée en toutes ses nuances, la guitariste fait le récit touchant de son existence d'abord heureuse, maintenant pénible. — Viennent ensuite des *Chants alternés ;* toute la sagesse calme, paisible, du pays de Confucius et de Mencius, respire dans ce dialogue superbe du pêcheur et du bûcheron ; c'est le travail, la paix, l'amour de la nature et des dieux. Et tout est lié ; impossible de citer un fragment ! Il faut lire ce poème très beau et très captivant. C'est encore *la Courtisane aux enfers,* livrée sans pitié aux démons ; *la Disgrâce,* plainte d'exilé, de captif, au thème simple, émouvant, profond. *Le Fou des Fleurs* vit heureux dans sa chaumière et son jardin fleuri, décrits d'une façon charmante ; des jeunes gens mauvais le ruinent et le font emprisonner ; il est délivré par une fée qui lui rend son parterre plus beau que jamais : légende fraîche et limpide, qui égale *le Jardin enchanté.*

Voilà un livre qui, en dehors de sa grâce, de son agrément, nous change de l'Orient poétique découvert et célébré auparavant. J'observe encore, à ce propos, que Rome, la Grèce, l'Egypte, la Judée, chantées par des romantiques, ont fait reparler d'elles ensuite : et n'est-il pas remarquable que cette Chine, montrée pareillement en sa poésie par Emile Blémont, vienne aussi de se réveiller de son antique silence?

L'art si délicat de ce recueil inspira ces vers signés : Ernest d'Hervilly, mandarin retiré au pays d'Oëy :

« Tout au fond de la tasse vide,
Froide, hélas ! la feuille du thé
Gisait, déroulée et livide ;
Elle n'était plus qu'âcreté.

Le lettré, reposant sa joue
Sur un doigt débile et brûlant,
Songeait, vêtu de l'habit blanc
Que le sanglot du deuil secoue.

C'était l'hiver. C'était le soir,
Son âme vieillie était veuve
De son jeune et robuste espoir.
Celui qui part, d'adieux s'abreuve !

Ton livre est venu le toucher,
Exquis comme un baiser de mère ;
Voici que sur la neige amère
Pleut, rose, la fleur du pêcher !

C'est le matin qui se rallume ;
C'est le printemps, la joie encor !
Remettons l'habit couleur d'or ;
La tasse est pleine. Le thé fume »

Philippe Gille, dans le *Figaro* (9 février), dit des *Poèmes de Chine* : « Ces pièces de vers sont d'une grâce charmante ; et si le fond appartient aux poètes encerclés dans la Grande-Muraille, la forme fait grand

honneur au traducteur poète français. » Gustave
Geffroy (*la Justice*, 16 février) écrivit : «... Ce livre est
imprégné d'une atmosphère légère et subtile ; ses vers
courent en chantant, avec le joli bruit que font les
eaux très claires ; les épanouissements de ses rimes
font songer aux couleurs de printemps et au parfum
doux des fleurs d'arbres fruitiers. Une vie champêtre
et amoureuse, distinguée et facile, de laboureurs lettrés,
de poètes campagnards, apparaît subitement, dans le
cadre frêle des courtes strophes, avec une précision
singulière... On lit, l'imagination s'en va là-bas, au
nostalgique pays qui trouble les gens de l'Occident...
On ferme le livre, on resonge au pays visité et aux
êtres aperçus... Blémont, par des coupes variées, par
des rythmes différents, par le choix le plus fin et le
plus raisonné des rimes, a su exprimer à la fois l'art
et la pensée de chacune des pièces qui composent le
volume. » Pour Paul Ginisty (*Gil Blas*, 14 juin), le livre
était « un caprice raffiné de lettré. » et pour Henry
Chantavoine (*Nouvelle Revue*, 15 août), il « ressemblait
à un joli éventail tout égayé de fleurs, d'oiseaux et de
devises. » Plus tard, lorsque furent assiégées les léga-
tions d'Europe à Pékin, Auguste Dorchain, dans un
remarquable article, aux *Annales politiques et littéraires*
du 23 septembre 1900, évoqua les *Poèmes de Chine* et
en cita des pages bien choisies.

Je note encore, dans quelques lettres : «... Votre
volume est d'un artiste, et d'un artiste qui a de la
poésie la notion la plus juste : que c'est avant tout un
art de rêve et de suggestion. Une petite note qui vous
intéressera peut-être : il y a dans les *Dernières Chan-*

sons du regretté Louis Bouilhet une *Chanson des rames* scandée d'un *Ah!* comme la vôtre, et composée aussi d'après l'empereur Vou-ti. Bouilhet avait eu, raconte Flaubert, l'idée d'une suite de poèmes sur la Chine ; la mort l'a empêché de faire cette œuvre que vous avez réalisée, plus heureux que lui, et à merveille. Je vous applaudis et suis votre bien dévoué confrère, Paul Bourget. » — « C'est tout à fait excellent, vos *Poèmes de Chine*, mon cher Blémont. Il y a là des trésors de sagesse et de poésie, mille choses profondes et gracieuses. Bronzes purs, transparentes porcelaines, j'aime toutes les pièces de votre exotique et charmant livre, et suis fier d'y avoir rencontré mon nom. Il méritait la préface d'Arène, qui est exquise comme lui. François Coppée. » — « Je ferme votre volume et je suis encore sous le charme de cette poésie innocente et rare, que vous venez de nous rendre avec un art achevé... Henry Roujon. » — « Ces poèmes, d'une originalité pleine de saveur nouvelle et de grâce, sont d'une exécution accomplie... J.-M. de Hérédia. » — «... C'est un livre exquis, où vous êtes complètement et au même degré artiste et poète. Vous avez su peindre, évoquer, suggérer tout ce que vous avez voulu, et sans un mot de trop, sans une note fausse. Je vous ai non seulement lu, mais relu déjà, et ce n'est pas fini. Théodore de Banville. » — «... Vous avez là des pièces délicieuses où s'est conservé le fin parfum de la poésie chinoise... Gabriel Vicaire. » — «... La voilà donc enfin qui commence et par vos soins, cette précieuse anthologie qu'il nous faut du loin et même du dehors, où les vers ne peuvent être traduits

qu'en vers et peuvent l'être, vous le montrez : car c'est
une traduction, cela, et je ne vois pa d'autre moyen
d'en faire que présenter pareille image, subtile autant,
avec un brillant égal de couleurs ; mais surtout un
art si pur d'ici, qu'il en paraît, de ce fait seul, exotique. C'est vraiment parfait. Votre main, cher ami.
Stéphane Mallarmé. »

La Tradition

Taine a-t-il compté l'âge de l'humanité parmi les
influences prépondérantes qui aident à façonner nos
idées et nos œuvres? Cette part d'orientation extérieure,
et antérieure, est considérable : « Les vivants sont de
plus en plus gouvernés par les morts », a dit Auguste
Comte, et cette vérité sera de plus en plus vraie jusqu'au dernier jour du monde. Aux époques primitives
de la Terre, l'inspiration, la divination, la révélation jaillissaient puissantes et spontanées, comme
la faune et la flore ardentes et géantes de ces temps
reculés. Nous n'avons plus cette verdeur ni cette vigueur premières ; le fonds d'âmes va s'épuisant. D'où
vient, dès lors, que nos œuvres sont ou peuvent être,
quand même, aussi grandes qu'autrefois ? C'est que
l'art de plus en plus développé supplée la nature de
plus en plus faible ; nous bénéficions de la pensée de
nos ancêtres, nous bâtissons sur le roc solide du savoir accumulé au cours des siècles : la seule foi chrétienne a fécondé, sauf Homère et Virgile, toutes les
épopées européennes. A mesure qu'un élément de révélation disparaît, un élément d'histoire le remplace
et nous permet, en maintenant intégral le passé, d'y
ajouter aisément des trouvailles nouvelles. Nous ne
pouvons même plus, en réalité, être grands comme

nos aïeux, qu'à la condition de les comprendre d'abord
et de relier harmonieusement notre pensée à la leur.
Leur génie était tout impulsif ; le nôtre est fait d'impulsion et de savoir. Or, ce que nous apprenons d'eux, et
la manière de l'apprendre, constituent la tradition,
orale et écrite. C'est le trésor commun où chacun de
nous puise selon sa vocation ; même les poètes s'y
alimentent, et ceux qui, sur cette terre vieillissante, se
croient uniquement inspirés, sont traditionnels sans le
savoir. C'est donc faire preuve de sagesse et de force
que de reconnaître la puissance du passé, d'en recher-
cher l'appui et les leçons, quelle que soit notre personnalité ; c'est accomplir en sa plénitude notre destinée, telle que nous la présente, et au besoin nous
l'impose, l'âge mûr de l'humanité. Ce retour en arrière,
indispensable à qui veut faire encore des actions durables, Emile Blémont, aimant et respectant les bonnes
œuvres révolues, l'avait commencé en ses débuts, en
ses évolutions de jeunesse, et à côté de Hugo ; il prouva
qu'il était décidé à l'achever, lorsqu'en avril 1857 il
fonda cette Revue : *la Tradition*, dont le titre affirme,
en nos temps superficiels qui ricanent volontiers sur
le passé, la solide texture de son tempérament et suffit
à définir un chapitre de sa vie.

C'est au nom d'un groupe de publicistes, de poètes,
de savants, parmi lesquels Paul Arène, Gabriel Vicaire,
Camille Pelletan, Emmanuel des Essarts, A. Desrousseaux, Charles de Sivry, qu'il publia cet organe, avec
Henry Carnoy. Le programme, en tête du premier numéro, était d'Emile Blémont ; il y remarquait que les
Sociétés et Revues traditionnistes publiaient des docu-

ments sans se soucier de leur emploi dans l'œuvre supérieure de l'art et du progrès. « Il leur manque plusieurs attributions, ajoutait-il : 1° la variété sans parti-pris et toute l'universalité possible dans les recherches; 2° le contrôle et le choix des matériaux, c'est-à-dire la méthode sélective qui peut seule en garantir l'authenticité et la valeur ; 3° la critique, la philosophie et l'interprétation des documents ainsi obtenus, c'est-à-dire le développement normal des forces et des formes qu'ils contiennent en germe. » Il étudiait ensuite la valeur de la tradition pure, l'évolution de la tradition vers l'art, l'esthétique de l'inconscient et l'esthétique du conscient, et leur synthèse, en un chapitre de logique profonde, ferme, éclairée, qui blesse à mort cette fausse, cette aveugle science pour laquelle le génie est un simple cas pathologique, la force le seul droit, l'appétit et la bête les seuls triomphateurs, « tout ce carnaval, brutal et funèbre comme un faune en habit de croque-mort, qu'on appelle le modernisme. »

Il y montrait encore que le rythme de notre évolution doit se régler à la fois par l'instinct, rôle initial, et la raison, rôle capital. « Dans un grand homme, dit-il, il y a et il doit toujours y avoir un inconscient, nerveux et sentimental comme une femme ; mais il y a et il doit toujours y avoir en outre une clairvoyante et dominante virilité. » Il expliquait ensuite et développait les trois propositions du programme, avec une plénitude et un système sélectif qui montraient son instinct sûr autant que ses réflexions profondes de traditionniste. Il y a, dans cet article, un grand nombre

de pensées si justes, que je m'interdis de choisir : je
prie tout lecteur sérieux de prendre connaissance de
ce programme, préférable, dans sa partie générale, à
bien des philosophies, et que sa partie spéciale, largement conçue mais limitée à l'essentiel, met en tête de
toutes les méthodes traditionnistes. Sa conclusion
éclaire la noblesse de ses vues : « Il faut, y disait-il,
créer une grande âme commune, une âme hautement
et largement nationale, qui puisse, même avec des
éléments contraires, constituer un ensemble harmonieux et libre, un organisme intelligent et progressif. »

Blémont, pendant cinq ans, publia dans *la Tradition*
des légendes en prose et en vers, des articles de critique et d'érudition.

Roger de Naples. — Wattignies

Le Chant du Siècle

Deux ou trois mois après la fondation de cet organe, pendant l'été, dans une retraite rustique, il écrivit en six semaines, entraîné par le sujet, son poème sur *Wattignies*. Au retour, il le lut à ses amis, qui furent enthousiasmés. L'œuvre, toutefois, ne parut que l'année suivante. Dans l'intervalle, après *Souvenir à Frédéric Febvre* (Alcide Picard, 1887), il publia Chansons normandes (Librairie de *l'Artiste*, même année), un bouquet de fredons et d'amourettes, de jeux et de gaîtés, frais, parfumé, souriant et riant ; les paroles et sentiments de la *Chanson du meunier* rappellent Pierre Dupont ; une très jolie *Corbeille de noces* rassemble tous ces éléments ; une *Prière* offre cette belle variation :

> Tant qu'on n'aime pas,
> On est Barrabas ;
> Aussitôt qu'on aime,
> On est Jésus même.

Le poète revient au thème amoureux, sentimental, avec des hardiesses, des rondes rieuses entremêlées, quel-

que marquisade ancienne, bleue et rose, et ces
strophes de ressouvenirs où alternent *Pluie et soleil* :

> Dans notre forêt embaumée,
> Sous la pluie et sous le soleil,
> T'en souviens-tu, ma bien-aimée,
> Fleurissait un arbre vermeil.
> Frais, plein de sève épanouie,
> L'arbre en fleur formait un berceau ;
> Sous le soleil et sous la pluie,
> Dans l'arbre chantait un oiseau.
>
> Parmi les fûts couverts de mousse,
> Sous la pluie et sous le soleil,
> Il chantait d'une voix bien douce,
> Il donnait un bien doux conseil !
> Quand, frôlant la feuille qui plie,
> Nous nous perdions ensemble au bois,
> Sous le soleil et sous la pluie,
> Nos deux cœurs s'ouvraient à sa voix.
>
> L'oiseau charmeur, ma bien-aimée,
> Sous la pluie et sous le soleil,
> Il chante encor dans la ramée,
> Au fond du bois toujours pareil.
> L'extase pourtant s'est enfuie ;
> Rêvions-nous tous deux en plein jour ?
> Sous le soleil et sous la pluie,
> O le divin rêve d'amour !

Un *Branle double de Normandie* ferme sur un tour ancien cette suite fredonnante, accorte, parfois sentimentale, de chansons que Blémont a tirées beaucoup de
ses impressions. On n'y reconnaît guère la réalité
d'une vie vécue au village, parmi les paysans ; mais
on y rencontre le plaisir très vif d'être tout près de

la nature et de ses habitants encore primitifs, et de
l'exprimer en poète qui possède le don du chant populaire.

Blémont donna ensuite Roger de Naples (Lemerre,
janvier 1888), drame en cinq actes, avec une Préface où
l'auteur racontait une histoire qui vaut d'être répétée.
Il avait proposé, dès le mois de juin 1885, puis avait
présenté, lu et laissé sa pièce à M. Porel, directeur de
l'Odéon. Or, en décembre 1888, l'Odéon représenta une
pièce adaptée par M. Louis Legendre : *Beaucoup de
bruit pour rien*, avec scènes, arrangements, particula-
rités qui ne se rencontrent pas dans la pièce anglaise
et se trouvent dans *Roger de Naples*. Blémont se présenta chez M. Porel ; il ne fut pas reçu. Il lui écrivit, et
n'eut pas de réponse. Alors il se décida à publier immédiatement son drame, fin décembre, avec cette préface explicative, que reproduisirent des journaux. La
plupart des chroniqueurs prirent parti pour Blémont.
« Comment se fait-il, observa Edmond Deschaumes
dans *l'Estafette* du 22 décembre, que M. Blémont et
M. Legendre se soient rencontrés pour ajouter précisément les mêmes scènes à la pièce de Shakespeare ? »
« ... De part et d'autre, précisait Roger Milès (*l'Événe-
ment*, 17 janvier 1888), on laisse de côté toute la comédie pour ne prendre que le drame. Telle scène, celle
du balcon par exemple, qui n'existe pas dans Shakespeare, est créée dans les deux adaptations; tel person-
sonnage, le roi absent de la pièce anglaise, paraît dans
les deux pièces françaises. Jusqu'aux développements
qui se suivent avec un parallélisme prodigieux !.. » Le
même journal ajoutait, le 12 février : « ... M. Legendre

a puisé aux mêmes sources que M. Blémont ; c'est possible. Mais il n'y a puisé que quand l'œuvre de M. Blémont avait été lue et retenue par le directeur de l'Odéon. »

Henry Roujon écrivit à l'auteur, le 12 janvier : « ... La lecture de votre beau drame ne rend sa représentation que plus désirable. Le soir de votre revanche, veuillez m'inscrire au premier rang de ceux qui iront vous applaudir. » — « Pourquoi *Roger de Naples* n'a-t-il pas été reçu à l'Odéon ? remarqua Sully Prudhomme. Je ne comprends pas. Je n'ai pas vu encore la pièce qu'on y joue, je ne puis la comparer à la vôtre ; mais je déclare m'en tenir à celle-ci... » — Je note encore, de J.-M. de Heredia : « ... Ce sont de beaux et solides vers qui n'ont aucun rapport avec ceux de M. Legendre. Par contre, la pièce de M. Legendre en a plus d'un avec la vôtre et vous avez eu mille fois raison de protester. » — Et de Henri de Bornier (6 avril) : « ... C'est vraiment une œuvre forte et originale. Le succès en était certain et je ne comprends pas l'Odéon. Le second acte, loin d'être dangereux, aurait produit un grand effet. Consolez-vous, vous aurez votre revanche, et bientôt, car vous avez tout ce qu'il faut pour réussir au théâtre... » — Jules Claretie avait pris connaissance du manuscrit bien avant la communication à Porel et, à la première page de son livre : *le Drapeau*, adressé à Blémont, il avait inscrit : « J'ai lu *Roger de Naples ;* c'est chaud comme une fanfare, exquis comme une *novelle* italienne du beau temps, d'une langue charmante et d'un intérêt très vif. Amitiés et bravos. » Blémont, dans sa Préface, dé-

clarait : « S'il ne s'était agi que de moi, j'aurais hésité
à saisir le public de ce débat. Mais je ne suis pas seul
en cause. Dans la République des Lettres, tout le monde
est solidaire... Bien malgré moi, je représente aujour-
d'hui l'intérêt général. L'intérêt général est lésé en ma
personne. Je proteste. C'est mon devoir, non seulement envers moi-même, mais envers tous mes
confrères. »

A l'acte premier du drame, qui se passe à Messine,
Roger de Naples, amoureux de Béatrice, fille du roi de
Sicile, refuse de s'éloigner avec son frère Pascal et ses
compagnons, malgré la menace d'un complot formé
contre lui par des aventuriers siciliens et par son rival
Fabius, cousin de Béatrice. Après ce début actif, où
rien ne traîne, le vieux roi interroge affectueusement
sa fille :

> Les jeunes filles ont à vingt ans des secrets,
> Même pour leur vieux père ; et je devinerais
> Les tiens, ma chère enfant, tandis que ta main tremble
> Dans la mienne, ou nous les devinerions ensemble,
> Si tu le voulais bien...

Béatrice avoue : elle aime Roger. Fabius, qui guette et
écoute, exhale sa haine ; il songe à utiliser selon ses
vues Argina, demoiselle d'honneur, qui a même tournure, même taille que Béatrice ; il fera servir cette
ressemblance à ses ambitions. Il aborde Roger, l'assure
que la princesse n'est pas digne de lui, l'invite à se
trouver à minuit, derrière le château, et le laisse affolé
de doute. Ce premier acte met bien le drame dans sa
voie ; il ne languit pas, et pose toute l'action sur sa
base : un soupçon, une erreur.

Vers minuit, le long des murailles du château royal,
les aventuriers siciliens vident une querelle avec le
frère et les compagnons de Roger. Celui-ci survient,
préoccupé ; son monologue exprime clairement son
état d'âme. Il aperçoit tout à coup des bandits apostés,
qui s'élancent sur son frère et ses amis ; il les charge,
en blesse un, met les autres en fuite. Mais alors, au
balcon de la princesse, tous aperçoivent une femme
qui a l'apparence de Béatrice, et qui fixe une échelle
de soie ; un cavalier monte, l'embrasse, et tous deux
disparaissent. Roger et Pascal restent seuls ; le premier, malgré sa douleur, dit noblement :

> Contre une femme, il n'est, un tel acte accompli,
> D'autre arme qu'un départ hautain et que l'oubli.
> Je méprise et je hais le mépris et la haine.

Le troisième acte se passe au château. Roger n'a pas
reparu. A-t-il été assassiné ? Ses amis, menaçants,
racontent l'aventure de la nuit. Tant mieux ! pense
Fabius ; qu'ils déshonorent la princesse ! Elle déchue,
moi héritier présomptif, je serai roi. — Cependant le
père approche, avec Béatrice, Argina. Pascal demande
justice, accuse la princesse, lance un défi que nul ne
relève. Argina pousse un cri d'angoisse, que réprime
Fabius. Et le vieux roi, véhément :

> Donc, pas un de ces preux ne trouve le courage
> De venger une femme, une enfant qu'on outrage !
> Ah ! ce n'est pas ainsi que de mon temps, barons,
> Les jeunes chevaliers gagnaient leurs éperons.
> Vit-on jamais pareil opprobre sur la terre ?
> De ces hommes, pas un n'est digne d'être père.

Si ma fille eût vraiment aimé quelqu'un d'entre eux,
Ne serait-il pas là, lui, non plus ténébreux,
Ni caché sous son feutre et sous sa cape brune,
Mais fier, revendiquant une telle fortune,
Le cœur tumultueux comme les vastes mers,
La lèvre foudroyante et les yeux pleins d'éclairs ?

Tous gardent le silence, et le roi les fait sortir, indigné.

Dans une forêt, Roger est seul, épuisé, désespéré :

Beauté, tu n'es qu'un piège ! Oui, tout, le ciel, la fleur,
L'innocence, l'amour, tout ment, hors la douleur !
Je ne regrette rien. Ma lassitude est telle,
Que mon âme ulcérée a peur d'être immortelle.
Je veux l'oubli, je veux le repos, le néant
Rejetez-moi, Seigneur, dans l'infini béant ;
Faites de ma pensée un peu d'amour paisible !
Qu'il ne subsiste rien de moi, que d'insensible ;
Et que tout s'accomplisse en toute éternité,
Comme si rien de moi n'avait jamais été !

Il s'évanouit. Deux bergers au loin chantent ; ils paraissent, avec un moine, aperçoivent Roger, le soutiennent, le redressent. Le moine prodigue les encouragements :

Aimer est une grâce, et vivre est un devoir.
Est-ce que le printemps meurt d'un éclair d'orage ?
Est-ce que sous la faux le pré se décourage ?
Quand sa première fleur commence à se flétrir,
L'arbre encor jeune et vert ne veut-il plus fleurir ?
.   .   .   .   .
Vous étiez un enfant, fier, simple, ignorant tout ;
Et votre force était un rêve. Homme, debout !

Loin des spectres menteurs, qu'un élan vous emporte !
Le bonheur vrai nous vient de l'illusion morte ;
Et personne ne sait, sans avoir combattu,
Quel charme tout puissant réside en la vertu.

. . . . .

Luttez, cherchez l'appui des âmes fraternelles !
Seuls, le juste et le beau sont choses éternelles ;
Il est doux d'être aimé, mais vous verrez un jour
Qu'il est meilleur encor d'être digne d'amour.

Dans un deuxième tableau, Fabius noue l'intrigue.
Un seul obstacle le gêne : Argina, pleine de remords. Il
cherche à la rassurer, fait appel à l'amour, à l'ambition,
puis, inquiet, il l'enferme, et charge deux aventuriers
de la faire disparaître.

Pascal, au château royal, attend vainement un cham-
pion de la princesse ; tout semble désespéré, quand se
présente un chevalier, visière baissée. Le duel commence... Mais un tumulte éclate, Argina survient, court
se jeter aux pieds de Béatrice ; elle crie sa faute,
dénonce Fabius; le roi fait arrêter le duel. Fabius
prétend que la demoiselle d'honneur agit par dévouement à sa maîtresse ; il brave, il provoque. Roger, le
chevalier masqué, accepte, exige le combat. Alors,
Argina, craignant de voir Fabius vainqueur, le tue
d'un coup de poignard et se frappe ensuite. Vivat ! la
loi divine de l'amour triomphe.

« L'auteur se prouve poète dramatique par la composition générale et par l'énergie de certaines situa-
tions, » publia *le Rappel* du 8 janvier 1888. « C'est une
scène originale et saisissante que celle de la provoca-
tion de Pascal au troisième acte, observa Charles Bigot
dans *le Siècle* du 9 ; quant à la grande scène du cin-

quième acte, elle offrirait au théâtre, non seulement un spectacle magnifique, mais une action très émouvante.» L. Roger-Milès (*l'Evènement*, 17 janvier) écrivit : «... L'œuvre de Blémont est très dramatique, très littéraire, très habilement conçue pour le théâtre, pleine de jolis couplets qui s'envolent légèrement avec des frémissements d'ailes, ou qui chantent au fond de la mémoire comme une délicieuse harmonie... Et cette publication, de la part de Blémont, est un acte de franchise et de loyauté.»

Il est incroyable qu'une telle œuvre n'ait pas encore été représentée. Elle aurait certainement un brillant et fructueux succès. Quand donc se décidera-t-on à la transporter sur la scène ?

Cette même année, Blémont publia des vers dans *la Poésie*, dans *l'Illustré Moderne* (1888-1889), et commença de collaborer au *Courrier Français* (1888-1893). Au cours de l'été, il reçut la visite de J.-J. Foster, secrétaire de la Société anglaise du folklore, et lui exposa ses idées sur l'organisation d'une Assemblée générale des folkloristes de tous les pays. Peu de temps après, il formula un vœu à cet effet dans la *Tradition*. Il s'occupait aussi de son poème : Wattignies, qui parut, avec des illustrations de Dumaresq, Dunki, H. Dupray, Moreau de Tours, Henri Pille, à la Librairie illustrée, le 16 octobre 1888. Le *Figaro*, *le Petit Journal*, et d'autres feuilles annoncèrent, le lendemain : « Hier, anniversaire de la victoire de Wattignies, M. Emile Blémont, présenté par le ministre de l'Instruction publique, a offert au Président de la République, le premier exemplaire de son poème : *Wattignies* ».

En un style très simple, très narratif, le poète fait
le tableau, bien documenté et solide, de ce temps de
« la patrie en danger », de cette société nouvelle qui
venait de vivre des siècles en quatre ans, et dont le
cœur battait, non seulement pour la France, mais
pour le monde. L'idylle bleue s'était vite changée en
rouge tragédie, et l'Europe se ruait sur le pays. Les
Vendéens et les Chouans le griffaient au flanc ; les
défaites succédaient aux victoires. On était perdu.
Alors Carnot quitta Paris, et à Guise, tint conseil avec
Jourdan. La narration demeure excellente, avec de
l'animation, des mouvements de soldats, de gens de la
région, ayant tous une seule âme contre les envahisseurs. Voire, le mot pour rire éclate : des vaillants,
certes, depuis que la plupart des nobles ne l'étaient
plus, ou ne l'étaient qu'en traîtres ! Au premier jour
de bataille, les soldats, faubouriens de Paris ou patriotes des quatre points de France, gouaillent l'ennemi
et Cobourg le phraseur.

> Leur gaîté franche et brave, ingénue et gamine,
> Belle comme un sommet que l'aurore illumine,
> Pure comme le ciel, sereine sans effort,
> Faisait rêver au loin la Victoire et la Mort,
> Qui flottaient vaguement dans l'air, blanches et calmes,
> Portant à pleines mains des lauriers et des palmes.

Ils s'en vont vers l'ennemi ; on les suit des yeux, on
les renseigne, on leur offre des vivres ; — et le poète
vous entraîne, par son émotion virile.

> Sur son banc, un vieillard, seul, doux, silencieux,
> Pleurait, illuminé d'une émotion sainte,
> Devant ces jeunes gens sans reproche et sans crainte,

> Qu'il paraissait bénir de ses tremblantes mains.
> Ils passaient, ils passaient, fiers comme des Romains
> Du temps de Porsenna, joyeux, dignes d'Athènes
> Et de Sparte. Ils passaient, soldats et capitaines,
> Parfois en blouse, en veste, en haillons, en sabots,
> Parfois pieds nus. Ceux-ci n'étaient pas les moins beaux
> Et paraissaient contents de souffrir davantage,
> O Liberté, pour toi, leur unique héritage !...

Les escarmouches commencent ; puis la bataille est décrite par gradations de plus en plus fortes, multiples et vibrantes. Et ils chantent ; *la Marseillaise* les entraîne. Mais ils doivent reculer, après une demi-victoire ; et dans cette retraite, tombe frappé à mort un brave enfant, Sthrau, qui persistait à battre du tambour, face à l'ennemi. Dans une seconde attaque' on regagne tout le terrain, mais en perdant plus de monde encore.

La nuit, les chefs tiennent conseil. Surviennent des nouvelles du Comité : partout le recul, à l'est, au sud, à l'ouest. Il faut vaincre ou mourir. Carnot, qui porte en lui le sort de la France, songe.

> L'Europe féodale, avec tous ses soudards,
> Tous ses oiseaux de proie au champ des étendards,
> Rois, margraves, barons, ducs, électeurs d'empire,
> L'aigle et le léopard, le pandour et le sbire,
> Par les fleuves, par les montagnes, par la mer,
> Se ruait contre nous ; et vingt siècles d'enfer,
> Vingt siècles noirs, poussaient, voyant le jour éclore,
> Tous les spectres d'antan pour étouffer l'aurore...

Les chefs trahissaient, l'or anglais achetait les clefs des villes. Toulon était livré, Lyon brûlé ; cent combats obscurs déchiraient le pays, et dans le dos,

On avait le poignard bénit de la Vendée.
Allait-on voir périr la patrie et l'idée ?..

Carnot entend la voix de la foule, du peuple. La seule tactique en un tel moment, c'est de marcher en corps, en masse, droit devant, de tomber ou de vaincre. Il s'y décide : plus de vieilles stratégies, mais un plan nouveau, le plan de guerre de la Révolution. Il revoit le combat, les hauteurs, les vallons, les champs, les forêts, et reçoit la secousse du génie : il a *vu* ! Wattignies domine tout : c'est là qu'il faut marcher. — Au matin, le gros des troupes attaque Wattignies, Carnot en tête. La description est vraiment complète, très étudiée, et fait la part des échecs, des reculs, des peurs humaines, autant que des vigueurs et des héroïsmes. La mêlée est âpre, sinistre, atroce. Le récit, lui aussi, est vibrant, nettement détaillé, haletant. Enfin flottent là-haut les trois couleurs. Carnot et Jourdan, sur la cime, s'embrassent ; et ce qui reste de l'armée victorieuse crie : « Vive la République ! » — Devant ces immortels exemples, le poète exhorte la France nouvelle :

Montre-toi la plus digne et gouverne à ton tour.
Seule au monde, tu peux, ô nation d'amour,
Sous ton chêne céleste à la rugueuse écorce,
Concilier enfin la justice et la force.
Accorde-les, la voix de fer et la voix d'or ;
Et fais régner le rythme au mélodique essor
Qui doit diviniser la destinée humaine !
Vers l'immensité sombre où le soleil nous mène,
Jette, avec une foi si tendre, un cri si pur,
Qu'il ne reste au ciel rien de mauvais ni d'obscur !

Evoque un tel lever de lumière féconde,
Qu'aux yeux de tous, en tout, brille la loi du monde,
Et que la souveraine harmonie, à jamais,
Du fond de tous les cœurs monte à tous les sommets !

Ce poème offre l'allure énergique, la forme entraî-
nante, le style vibrant de la poésie guerrière ; mais ce
n'est là que l'enveloppe du vrai sentiment qui l'anime.
Son émotion, son enthousiasme proviennent de l'amour
du poète pour la liberté et pour l'héroïsme spécial
qu'elle suscite. C'est le souffle de la Révolution qui
passe sur cette armée de patriotes ; c'est l'idée d'émancipation humaine qui surgit de la terre gauloise, et qui
nous emporte encore vers l'avenir de raison et de
justice.

Roger-Milès, secrétaire de la rédaction du *Courrier
français*, obtint d'Emile Blémont l'autorisation de
reproduire dans le numéro du 21 octobre, des fragments de *Wattignies*, qu'il accompagna de ces explications : « ...Un matin, enthousiasmé par les belles
pages de Michelet et le récit très exact et tout rempli
de détails de Piérart, un enfant de Maubeuge, — Blémont boucla sa valise et partit pour Guise, Maubeuge,
Wattignies, Saint-Rémy-Chaussée et Dimont, prenant
partout des notes, visitant avec une attention enfiévrée
tous ces endroits que son esprit peuplait de souvenirs
glorieux ou tristes. On était alors en 1886. De retour à
Paris, il va fouiller dans les riches collections du
peintre Brozik, pour des détails de costumes ; il
assiège M. Céard, à l'hôtel Carnavalet, pour compléter
ses documents indispensables ; puis il se met à
l'œuvre... S'il a eu le souci de l'exactitude et de la

vérité. il n'a pas oublié non plus la poésie. Il y a dans
son livre des peintures d'une saisissante exécution ;
tout cela est plein de lumière, plein de couleur, plein
d'un souffle généreux qui vous entraîne... » La revue
publia en même temps plusieurs des gravures, dont
les originaux figurèrent à l'exposition de *Blanc et Noir.*
Et le directeur du *Courrier,* en tête de ce périodique
illustré, ouvrit une souscription pour ériger, à Paris,
une statue à Lazare Carnot. Blémont fut du Comité
organisateur, qui obtint de G. Larroumet, Directeur
des Beaux-Arts, la grande salle du premier étage de
l'Ecole des Beaux-Arts, pour l'exposition publique des
maquettes envoyées par les artistes concurrents. Le
1er décembre, les envois y furent reçus par Blémont
et Payelle. Il y en avait cinquante ; Turcan obtint le
prix. Avant le 1er janvier 1889, la souscription atteignit
dix mille francs. Turcan se mit à l'œuvre ; mais le
Courrier ayant publié un dessin satirique : « Carnot le
Grand et Carnot le Petit », la souscription perdit
l'appui du gouvernement et de la ville. La statue fut
reléguée dans on ne sait quel dépôt. Un autre projet
se greffa là-dessus, d'un monument pour Maubeuge.
Blémont, par *la Revue du Nord,* obtint qu'on n'y
oubliât pas le vaillant petit tambour Sthrau ; il réussit
encore, le 31 octobre 1892, par une pétition, à obtenir
du conseil municipal de Paris que le nom de Sthrau
fût donné à une des rues nouvelles. Le monument de
Maubeuge a été inauguré le 5 novembre 1893.

Heredia écrivit à Blémont (12 novembre 1888) : « J'ai
lu votre beau poème d'un seul trait. Il est plein de
mouvement, de force et de couleur, entraînant comme

11

une charge. On y entend le tambour, on y sent la
poudre ; et j'ai vu frissonner, à travers la fumée de la
victoire, le drapeau d'azur, d'aube et d'aurore
héroïques brandi par la Marseillaise ailée ! Les vers en
sont d'une forme, d'une allure et d'une sonorité superbes ». — « C'est de l'épopée et c'est aussi du drame,
écrivit Paul Meurice, le 19. C'est grand et c'est saisissant. Et le souffle qui passe là-dessus ! Vous avez
fait là, par la pensée et par la forme, et dans toute
l'acception du mot, une œuvre *française*... »

La presse salua d'enthousiasme ce beau et fier
poème. Je retiens quelques appréciations. D'abord de
Félix Jeantet (*Monde poétique*, octobre 1888) : « ... Tout
cela est vivant, pittoresque ; on voit dans son décor,
peuplée de ses personnages, l'action se dérouler avec
ses mouvements divers et ses retours de fortune ; on la
suivrait sur une carte .. » — De Gustave Geffroy (*la
Justice*, 10 décembre) : « ...Le flot roulant des vers emporte tous les épisodes, mais tous les épisodes y sont...
Emile Blémont a été, pour ce chapitre de l'existence
militaire de la Révolution, un historiographe artiste,
précis, éloquent et inspiré ». — De Paul Ginisty (*Gil
Blas*, 27 décembre) : « ...M. Blémont a ingénieusement
triomphé des difficultés que présentaient, pour les jeter
dans le moule frémissant de la poésie, certains noms
et certains détails un peu techniques, qui eussent peut-
être arrêté un écrivain moins expérimenté dans le
maniement du vers ». Plus tard (*le Quotidien*, 30 octobre 1893), Ernest Laut écrivit : « .. Le beau livre de
M. Blémont peut être considéré comme le récit le plus
complet, le plus parfait, de ce combat de géants... »

Le Journal des Débats du 5 novembre 1893 rappela, au sujet de Sthrau, les vers de Blémont dans son poème, ajoutant : « ...C'est lui qui a prié M. Fagel de joindre à son monument la statue du petit tambour ; de plus, il a obtenu que le nom de celui-ci fût donné, comme ceux de Bara et de Viala, à l'une des rues de Paris... » Francisque Sarcey, dans *le Radical* du 8, évoqua aussi l'action de Blémont et cita ses vers à Sthrau ; Pontsevrez (*l'Estafette* du 6) dit nettement : « ... Sthrau, le héros juvénile de Dourlers, doit sa résurrection dans la gloire au bon poète Emile Blémont ».

Et pourtant, le bon poète Emile Blémont a connu l'ingratitude habituellement réservée aux efforts nobles et désintéressés. En combattant avec la plus loyale conscience la déliquescence littéraire et la décadence politique, il s'est fait peut-être plus d'ennemis que d'amis. Sans cesser d'être franchement et radicalement républicain, et fermement fidèle à la pensée indépendante, à la solidarité humaine, il a osé affirmer et démontrer, sans se lasser, qu'il faut avant tout être libre et fort, qu'en dehors de la patrie, de la justice et du travail, il n'est point de salut. Dans la droiture de ses convictions, dans la fierté de son désintéressement, il est ainsi resté isolé, entre les partis de tyrannie autocratique ou collectiviste, entre les autoritaires et les impulsifs.

Le 6 mai 1889, la Comédie-Française représenta, de Blémont, pour l'ouverture de l'Exposition universelle, un à-propos en un acte : le Chant du Siècle (Tresse et Stock éditeurs, en juin.) La France demande à la Poésie de célébrer avec elle les cent ans accomplis de

la nouvelle foi ; elle décrit ses produits, ses richesses ;
mais il est un autre honneur dont elle est plus fière,
celui qui vient de la divine Poésie. Et la Poésie
répond :

Tes poètes d'hier et d'aujourd'hui sont grands ;
Jamais je n'avais vu si hardis conquérants,
Au milieu des rayons, au-dessus des désastres,
Naviguer vers l'azur et conquérir des astres.
Debout, dès le lever du siècle, à l'orient,
Parmi des bruits confus d'armes, Chateaubriand
Rêve dans l'aube en pleurs et la sanglante aurore !
Un monde au loin s'écroule , et tel que son Eudore
D'une prêtresse vierge épris dans les bois noirs,
Il offre son cœur plein de tous les désespoirs
A la Nature, à la puissante charmeresse,
Désormais son unique et suprême maîtresse ;
Puis, pour rouvrir le ciel à son temps attristé,
Sur l'autel qu'il relève, il sculpte la beauté.
Dans le vallon, au son de la cloche argentine,
L'âme et les yeux en haut, médite Lamartine ;
Il prie, il aime, il chante un hymne fraternel ;
Sa pensée est un mont neigeux et solennel ;
Sa pensée est un lac transparent et limpide,
Où, sur des profondeurs que nul souffle ne ride,
Un cygne immaculé nage en plein firmament ;
Sa pensée est un fleuve immense et véhément,
Portant l'espoir humain vers la Terre promise.
Loin des foules, grand, triste et seul, comme Moïse,
Amer comme Samson livré par Dalila,
Vigny, hanté par ceux que rien ne consola,
Demande compte à Dieu d'un monde de souffrance,
Et, voix pure aspirant à l'éternel silence,
De son vers indigné soufflette les Destins.

Dumas paraît, qui fait rire et pleurer l'histoire ;
Balzac, qui a su vivre en des milliers de cœurs ;
Musset :

> Musset cherche l'amour, cette perle divine ;
> Il en meurt ; la Nuit pâle, au long voile étoilé,
> Le baise au front ; il pleure, il se sent consolé,
> Il espère en un Dieu qu'il ne peut pas comprendre.

C'est encore Baudelaire, fatal ; et Barbier, Dupont,
Gautier, et tant d'autres ! Enfin, Hugo :

> Je vois, vision souveraine,
> Victor Hugo, parmi cette élite sereine,
> Rayonner, le front ceint de lauriers toujours verts,
> Ainsi que Charlemagne au milieu de ses Pairs.
> Il est le Rythme, il est le tout-puissant génie
> De vie et de beauté dans la libre harmonie.
> Il est fort, il est bon. Sur Pégase dompté,
> Il s'élève ; il soumet la force à l'équité.
> Il vit dans tout, son âme est l'âme universelle ;
> De tout il fait jaillir la céleste étincelle,
> Et rend au plus chétif la clé de l'infini.
> Il accorde, en chantant, l'univers désuni.
> Contre lui vainement le passé noir s'acharne,
> Il délivre l'idée et le mot qui l'incarne.
> O l'auguste combat du juste révolté,
> Contre l'aveugle assaut de la fatalité !
> O les coups éclatants ! O le triomphe austère,
> Dans le renoncement complet et volontaire
> A tout ce qui n'est pas selon l'ordre éternel !
> O le front blanc du grand prophète paternel,
> Après l'exil altier venant, malgré l'outrage,
> Attester l'An terrible, et sacrer dans l'orage
> Le Peuple, ce héros généreux jusqu'au bout,
> Qui n'a rien que son cœur, mais dont le cœur peut tout !

La Poésie encourage la France à croire encore en l'avenir de délivrance et d'amour ; la France se redresse :

Sois bénie ! Avec toi je me sens invincible ;
Et voyant s'abaisser les bornes du possible,
L'œil calme, le front haut, l'âme et les bras ouverts,
A mon libre foyer j'invite l'univers.

Et la Poésie déclare :

Tout homme a deux pays, sa patrie et la France.

. . . .

Tu vaincras par l'amour ce qui hait, ce qui nie.
La force où n'entrent pas le droit et l'harmonie,
N'est qu'un éclair, tandis que l'amour, pur flambeau,
Du gouffre le plus noir renaît toujours plus beau.

Il serait aisé de vanter la bonne tenue, l'ampleur sobre et harmonieuse des vers de ce poème ; mais l'idée qu'ils proclament est si noble, si vraie aussi, que je ne vois qu'elle d'abord. Oui, les armes et le courage militaire ne sont pas le plus ferme soutien d'un peuple ; l'or même, en nos temps mercantiles, ne peut assurer la vie d'une nation ; mais les races qui eurent une âme poétique, même si elles périssent matériellement comme périssent toutes les races, continuent de présider aux destinées du monde : la Judée, la Grèce nous gouvernent encore. Oui, la poésie seule, c'est-à-dire, en élargissant la pensée de Blémont, le principe idéal, la foi religieuse, source de toutes les poétiques, peut rendre invincible la France et lui faire accomplir l'œuvre impérissable qui couronnera l'œuvre de l'humanité antique.

« Votre *Chant du Siècle*, qui est d'une haute envolée, d'une inspiration superbe, plairait à notre Maître dont vous parlez si bien et avec tant d'amour, écrivit Théodore de Banville à l'auteur. Nous sommes, vous et moi, de ceux qui ne désertent pas et restent fidèles Aussi est-ce dans une parfaite communion d'âme que que je suis votre ami dévoué. » Adolphe Aderer, dans *le Temps* du 6 mai, nota ce beau succès. « M. Emile Blémont, écrivit Charles Gueullette (*l'Europe artiste*, 19 mai), a su faire saillir en quelques vers le caractère particulier, la marque distinctive de chacun de nos écrivains... »

Le Chant du Siècle, représenté au centième anniversaire de la Révolution française, fut le noble et heureux couronnement des travaux d'Emile Blémont, comme poète et comme patriote, pendant cette féconde période d'une dizaine d'années. Il fut intégralement publié par *le Monde poétique*, *la Lecture*, *le Courrier français*, etc.

La Raison du moins fort. — Esthétique de la Tradition

Léon Valade était mort en juin 1884 ; et ses *Œuvres posthumes*, rassemblées par les soins de Blémont, Mérat et Pelletan, avaient paru chez Lemerre ; il laissait aussi, inachevée, *la Raison du moins fort*, commencée en collaboration avec Emile Blémont, qui rima les deux dernières scènes manquantes. Cette comédie en un acte fut jouée à la Bodinière, fin mai 1889, et parut ensuite chez Lemerre. — Le capitaine Roland et le jeune Valentin, tous deux amoureux de Rosette, et timides tous deux, songent à s'utiliser l'un l'autre. En une scène d'abord hésitante, puis mouvementée et curieuse, le capitaine finit par convaincre Valentin qu'il doit lui servir d'intermédiaire. Rosette vient. Valentin balbutie, s'encourage, transmet la demande, et n'obtient que de fines moqueries. Enervé, il parle pour son propre compte. Rosette s'éloigne, se cache, entend l'explication des deux rivaux, leur querelle, prend à part le capitaine, et, le voyant décidé au duel, lui rappelle leur amitié à trois, des souvenirs d'affection filiale, le convainc, le presse... Il partira, dit-il. Mais elle veut qu'il reste ; et Valentin revenant, elle conduit une jolie scène, amusante, dont le dénouement confirme

Le droit du mieux aimé sur le droit du plus fort.

C'est une pièce légère, souriante, xviii° siècle, un peu moderne aussi. Les amoureux, en somme, remarqua Emile Faguet dans *le Soleil* du 3 juin, « luttent de générosité... Et il y a de jolis duels de rimes qui luttent de richesse, les auteurs aussi étant généreux. »

Le projet d'une Assemblée internationale de folkloristes, mis en avant par Blémont un an plus tôt, fut réalisé, avec l'appui de la Société française des Traditions populaires, dont Paul Sébillot était secrétaire général. Ce fut le premier Congrès des Traditions populaires, tenu à Paris fin juillet, à l'occasion de l'Exposition universelle. Les congressistes furent nombreux. On établit les principes d'un inventaire méthodique et universel des traditions. Emile Blémont, secrétaire du Congrès, y lut une étude intitulée : *Fonction sociale de la Tradition*, qui fut très remarquée. On voit qu'il s'occupait des œuvres du passé non seulement en poète, en chercheur, mais encore en organisateur.

Dans les *Dédicaces* de Paul Verlaine, éditées à *la Plume* au commencement de 1890, ce sonnet de fière reconnaissance est adressé à Emile Blémont :

> « La vindicte bourgeoise assassinait mon nom
> Chinoisement, à coups d'épingle, quelle affaire !
> Et la tempête allait plus âpre dans mon verre.
> D'ailleurs, du *seul* grief : Dieu bravé, pas un non,
>
> Pas un oui, pas un mot ! L'Opinion, sévère
> Mais juste, s'en moquait autant qu'une guenon
> De noix vides. Ce bœuf bavant sur son fanon,
> Le Public, mâchonnait ma gloire... encore à faire.

> L'heure était tentatrice et plusieurs d'entre ceux
> Qui m'aimaient en dépit de Prudhomme complice,
> Tournèrent carrément, furent de mon supplice,
>
> Ou se turent, la peur les trouvant paresseux ;
> Mais vous, du premier jour vous fûtes simple, brave,
> FIDÈLE ; et dans un cœur bien fait cela se grave. »

La même année, chez Tresse et Stock, Blémont publia trois plaquettes : *la Légende de l'hirondelle*, qui raconte pourquoi l'hirondelle a la queue en fourche et comment elle a gagné l'amitié de l'homme ; — *le Roitelet*, qu'une conclusion gracieuse montre un petit mais vivant emblème de l'amour ailé, plus fort que la froidure et la mort ; — *la Damnation de Polichinelle*, lequel, par ses rires et grimaces, fait des enfers un lieu de délices. Ces pièces sont du répertoire de J. Truffier, de la Comédie Française ; l'auteur s'y meut à l'aise ; il y rend de la valeur au monologue, trop souvent voué à la banalité.

Vers ce temps-là, Emile Blémont écrivit : *le Génie par l'imagination*, pour l'ouvrage : *Jean-Jacques Rousseau jugé par les Français d'aujourd'hui* (Perrin et Cie); il collabora au journal le *Victor Hugo* (1890), publia des vers dans l'*Année des Poètes* (1890-1891), et reprit la fonction de chroniqueur, cette fois à l'*Evènement*, où, du commencement de novembre 1890 à la fin de février 1892, il donna chaque semaine un *Courrier de Paris*, généralement imprimé en tête de la première page. Dans cette campagne très brillante, il entretint ses lecteurs des mœurs parisiennes ; il leur parla histoire, politique, littérature. Dès l'article de début, *les Amants tragiques* (6 novembre), il montra, à propos de Shakespeare, qu'il voyait dans la Chronique autre chose que de l'actualité superficielle. Je rappelle aussi les trois excellentes colonnes sur *la France d'Outre-mer*, ce Canada qui n'oublie pas ses origines (14 novembre) ; *le Cas de M. Becque*, visant la querelle de ce dernier avec Sarcey cu sujet de *la Parisienne* (19 décembre); *De 1871 à 1891*, souvenirs, trop oubliés, du siège de Paris (1er janvier 1891) ; *Choses d'Amérique*, à propos du quatrième centenaire de Christophe Colomb (9 janvier); *les Victimes de Thermidor* (30 janvier), où est restitué le Robespierre doux et dévoué qu'a fait oublier le Robespierre féroce ; *Littérateurs fin de siècle* (6 février), sur les symbolistes, auxquels il rappelle que le symbolisme est vieux comme le monde ; *Duel littéraire*, qui faillit avoir lieu entre Leconte de Lisle et Anatole France (9 mai), chronique qui lui valut cette lettre, du 13 : « J'ai été vivement touché de l'article on ne peut plus obligeant que vous avez donné à *l'Evénement* ; et je vous prie de croire à la sincérité de ma gratitude... Rien ne saurait m'être plus précieux que l'expression des sympathies littéraires que vous me témoignez. Je vous serre cordialement la main. Leconte de Lisle. » — Toutes ces chroniques sont pleines de bon sens, de libre examen, de haute fermeté, d'aperçus caractéristiques ; une d'elles, *la Pouponnière* (17 février 1892), vint fournir son titre à la fondation maternelle de Mme Charpentier.

En juin 1890, les *Etudes traditionnistes* d'Andrew Lang avaient paru chez Maisonneuve, avec une Préface où Blémont présentait cet écrivain, un des contemporains anglais qui ont le plus contribué à rectifier

et développer le traditionnisme chez nos voisins ; partant de là, il rappelait les anciennes explications des
fables populaires, les uns voyant dans les mythes de
simples maladies du langage ; et les autres, dans les
aventures mythologiques, des souvenirs historiques
déformés. Selon Lang, un mythe est l'explication d'un
phénomène par l'intelligence d'un homme primitif.
Blémont citait Emile Burnouf, qui, dans *la Science des
relig'ons*, posa les principes de la méthode anthropo-
logique : les hommes concevant les dieux avant de
leur donner des noms, la religion première forme de
la science. Il remarquait que les différentes phases
de la culture intellectuelle de l'homme sont encore
représentées sur la terre : ainsi, chez les sauvages,
nous assistons à la naissance et au développement des
mythes. Il conclut que le livre de Lang fait pressentir
la conciliation future de l'instinct religieux et de la
faculté scientifique, qui ont tous deux pour origine
l'idée de cause. Les religions de l'avenir consacreront
hautement le vrai par l'illustration symbolique de son
identité avec le bien et le beau.

Le mois suivant, Emile Blémont publia l'**Esthétique
de la Tradition** (J. Maisonneuve, Collection internationale de *la Tradition*). Il ne fait pas de cette étude
un sec discours de rhétoricien. Il sait que l'histoire,
en ce monde vieillissant, est le plus agréable et aussi
le meilleur enseignement. Il sait aussi que les idées,
aussi bien que les faits, ont désormais leur histoire,
développée en nous à mesure que la narration des
événements se développe hors de nous. Il va d'abord
aux origines et aux caractères de la faculté esthétique,

montre que tous les arts, toutes les sciences reposent
sur la tradition. La poésie, dit-il, ne jaillit puissante
que des foules ; et le beau est d'origine essentiellement populaire, ayant sa source dans le sentiment,
le désintéressement. L'héroïsme et l'épopée sont liés
l'un à l'autre ; la condition du poème épique n'est-
elle pas la rencontre d'une tradition féconde et d'un
homme de génie ? Toute littérature qui se sépare du
peuple est comme une plante déracinée ; l'art alors
n'est plus qu'artifice. Le peuple, c'est l'enfant terrible
et sublime ; chaque fois qu'il est profondément remué
il s'en élève des chants d'amour ou de haine ; tandis
que la littérature artificielle et vénale ne tend qu'à
produire des fabricants d'articles, ou de livres, stériles
et nuisibles.

Etudier la tradition populaire, c'est donner un élan
plus vigoureux, puisque normal, à la civilisation.
Edgar Quinet y crut voir des principes de servitude et
de ruine. Michelet lui répondit que la bonne tradition
n'est pas l'officielle, mais celle du peuple et des penseurs. Il faut, certes, renouer le fil d'or que d'égoïstes
intérêts ont voulu rompre, reconquérir la légende nationale, qui a su préserver le peuple de la stérilité
d'une théologie féroce, et qui pourra le défendre encore contre l'aridité mortelle d'une philosophie scientifique sans cœur ni âme. La tradition maintient ou
rétablit l'union ; — et la démocratie, à cause de sa
tendance à la division, en a besoin plus que tout
autre régime. On est surpris de l'y voir hostile. Cela
tient à l'instabilité des conditions sociales, à l'affaiblis-
sement de la famille, à l'omnipotence du nombre et

de l'argent, à la réduction du loisir et de l'idéal, au
penchant des esprits vers l'uniformité et l'abstraction.
Ces questions sont graves ; et l'auteur les reprend, les
traite une à une, le long des siècles.

« La démocratie, dit-il, est presque aussi jalouse de
toute originalité individuelle, que peut l'être un tyran...
L'à-peu-près, l'apparence, lui suffisent la plupart du
temps. Il faut aller vite, sous l'aiguillon de la concur-
rence vitale. L'esprit démocratique adore les idées
générales ; avec elles, on peut trancher net tous les
nœuds gordiens. Grâce à elles, le plus ignorant a l'air
de tout savoir. A côté du faux luxe, la fausse science.
Chacun croit bientôt à sa propre infaillibilité, et en
est flatté au plus haut point. Rien n'est plus dangereux
que cette instruction superficielle et présomptueuse,
si prompte à adopter les solutions les plus erronées,
pour peu qu'elles semblent se prêter aux besoins toujours pressants de l'heure et du lieu. »

Le retour aux traditions rend aux institutions et aux
mœurs leur base forte et vitale ; il remet en honneur,
avec le respect des aïeux, l'indépendance des caractères, l'originalité des allures ; il adopte et consacre
le mot naturel, vif, pittoresque. Il est surtout nécessaire à l'âme féminine. Les vertus familiales, l'idéal,
l'héroïsme, la fraternité, ne se décrètent pas, non plus
que les bonnes mœurs, et sont pourtant indispensables
à la société ; il faut en retrouver l'étincelle ; il faut renouveler le sens religieux, sans quoi l'être humain,
qui a le besoin de croire et d'aimer, est mutilé, dé-
gradé, sans compensation. Chateaubriand a voulu régénérer la foi par la poésie ; de même, l'esprit reli-

gieux, au lieu de soutenir contre la raison une lutte
inutile et funeste, devrait s'attacher à persuader et à
charmer. Une croyance généreuse est indispensable à
l'homme, tandis que le scepticisme est un agent de
dissolution.

L'idéal fut exilé du jour où l'on nia la tradition ; que
tous deux reparaissent ! « Une nation ne saurait longtemps vivre sans poésie ; l'absen'e aura sa revanche ..
Seule, la poésie peut réparer le mal fait par ces cour-
tisans des foules, amuseurs sans vergogne, artistes
incomplets et vulgaires, ambitieux sans scrupule, qui
dépravent la jeune démocratie. » Au début de la renaissance nouvelle, l'union de l'esprit religieux et de
la raison est nécessaire. Il s'agit d'allier la foi et la loi
dans une libre et féconde association. Concorde et
non contrainte, science et conscience conciliées : voilà
les devoirs des intellectuels. Or, la tradition ramène
aux sources de cet idéal, à ce rythme normal, à cette
haute attraction qui sollicite nos belles pensées et nos
actions généreuses. Le présent est l'enfant du passé,
le résultat synthétique, vivant, de tous les efforts vers
l'idéal : soyons fidèles à ce passé, et l'avenir sera plus
grand et plus beau.

Ce sommaire suffit à montrer l'excellence de la pensée qui a mûri cette étude. L'expression est digne de
la pensée. C'est un des meilleurs livres de prose de
Blémont ; il suffirait à faire comprendre et aimer la
généreuse énergie de son âme. On n'y rencontre pas
le fracas des écrivains tapageurs ; ce qu'on y mois-
sonne, et la gerbe est belle et lourde d'épis, c'est la
bonté du froment, la ferveur mesurée d'un esprit ré-

fléchi et d'un cœur zélé, l'écriture agréable d'un poète,
et ferme d'un critique. Ce petit chef-d'œuvre de vérité,
de jugement, d'enthousiasme clairvoyant, de bon sens
et de style, qu'Emile Blémont nous a si heureusement
rapporté de son excursion dans le passé, est et sera toujours nécessaire à la jeunesse, trop avide de nouveautés
passagères, et qui s'y formera, ainsi qu'à l'âge mûr,
trop occupé de soins matériels, et qui s'y réformera.

L. Roger-Milès, dans *l'Evènement* du 25 juillet 1890,
consacra une longue et substantielle chronique à ce
livre, et à son auteur qui, disait-il, « mérite une place
parmi les meilleurs écrivains d'aujourd'hui... On devine toujours sa préoccupation de faire besogne d'artiste, sans rien retrancher des exigences du sentiment...
Il n'est resté étranger à aucune des formes de l'activité
de la pensée à notre époque... » — Le même jour,
Paul Ginisty, dans *le Phare*, précisait la nécessité de
ranimer « la langue envahie par les locutions de formation savante, desséchée par la tendance à l'abstraction. » « C'est un petit livre fort éloquent et plein de
philosophie », publia Anatole France *(le Temps)*. — Et
Auguste Dorchain écrivit à Blémont : « ... Je viens de
lire votre admirable *Esthétique de la Tradition* ; et je
ne puis vous dire à quel point je suis avec vous d'esprit et de cœur pour toutes les idées, pour tous les
sentiments que vous y exprimez. Quand j'y réunis par
la pensée votre *Lettre à Lemaître* et vos études d'esthétique générale parues dans *le Monde poétique*,
j'aperçois le plus noble ensemble de pages qui aient
été écrites de notre temps pour la défense et la glorification de la poésie. »

FANTIN-LATOUR. — COIN DE TABLE.

La Poésie et l'Action

Les Pommiers en fleur. — La Revue du Nord

La discorde est le résultat de l'usurpation, qui provoque toutes les revendications connues, depuis le cri
de l'agneau enlevé par le loup jusqu'aux victoires retentissantes des nations chassant les envahisseurs ;
aussi, je crois que l'harmonie règnerait sur la Terre,
si chaque pays restait libre de ses destinées, et si
chaque individu faisait fructifier lui-même ses idées.
Puisqu'on les a, les idées, et puisqu'on croit à leur
valeur, il est certain que l'on a la volonté de les réaliser matériellement ; mais on n'en a pas toujours
l'énergie, ni la possibilité, ni surtout les facultés d'exécution, si différentes de celles d'invention. C'est ainsi
que la plupart des inventions sont exploitées et vulga-
risées par d'autres que leurs trouveurs ; c'est ainsi
que les philosophes organisent rarement eux-mêmes
les conséquences de leurs méthodes, les sociologues
celles de leurs systèmes, les orateurs celles de leurs
discours. La parole et l'écriture ne sont pas l'action ;
elles la suscitent, ou elles la servent.

Cette évidence éclate dès qu'il s'agit des poètes, les
premiers des trouveurs. Proie de l'inspiration, ils
chantent le beau et ne sauraient amener la foule à le
contempler ; ils célèbrent le bien et ne sauraient éta-

blir un cours de morale ; ils proclament le vrai et ne
sauraient instituer des lois et des tribunaux. Ce sont
les marchands de livres qui propagent le beau, les
maîtres d'école le bien, les politiciens le vrai, — ou
qui pourraient le propager, s'ils le voulaient fermement. Est-ce parfait, cet état de choses ? Assurément,
puisque cela est. Si nous en souffrons, si la discorde
déchire le monde, si les poètes pâtissent de leur im-
puissance à appliquer dans la vie leur œuvre, ce n'est
un désordre qu'à nos chétifs regards ; en réalité, cela
tient à un ordre universel beaucoup trop grand pour
que nous puissions le comprendre. Cependant, à cette
règle aussi générale qu'elle nous semble baroque et
injuste, il y a des exceptions ; oui, il est des écrivains
qui s'efforcent d'organiser leurs idées dans la société :
Lamartine l'a tenté, Hugo l'a réalisé. C'est le cas de
l'inventeur exploitant lui-même son invention ; le cas
dont on verra de nombreux exemples, quand les trouveurs s'associeront pour se défendre, quand l'éducation sera mieux comprise et distribuée, et quand la
fortune usurpatrice deviendra la fortune équilibrée.
Déjà, en notre temps sociologique où bien des choses
sont remises au creuset du génie fondateur, l'exception à la vieille et dure règle générale se montre assez
fréquente ; on ne s'étonne même plus que des poètes
agissent d'après leur pensée. La poésie et l'action, si
longtemps dévolues à des êtres distincts, se verront,
désormais, souvent réunies dans le même individu, et
ces tempéraments complexes, nouveaux de par leur
nombre tout à coup imposant, compteront parmi leurs
précurseurs les plus certains Émile Blémont.

Parnassien, il va au devant de ces échanges d'idées, de ces luttes courtoises de principes d'où sortent les forts courants littéraires longuement répercutés dans la société ; et il fonde la plus importante Revue d'après la Guerre et la Commune : *la Renaissance littéraire et artistique*, où il réunit à ses amis la plupart des écrivains du XIX° siècle, ce qui révèle une belle clairvoyance, puisque le Parnasse et les écoles suivantes ne sont que des parties du Romantisme. Poète patriote afin d'aider au relèvement de la France, sa campagne du *Rappel* est un acte de dévouement ; et ses poèmes remuent la conscience publique, sanctionnent le 14 juillet, suscitent l'édification du monument de Lazare Carnot. Ami de Victor Hugo, il ne se contente pas de proclamer son admiration ; avec Paul Meurice, il est le plus énergique mainteneur de la renommée du chef romantique. Nous avons besoin des forces du passé : l'établira-t-il seulement en d'excellentes pages ? Non ! il fonde *la Tradition*, mène une campagne, y intéresse une élite, provoque des congrès. Et vous allez le voir, à chaque évolution, à chaque œuvre en vers et en prose, continuer cette action parallèle, fournir sa part dans la renaissance régionaliste, aider à la commémoration de plusieurs poètes, travailler en des Sociétés de relèvement intellectuel, étudier la pensée nouvelle avec la nouvelle jeunesse, coopérer au transfert des bons principes du passé dans les œuvres de l'avenir.

Blémont n'avait pas cessé, avec quelques-uns, de s'occuper du Monument de Victor Hugo : il fut de la commission de huit membres instituée le 3 juillet 1890, et prit part à la réunion du 1ᵉʳ août, dans l'atelier de Charles Garnier, à l'Opéra, Parmi les diverses propositions, une ne manquait pas d'originalité : c'était d'élever Hugo sur Pégase. Blémont ne se montrait pas hostile à cette idée. Mais il y eut de longs tiraillements ; le 23 octobre, Jules Claretie lui écrivit : « J'ai vu Falguière. Il s'est enthousiasmé de l'idée ; il a, c'est le cas de le dire, enfourché Pégase, et il doit venir me revoir. Je vous tiendrai au courant ». A la fin, on décida que Hugo serait sans Pégase, et avec quatre figures symboliques.

C'est au commencement de 1891 que parurent ces fraîches et souriantes Idylles de France et de Normandie : les Pommiers en fleur (Charpentier). Le poète, séduit par LES MATINS D'OR ET LES NUITS BLEUES, chante le printemps sur des airs variés : une claire ouverture, des aperçus légers, les douces impressions de l'arrivée au village tranquille. Il fait bon voir se lever l'aurore ; il fait bon s'enivrer de sève et de verdure, se bercer dans l'âme universelle, respirer ces fleurs fragiles, trop souvent baptisées par les botanistes de noms si lourds. Voici juin et la fenaison : le rythme, le langage se font plus graves, sans cesser d'être agrestes ; c'est bien observé, rendu avec un soin vigilant des détails exquis. Vénus brille à l'horizon limpide. Et puis règne la nuit mystérieuse, pleine de menus bruits, sous le ciel constellé qui semble tourner en vous. Ecoutez cette lente et belle poésie, *New-Mown Hay*, au rythme soutenu par de justes allitérations :

L'odeur des foins fauchés flotte aux souffles du soir.
Il semble qu'une fraîche et tendre charmeresse,
· Là-bas, sous le ciel pur, dans une sainte ivresse,
Vers son dieu qu'elle attend, balance un encensoir.

Un frisson fait trembler l'herbe folle et la feuille ;
Est-ce un désir errant qui cherche où se poser ?
L'air palpite et n'est plus qu'un immense baiser,
Une extase muette où le cœur se recueille.

Dans le bruissement lointain des peupliers,
Tinte au cou d'une chèvre une clochette claire ;
Des enfants blonds, chantant un vieux chant populaire,
Sous les cerisiers noirs tendent leurs tabliers.

Pâle, et suprêmement douce à travers ses voiles,
La nuit descend du ciel, un lys d'or à la main. —
Laisse-moi t'embrasser au détour du chemin !
Tes lèvres sont des fleurs et tes yeux des étoiles.

Par les libres sentiers, nous pouvons, lentement,
Suivre vers l'infini le vol de nos chimères,
Et, dans un vaste oubli des choses éphémères,
Mêler notre idéal au profond firmament.

Loin du bonheur banal, loin des sinistres tombes
Où choit ce qui n'est pas digne d'être éternel,
Vois-tu luire et monter en l'éther solennel
Deux âmes, deux candeurs sans tache, deux colombes ?

Mais écoute ! une voix chante à ce reposoir
Dressé par quelque fée au bord de cette eau vive ;
Le clair de lune étend son lin blanc sur la rive,
L'odeur qui fait aimer flotte aux souffles du soir.

Les coups d'aile du poète le mènent des ruines
féodales à la nature jeune encore ; des harmonies
du soir, au plein midi saturé de l'odeur chaude et

subtile des pins; d'une blonde paysanne à la *Forêt qui rêve* :

> Le soleil s'est couché. Les nuages d'or rouge
> Qu'une brise expirante entraîne lentement,
> Vont s'éteindre. Déjà, sans qu'une feuille bouge,
> La Nuit vient ; à son front scintille un diamant.
>
> L'invisible grillon, caché dans l'herbe drue,
> Seul fait vibrer encor le crépuscule au loin,
> Et les lourds chariots descendent la grand'rue
> Avec les faneurs las étendus sur le foin.
>
> Veux-tu gagner les bois pour nous y perdre ensemble,
> Et suivre cœur à cœur les sentiers de velours
> Jusqu'à l'alcôve d'ombre et de feuillée, où tremble
> L'astre qui, du ciel bleu, veille sur les amours ?
>
> Puisque toute apparence est fragile ou traîtresse,
> Puisque l'âme est en proie aux destins hasardeux,
> Dans un rêve ingénu d'éternelle tendresse,
> Entre les rameaux bruns, berçons-nous tous les deux !
>
> Magiques frondaisons, que votre voix est douce !
> Comme on sent palpiter d'adorables pâleurs !
> On ne fait pas de bruit en marchant sur la mousse :
> Parfums, rayons, la terre et le ciel sont en fleurs.
>
> Il se rouvre pour nous, plein d'exquise paresse,
> Le paradis d'antan, notre premier séjour !
> Triomphe en paix, ô Nuit dont le souffle caresse,
> O maternelle Nuit qui consoles du jour !
>
> Si ta divine sœur, la Mort, est, dans ses voiles,
> Aussi belle que toi, Nuit pâle aux cheveux noirs,
> Vienne sans tarder l'heure où les chastes étoiles
> S'ouvriront sans obstacle à nos plus chers espoirs !

Que reste-t-il du parnassien dans cette poésie si naturelle ? C'est l'âme de Lamartine, le cœur de Musset, s'exprimant en un langage plus moderne ; c'est la poésie éternelle, sans influences d'aucune école. Voyez encore cette *Nuit sans nuages* :

> Un soir, au jardin, sur notre vieux banc,
> Nous causions tous deux dans l'herbe fleurie ;
> Les lys embaumaient notre causerie
> Que le clair de lune habillait de blanc.
>
> Une source au loin ruisselait sans trêve ;
> Le lac pur semblait un miroir d'argent ;
> Dans l'eau qui dormait, le saule penchant,
> Sous les peupliers flottait comme un rêve.
>
> Ce que nous disions, je ne le sais plus ;
> Mais j'avais le cœur plein de candeur tendre,
> Et je ne pouvais me lasser d'entendre
> Ta voix qui tintait comme un angélus.

Le regard erre d'une idylle blonde dans l'or des épis, à la neige d'antan. Et *l'Aïeul*, que le beau temps décide, va revoir, appuyé sur son petit-fils, la plaine où les siens travaillent ; il évoque les tableaux fugitifs de sa longue existence, et contemple une dernière fois les champs sous la flambée du radieux soleil :

> Et dans les blés, courbant sur leurs fleurs favorites
> Leurs épis blonds, bercés de souffles amicaux,
> Il voyait les bleuets et les coquelicots
> Rire, sveltes, à la candeur des marguerites.
>
> Et les blés ressemblaient à ses jours de travail,
> Fleuris de jours de fête et de joyeux dimanches,
> Dont les bouquets légers, pourpre, azur, clartés blanches,
> Parmi des moissons d'or offraient leur vif émail !

Mais il tremble, s'éteint ; et c'est bien la plus belle et la plus juste mort d'un vieux paysan, comme c'est là le poème, de sereine candeur, sérieux et doux, de *l'Aïeul* au village.

Le poète cueille encore ce *Bouquet blanc* :

> Veux-tu, si tu n'es pas trop lasse, aller ce soir
> Jusqu'aux bois dont tu vois verdoyer la lisière ?
> Là, tu sais, loin du bruit et loin de la poussière,
> Sur le bord du ravin, seuls, il fait bon s'asseoir,
> Car la nature y mêle en folle dépensière
> La blanche clématite et la mûre au grain noir.
>
> Le soleil, empourprant les profondes ramures,
> Décroîtra dans le ciel. Puis luira la pâleur
> Des astres familiers ; et par ces longs murmures
> Des bois ombreux, où flotte une vague douleur,
> Nous cueillerons, les doigts tout noircis par les mûres,
> Un léger bouquet blanc de clématite en fleur.

Sanctuaire nuptial offre le joli décor d'une source au creux d'un bois, où les oiseaux et les fleurs chantent leur hymne amoureux vers l'infini ; *Sérénité* est un tableau doux et grave d'un soir ; l'*Ombre étoilée* termine sur une note élevée ces brillants « Matins d'or » et ces rêveuses « Nuits bleues ».

Les CHANSONS DES CHAMPS, qui suivent, sont ces *Chansons Normandes* dont j'ai rendu compte précédemment.

Le poète excursionne vers LA PLAGE ET LA FALAISE. *Sur la côte*, il oublie le monde un instant...

> Puis, il faut regagner la fourmillière humaine ;
> Et j'ai pitié de nous qui ne durons qu'un jour,
> Et qui trouvons moyen de mêler tant de haine,
> Tant de haine à si peu d'amour !

Il salue un ancêtre, Jean de Béthencourt, et songe
devant la *Ferme* :

> L'existence qu'au ciel quelquefois je demande,
> Serait simple, féconde, et paisible au grand air,
>   Comme, sur la côte normande,
>   Une ferme près de la mer.
>
> La ferme a pour abri, contre les vents du large,
> De forts talus herbeux couverts d'arbres géants,
>   Où se brise, en sonnant la charge,
>   Le souffle âpre des océans.
>
> Hêtres, chênes rugueux, grands peupliers, beaux ormes,
> C'est comme un bataillon carré de vieux soldats,
>   Protégeant de leurs bras énormes,
>   La ferme et ses doux résédas.
>
> Tendrement, grâce à ces héros, les jeunes roses
> Ouvrent leur cœur au ciel où volent les ramiers ;
>   Et riant des bises moroses,
>   Avril caresse les pommiers.
>
> — Ainsi je voudrais vivre, et braver les orages
> Sous le haut et discret rempart d'un noble orgueil,
>   Qui garde mes fleurs des outrages
>   Tandis que le flot bat l'écueil.

Il visite les ports normands, décrit les rivières aux
noms doux et agrestes, les rivages, les habitants :
notations rapides, effleurantes, coupées de pensées
graves, et d'un captivant récit : *Arlette*, idylle charmante et généreuse. *Soir d'orage* est une description
puissante de nuit livide, où grondent le vent tumultueux et la vague hagarde ; notre âme s'y mêle, en
proie au vertige, et cependant maintenue par la pitié
humaine :

O Lucrèce, ô poète où luit l'antique flamme,
Amant de l'univers, vainqueur des dieux, comment,
Dans tes vers purs et forts comme le diamant,
As-tu pu, toi si grand, chanter qu'il est suave,
Quand, sur les flots battus des vents, bondit l'épave,
De voir en mer, au large, étant soi-même au port,
D'autres mortels lutter par un suprême effort ?
Non, le malheur d'autrui pour moi n'a point de charme ;
Même d'un ennemi, la douleur me désarme ;
Et comme a dit Térence au vieux peuple romain,
Je suis homme, et ne suis soustrait à rien d'humain.
Quand la convulsion de l'aveugle nature
Roule et tord mon semblable en quelque âpre torture,
C'est ma chair, c'est mon sang, c'est mon âme, c'est moi,
Moi tout entier qui souffre, et qui, dans un émoi
Terrible, les deux bras levés vers la lumière,
Crie : — O toute-puissance, ô justice première,
Étincelant foyer d'où sort l'aveuglement,
Bonté créant le mal si lamentablement,
Quel est donc notre crime ?..

Voilà qui vaut mieux encore que toute description ; la
pensée noble, l'idée généreuse l'emportent toujours
sur le prestige des couleurs et des phrases ; le plus
beau tableau, s'il n'éveille pas une émotion, est à peine
de la peinture.

Suivent des pièces automnales : *le Vieux berger*,
triste ; *Voix d'enfants*, intime et reposante ; les *Souvenirs*,
douce et délicate :

Par les sentiers des champs mélancoliques,
Comme il fait bon cheminer solitaire,
Dans le plaintif et caressant mystère
D'un soir d'automne aux longs rayons obliques !

On boit un philtre exquis, mais sans ivresse ;
Le monde entier n'est que rêve et silence ;
D'un rythme lent, le peuplier balance
Ses rameaux d'or que le ciel bleu caresse.

Tandis que fuit la légère fumée
Qui vers l'azur s'élève des chaumières,
Le cœur se rouvre à ses amours premières ;
On croit bercer encor la bien-aimée.

Si l'espérance est le bonheur suprême
Quand le printemps rit sur les verts calices,
Les souvenirs, l'automne, ont leurs délices :
Ils sont plus doux que la volupté même.

La forme, la pensée sont de plus en plus d'accord avec les songeries automnales, avec leur décor ; les feuilles mortes procurent une douce et vive impression ; brumaire est lent et triste ; les notations sont rêveuses, mélancoliques, attardées, jusqu'à l'hiver, qui termine tout. C'est la neige de *Noël* ; c'est la *Veillée*, plaintive légende ; et c'est enfin *le Retour* :

Immensité des mers, ports, falaises, troupeaux,
Vergers dont la fleur luit en mai. calmes villages,
Adieu, l'hiver frissonne ! Adieu bois, adieu plages !
Adieu, clochers pensifs entourés de tombeaux !

Adieu, hêtres hantés le soir par les corbeaux,
Vallons où tant de nids chantaient sous les feuillages,
Plateaux nus labourés par les lents attelages,
Flots houleux écumés par les prompts paquebots !

Comme un soldat blessé, qui, près d'une onde pure,
Se repose un moment pour laver sa blessure,
Puis retourne à son rang et remplit son devoir ;

Tel je rentre à Paris en redressant ma taille,
Et reprends dès demain ma place à la bataille
Qu'aux destins ténébreux livre un sublime espoir.

Blémont, vivant à Paris, mais ayant en lui l'âme des anciens habitants de nos pays de France, a simplement et poétiq ment révélé dans ce livre combien il posséde ce naturel héritage. Il n'a pas vécu longuement, profondément, de la vie même des campagnes ; et ses impressions sont générales, aperçues de haut, ou plutôt recueillies et goûtées en spectateur. Mais le spectateur est un ami, il voit la nature familialement : et, dans son plaisir large, qui néglige ou repousse l'idée même des laideurs, il chante volontiers tout ce qui s'offre à sa vue. C'est ce sentiment qui verse en chaque page du livre le charme d'une source intarissable, aux eaux limpides, fraîches, parfumées ; et c'est encore ce sentiment qui, à travers tant de strophes ailées et fleuries, dicte des pièces, assez nombreuses, dont le lyrisme est tout gonflé de justice innée et d'humanité.

« ... La terre a les tons moelleux et riches d'un tapis; les bruits montent apaisés et doux, et pareils à des sons de flûte... » dit Paul Arène (*Gil Blas*, 13 février 1891).
« ... Avec quel art et quel succès, écrivit Judith Gautier dans *le Rappel* du 18, M. Emile Blémont s'est plié aux descriptions champêtres, a rendu la grâce des visions de la nature heureuse !.. Par notre rude fin d'hiver, « les Pommiers en fleur » semblent une fenêtre ouverte sur le printemps. » Au *Mercure de France* de mars, Ernest Raynaud salua ce livre de vrai poète :
« ... Ses vers sentent bon la forêt et la mer ; ils

évoquent les ciels rayés du vol des hirondelles et des
mouettes, et des coins délicieux de bois où des sources
pleurent sous les mousses... » En un grand article du
Journal de Bernay (28 mars), Paul Labbé notait :
« ... Peut-être notre Normandie n'a-t-elle jamais été
chantée avec plus d'attendrissement que par ce Parisien qui est venu y passer ses vacances... Son *Soir
d'orage*, d'une facture si large, d'un souffle superbe,
d'un coloris intense, dépasse de beaucoup cet *Orage*
de Saint-Lambert qui nous fut donné comme modèle
didactique au temps heureux du collège... » *L'Artiste*,
d'avril, vantait la saveur spéciale des *Chansons des
champs* : « Véritables chansons à chanter, alertes,
gaies, pimpantes, d'une verve toute normande... Là, se
rencontrent d'heureux effets de sonorité et une facture
qui concorde à souhait avec le ton du sujet ; nous
serions surpris qu'il n'en fût pas plus d'une pour tenter
la verve de quelques compositeurs. » — Notons ici
que maintes pages du livre ont été mises en musique
par Gustave Charpentier, Léopold Dauphin, Paul de
Wailly, Gabriel Dupont, Irénée Bergé...

Le recueil montrait à Augustin Filon (*Revue bleue*,
25 avril) « un artiste parfaitement maître de lui-même,
très attentif aux petites choses qu'il perçoit finement
et rend de même... » Emmanuel des Essarts consacra
une chronique remarquable à Blémont, dans la *Revue
de la Poésie* de mai ; il y disait : « ... C'est une anthologie normande que ce recueil, le plus original peut-
être et le plus parfait, avec ceux de Gabriel Vicaire,
qui ait paru depuis longtemps... » L'éminent doyen de
la Faculté des Lettres de Clermont ajoutait : « Chaque

poète, parmi ceux qui comptent, a son caractère distinctif, sa marque spéciale. L'attribut essentiel de notre confrère Émile Blémont nous semble être la perfection. Car depuis ses débuts jusqu'au volume de ce jour, il n'a produit, à bien peu d'exceptions près, que des œuvres achevées... »

Plus tard, en 1893, dans l'Almanach illustré du *Courrier du Havre*, Charles Le Goffic affirmait : «... Nul n'a mieux dit le charme discret des petites futaies du pays vexin, la douceur des nuits d'été au fond des *valleuses* cauchoises, l'impression de mystère qui monte à marée basse des eaux stagnantes sur les grèves... »

Théodore de Banville écrivit à l'auteur : « J'ai été enchanté par *les Pommiers en fleur*. Vous y êtes toujours lyrique, bien entendu ! Mais avec une gaîté, une clarté, un bon sourire qui sent bien la France. Voilà déjà un temps que vous vous retrempez à la vraie source, à l'inspiration paysanne, très naïve et très franche, que vous vous transfigurez avec la subtilité d'un Parisien, artiste jusque dans les moelles !.. » Et Gabriel Vicaire : « ... Votre inspiration est sœur de la mienne. Nous sommes de la même paroisse, nous avons le même clocher. »

Les Pommiers en fleur inspirèrent quelques poètes ; tels, Théodore Maurer :

> « Tout un jour, oubliant que février morose
> Heurte à ma vitre, avec un aigre sifflement,
> Je t'ai suivi, poète, au gras pays normand.
> Et les sources chantaient, et le ciel était rose.

Dans les prés verdoyants qu'un ru limpide arrose,
Les herbes se creusaient en un mol ondoiement.
L'angélus du matin tintait légèrement.
Des oiseaux battaient l'air de leur aile déclose.

J'écoutais la rumeur prochaine de la mer
Qui monte ou se retire, et dont le flot amer
Recouvre ou laisse voir les galets de la grève.

J'ai refermé ton livre. — Et c'est comme un retour
Mélancolique et lent d'amis, qui, tout un jour,
Sous les pommiers en fleur ont promené leur rêve. »
    12 février 1891.

Et Georges Payelle :

« Le verbe a triomphé des deuils et des hivers.
La neige en vain tournoie à nos fenêtres closes,
Tu fais, muant d'un mot les lents flocons moroses,
Des fleurs de paradis pleuvoir des cieux ouverts.

Avril s'éveille à la musique de tes vers ;
Ta voix, magnifiant les êtres et les choses.
Fait se dresser les blancs pommiers, les pêchers roses,
Dans les vergers du rêve éternellement verts.

Par les plaines et par les bois baignés de flammes
Tu promènes l'enfant divin, prince des âmes,
L'Amour, et te soumets son caprice inconstant.

Un beau rire étincelle à ses lèvres gourmandes,
Il chante, et si le vieil hiver n'est pas content,
Lui jette au nez son frais bouquet de fleurs normandes. »

Dans les *Hommes d'aujourd'hui* (Vanier, 8e volume,
n° 395), Anatole Cerfberr présenta Emile Blémont, avec
un portrait par F.-A. Cazals. La biographie écrite par
Cerfberr est un résumé assez complet ; il disait de

Blémont : « ... Essentiellement poète, grisé de cadence, de mesure et de difficulté vaincue, et néanmoins facile ouvrier des assemblages de rimes ; barde mariant sentiment, forme, pensée ; rêveur et berceur ; philosophe attendri et élevé, et musical ciseleur ; combinant hier et aujourd'hui ».

Cette même année, Blémont représenta la France, avec deux autres délégués, au deuxième Congrès des Traditions populaires, qui se tint à Londres ; il en rendit compte dans une série de lettres à *l'Evénement.*

Le 1er janvier 1892, il prit la direction de *la Revue du Nord*, qui paraissait depuis deux ans ; le rédacteur en chef était Henry Carnoy. Dans un programme aux lecteurs, Emile Blémont annonçait que le domaine de la Revue s'étendait à tous les pays de langue française, même au Canada. cette autre France du nord qui, « forte, active, persévérante, singulièrement féconde, a tout ce qu'il faut pour jouer un jour, dans le continent américain, le rôle des Asturies en Espagne et du Piémont en Italie. » On y ferait une place au dialecte régional, mais sans faire tort à la langue française ; on y mettrait en valeur le tempérament spécial du nord, sans verser dans le séparatisme : « Il faut, non pas accoupler l'âme moderne à la dépouille du passé, mais recomposer et refondre, dans les formes de l'idéal nouveau, les éléments de vie dissous par la mort... Que la patrie reste une et indivisible ; mais que dans cette unité toujours plus solide, comme en tout germe de vie, évolue une variété de forces multipliées sans cesse, avec une harmonie de plus en plus profonde! On ne fortifie l'organisme, qu'en fortifiant tous ses or-

ganes. » Et ceci, le meilleur argument sur la nécessité
de l'association : « Dans l'état d'émiettement où se
trouve la nation après avoir rompu les cadres de son
antique hiérarchie sociale, l'association libre est chez
nous la grande puissance moderne, la seule qui soit
capable de reconstituer les atomes disséminés de l'in-
dividualisme en vastes et fortes personnalités collec-
tives. » Et il ajoutait, son regard sondant l'avenir social
qu'il voyait se rapprocher de plus en plus : « Pour le
couronnement de l'édifice, nous rêvons une fédération
universelle et pacifique de tous les groupes régio-
naux. »

Marthe aux pieds nus. — La Belle Aventure

Après *la Renaissance*, après *la Tradition*, Blémont, par la *Revue du Nord*, montrait que l'homme d'action, loin de se décourager, était toujours prêt à propager au dehors les sentiments et les idées du poète. Il collabora aussi, vers ce temps, à la *Revue hebdomadaire* (1892-1900); mais il quitta *l'Evénement*, la fonction de chroniqueur lui devenant fatigante. Il laissa aussi *la Tradition* pour la *Revue des Traditions populaires*, organe de la Société du même nom; il entra au comité de rédaction, et devint un des administrateurs de la Société, dont il est aujourd'hui vice-président. La veine traditionniste se rencontre encore en un bon nombre de ses publications, dont plusieurs parues à *la Revue du Nord*, et dans bien des pages insérées à *l'Evènement*. S'y rapportent *la Couronne de roses*, *le Chevalier d'amour*; et aussi *le Seigneur de Saint-Clair*, qui obtint un vif succès dans les grands concerts de France et de l'étranger, avec l'adaptation pour piano du compositeur bruxellois Martin Lazare; et encore cette *Marthe aux pieds nus*, que Jules Tellier, dans *Nos Poètes*, nomme « la merveille du *Parnasse* de 1876. »

Cette année 1892, parut en plaquette chez Lemerre : *On demande des quêteuses*, un à-propos de Blémont et

J. Truffier interprété par des artistes de la Comédie-
Française, qui provoque toujours, dans les représentations de charité, les applaudissements et les lar-
gesses.

La Revue du Nord du 15 décembre publia *la Légende maternelle*. La mère est morte ; et sa fillette pri-
vée de son lait, qui refuse le sein d'une voisine, vit
quand même. Est-ce un miracle ? On guette, une nuit ;
et l'on voit une vague blancheur se glisser vers le berceau, où l'enfant pleurante s'apaise aussitôt : la mère
sortait de sa tombe et venait dans l'ombre la bercer,
la nourrir. Cette nuit-là, elle emporta la petite orphe-
line...

> O soleil d'or, ô pourpre inondant nos désastres,
> O nuit qui fais surgir dans l'infini plein d'astres
> Les firmaments lointains à nos vœux interdits,
> O renaissante aurore, est-il un paradis
> Où, pour ne plus jamais se quitter, saint mystère,
> Se retrouvent les morts qui s'aimaient sur la terre ?

De nouveau cette pièce révèle le sentiment familial, si
pur et réconfortant, qui est une des qualités domi-
nantes de la poésie de Blémont. On y admire aussi
cette peinture d'intérieurs, complète et précise comme
dans les anciens peintres amoureux du foyer. Et le
travail consenti, aimé ! La tradition, le devoir donnent
une base saine et robuste à cet art intime et délicat.

En mai 1893, le *Livre d'or des Annales politiques et
littéraires* publia le portrait et une poésie d'Emile
Blémont.

Marthe-aux-pieds-nus, illustrée par Charles Dézobry,
parut en librairie à la Bibliothèque de *la Revue du Nord*

(1893). Marthe, seule au bois, en un fin décor d'idylle, est rencontrée par le fils du roi, qui l'embrasse et lui promet de revenir pour l'épouser. Elle l'attend, mais en vain...

> Pourquoi les angélus du soir
> Sont-ils si clairs quand fuit l'espoir?

Seule vient la douleur. Marthe est abattue, pâle. L'hiver passe. Marthe languit, Marthe est mourante. Une fanfare annonce le prince. A-t-il trop tard fléchi le roi son père ? Hélas ! l'amoureuse expire au crépuscule, sous la couronne royale que le noble fiancé vient de lui mettre au front.

> Le jour n'est plus. L'infini luit sans voiles :
> Aux diamants se mêlent les étoiles.

> Des rameaux du pommier tremblant
> S'est envolé le ramier blanc.

« La légende de *Marthe-aux-pieds-nus* est tout un petit poème très pur, très tendre et très délicat... » écrivit Leconte de Lisle. Avec l'excellent accompagnement, pour violon, harpe et piano, du compositeur H. Bemberg, ce poème a recueilli de beaux succès en France et en Angleterre ; un article du *Morning Post* (7 février 1902) en constate l'effet pénétrant.

Emile Blémont donna un sonnet aux *Œuvres de Joachim du Bellay*, édition du Monument, en 1894 ; et la même année, en août, un complément de six *Poèmes de Chine* à l'*Artiste*.

Noël flamand parut en décembre (Bibliothèque de *la Revue du Nord*). Cette plaquette, illustrée par J. van Driesten, avec musique de F. de Ménil, offre le thème d'une nuit de Noël en Flandre par son frontispice, où se dresse un beau beffroi couvert de neige. Blémont, en ses vers courts et d'un rythme précis, allège et rajeunit ce sujet souvent traité.

Vers ce temps, il collabora à *Simple Revue* (1895-1900), au *Magenta*, à la *Revue illustrée*, et publia son *Alphabet symbolique* (A. Lemerre), illustré par Auguste Hiolle : passe-temps de poète, exercice souriant, par lequel il présente tour à tour les lettres de l'alphabet en des mots choisis, où le rythme du langage français les a placées naturellement :

> C luit, clair et recourbé,
> Dans le croissant de Phœbé ;
> Faucille, il coupe le chaume.
>
> . . . . . .
>
> V s'ouvre aux fleurs, svelte vase...

La Belle Aventure parut en juin, chez Lemerre. J'aime le sonnet du début, où le poète s'écrie, d'un ton qui fait tressauter dans sa tombe l'antique gaîté française :

> Muse divine, ô Jeunesse,
> Afin qu'en sa fleur renaisse
> Ce vieux siècle fatigué,
>
> Chante avec désinvolture
> La Belle Aventure, ô gai !
> La Belle Aventure.

Il n'en est qu'une, de belle aventure ; et son chantre l'aborde tout net, en des VERS D'AMOURETTES ET VERS D'AMOUR. Deux belles filles, brune et blonde, dans un parc fleuri, jouent au volant; et le volant, c'est le cœur du poète. Mais d'autres tableaux vite nous réclament :

Tour de Valse, Printemps parisien, Ardeurs d'Ingénue...
Morbidesse évoque la blême vigueur baudelairienne :

> Les rêves vaguement se heurtent sous mon crâne,
> Avec les grands bruits sourds d'un océan houleux
> Où, funèbre jouet du sort qui le condamne,
> Vogue un vaisseau-fantôme épris des pays bleus.
>
> Rêver, quand il faudrait agir ! Dès que j'espère,
> La fièvre du désir me fait trembler la main ;
> Et tandis que, le cœur battant, je délibère,
> L'occasion rapide a passé son chemin.
>
> D'autres ont l'œil plus sûr ou sont plus forts ; la vie
> Leur prodigue ses biens, leur cueille ses lauriers ;
> Je ne sais, cependant, si je leur porte envie.
> Tout leur bonheur vaut-il mes rêves meurtriers ?

Nous sommes devenus, dit-on, froids, réalistes, sans dieux ni déesses possibles ; or, le poète, parmi nos foules, sait reconnaître Vénus, et Diane ; il y a croisé Flore et Cérès..... Il nous le dit en un conte fin et naïf, croyant et moqueur. Le conseil à un jeune ami : « Fuis la débauche, ne vis et ne meurs que pour celle dont l'amour te rend noble et fort ! » termine en beauté morale cette guirlande verdoyante de visions amoureuses.

Le poète revient, enjôlé, au thème du rose et du blond ; il évoque les soupirs, les élans des débuts amoureux, ivresse qu'on ne ressaisit plus ; il note l'inconstance, et peint une exquise beauté pétrie de rayons fleuris et de neige. Un pays idéal lui est suggéré par les charmes de la bien-aimée, un brin de querelle avoisine un madrigal, des mélancolies délicates mènent à cet *Aveu* :

. . . . .

Je le sais, pour ma pâle et chétive souffrance,
Vous ne pourriez pas même avoir quelque pitié ;
Moi, sans désir banal et sans vaine espérance,
Je ne veux plus aimer ni souffrir à moitié.

Si vous êtes la fleur, jeune et fière de vivre,
Qu'au jardin défendu je ne saurais cueillir,
Votre parfum flottant me pénètre ; il m'enivre,
Et j'en meurs. A quoi bon oublier et vieillir ?

En cette vie, hélas ! si fatale et si brève,
Que le temps acharné prend lambeau par lambeau,
Rien n'est vrai, rien n'est bon, rien n'est beau que le rêve :
Seul, le rêve est plus fort que la nuit du tombeau.

Au fond de la substance indestructible, une âme,
Même à travers la mort, garde nos purs amours ;
Et de votre beauté, sans le vouloir, madame,
Vous avez imprégné mon être pour toujours !

Les *Beautés brunes* ont leur bouquet spécial : galanteries plus vives, hardiesses plus nettes, réponses plus terrestres. J'y note cette *Maison des champs* :

Un frais jardin l'entoure : on y voit une treille
Où, septembre venu, rit la grappe aux grains d'or ;
En mai, le rossignol, dès que le jour s'endort,
Y chante un chant d'amour à la rose vermeille.

Là, sur les rameaux fins que l'oiseau fait plier,
Rougit la sorbe molle et se gonfle la nèfle ;
Là, le pâle platane étend sa feuille en trèfle ;
Là, palpite la feuille en cœur du peuplier.

— C'est la maison qu'habite aux mois fleuris Armide.
J'ai laissé là mon âme ; et là, matin et soir,
Sous le saule léger, si prompt à s'émouvoir,
Semble toujours errer quelque baiser timide.

Une *Musique amoureuse* berce le poète, l'entraîne des
fêtes d'avril aux mélodies de mai ; de l'indolente
qu'éveille l'*Aubade*, à cette *Harmonie* :

> Au loin, des voix d'enfants fraîches comme une eau vive,
>> Pures comme l'éclat du jour,
>> Chantent une chanson d'amour,
>> Une vieille chanson naïve.
>
> Dans l'ombre harmonieuse, au jardin, sont assis
>> Un jeune homme, une jeune fille ;
>> A leurs pieds, parmi les fleurs, brille
>> Un rayon qui tremble, indécis.
>
> Auprès d'eux, doucement, sur la branche qui ploie
>> L'oiseau du ciel vient se poser ;
>> Doucement, dans un long baiser
>> Ils boivent l'immortelle joie.
>
> Chantez ! ô voix d'enfants pures comme le jour,
>> Fraîches comme une source vive,
>> Chantez votre chanson naïve,
>> Votre belle chanson d'amour !

De chauds refrains célèbrent les vendanges ; on entend
un air de chasse rythmé pour le cor ; des strophes
soupirent, des rondes s'égayent, achevant cette théorie
de poésies légères, fraîches et fleuries, par la note
automnale.

Le poète chante alors la sereine *Fidélité*, les com-
mencements gracieux, un matin d'espérance...

> Pauvres cœurs exilés des jardins de l'aurore,
> Dont nous portons, hélas ! l'inoubliable deuil,
> Allons-nous ce matin en retrouver le seuil ?
> La rose de l'espoir à ton sein vient d'éclore...

Le temps court vite, dit-il ; mais il n'emporte pas l'étoile qui luit, ni l'âme qui aime. Un pur amour guidera vers le port sa barque loyale. — Cette partie est moins extérieure, plus intime que les précédentes.

Au Gré du Rêve s'en va maintenant l'esprit du poète. L'ombre humaine, spectre noir, l'accompagne ; des nostalgies le hantent, une sauvagerie l'isole. Il se console par le lecture et la nature. Pages flottantes, brèves, d'un sentiment très humain, avec des conseils et des résignations, qui préparent aux parties suivantes.

C'est, d'abord, dans les souvenirs à des contemporains, cette Contribution au *Tombeau de Baudelaire :*

Sur l'idéal tombeau que je rêve à ta gloire,
O sombre et grand poète ami, je dresserais,
Parmi le vert laurier, le myrte et le cyprès,
Une belle Africaine en sa nudité noire.

J'incarnerais pour toi le deuil et la victoire
Sous sa forme robuste aux ténébreux attraits ;
Et son front couronné de nuit, j'y verserais
La splendeur d'un orgueil calme et blasphématoire.

Dans le rythme indolent de son superbe corps
Devraient chanter, profonds et mystiques accords,
Toutes les voluptés de la désespérance ;

Et sur sa gorge pure aux seins durs et pointus,
En ses yeux imprégnés d'amour et de souffrance,
On croirait voir flotter des paradis perdus...

Et d'autres pages à Dumas, Banville, Puvis de Chavannes, Paul Arène, Mounet-Sully ; des Stances pour le *Tombeau de Théophile Gautier :*

Fils d'un siècle énervé qui de mélancolie
Pleurait, comme un automne où meurt le son du cor,
Hardiment, il fit boire à la France pâlie
Un grand coup de vin pur dans une coupe d'or...

Il salue aussi quelques contemporaines : Barlet,
Molé-Truffier, Adelina Patti (sonnet dit par Mlle Rei-
chenberg), Marie Kolb, Weber ; et une Dame blanche
qui n'est point nommée :

. . . .

Vous m'avez dit tout bas : Mais j'ai des cheveux blancs !
Et vous avez souri d'un air de regret tendre,
Sans relever les yeux, sans rien vouloir entendre,
Quand, rêvant vaguement d'un plus doux lendemain,
J'ai pris congé de vous en baisant votre main.
Dehors, j'errai longtemps, seul dans l'ombre tranquille ;
Et tandis que la nuit scintillait sur la ville,
Je sentis que jamais, même aux jours opportuns,
Ni sous des cheveux blonds ni sous des cheveux bruns,
Je ne retrouverais un cœur si jeune, une âme
Si limpide, que sous vos cheveux blancs, madame.

Pour les Poètes, voici des pages sur *le Rythme* :

. . . .

Les vers sont plus beaux que la prose.
Quel prosateur aura le prix
Sur Virgile et « l'aurore rose »,
Sur Shakspeare et « l'aube aux yeux gris » ?

Le vers, c'est l'âme cadencée
Avec la douceur d'un berceau ;
A la fois musique et pensée,
C'est un esprit, c'est un oiseau.

Il vole, il plane ; et sur la terre,
Il rapporte à nos faibles cœurs
L'extase du divin mystère,
Le rythme des célestes chœurs.

Puis l'auteur nous dit les mille façons d'être, ou de
paraître, de la Rime française ; les enchantements de
la Muse, qui habille tout de soleil ; une promenade
d'amoureux, qui est en même temps une adroite
définition de la *Terza Rima*. Il évoque le souffle
héroïque : « Sois noblement téméraire !.. » Et il
revient, en un beau mouvement, à *la Rime*, comme à
la plus capricieuse, à la plus délicieuse des fées :

. . . .

Pour que cette sirène à la voix d'or vous aime,
Il faut que vous l'aimiez d'un amour vrai, vous-même.

. . . .

Mais voyez ce rêveur qui passe en écoutant
Le bruissement frais du feuillage flottant,
Et qui, là, sous le ciel clair comme une topaze,
Devant la fleur perdue au bois, reste en extase.
C'est vers ce garçon fou, ce rôdeur débraillé,
Ce propre-à-rien, qu'en son divin déshabillé,
Dans l'ombre et les rayons balancés par les branches,
La charmeresse vient, sein rose, épaules blanches,
Tout petits pieds chaussés d'ailerons aux talons,
Et surgit, sous le flot de ses fins cheveux blonds,
Belle comme Vénus, sainte comme Marie.
C'est pour ce pauvre enfant que sa lèvre fleurie
S'éclaire d'un si pur sourire, et que ses yeux
Ont ce regard profond, tendre et mystérieux.
C'est lui que, par son nom, à mi-voix elle appelle ;
C'est pour lui seulement qu'elle veut être belle ;

C'est à lui qu'elle fait ces doux aveux tout bas,
Vers lui qu'elle soupire et qu'elle tend les bras ;
Et c'est lui que, pâmée, invincible, farouche,
Elle étreint cœur à cœur et baise sur la bouche,
Pour que bientôt rayonne en notre obscurité
L'enchantement sans fin d'une œuvre de beauté.

D'autres hommages s'inscrivent, *Pour les Peintres.*
C'est la description, en rythmes et paroles harmo-
niques, de tableaux qui ont éveillé la sensibilité du
poète. Excellente critique d'art, toute d'impression,
sans théories, animant des œuvres de Gustave Jacquet,
Fantin-Latour, Firmin Girard, Carrier-Belleuse, Luigi-
Loir, Edouard Sain, Henner, et Fantin-Latour encore,
pour le fameux tableau parnassien : *Un coin de
Table.*

. . . . .

On se revit plus tard, après l'affreuse guerre ;
Et votre porte, close au profane vulgaire,
S'ouvrit pour le Parnasse. Il était vraiment beau
Et très solidement brossé, le grand tableau
Où, nous groupant alors, nous, les jeunes poètes,
Sur la nappe, au dessert, vous dressâtes nos têtes.
Là, quel tas de rimeurs : d'Hervilly, Pelletan,
Léon Valade sous sa barbe de Persan,
Et Verlaine, et Rimbaud avec sa face énorme,
Et le bel Elzéar en chapeau haut-de-forme !
Vous les rappelez-vous, tous, dans votre bon coin ?
Hélas ! les uns sont morts et les autres sont loin ;
Et nous restons parfois des mois et des années,
Nous-mêmes, cher Fantin, sans que les destinées
Nous rapprochent une heure et raniment en nous
La fleur dont le parfum jadis flottait si doux.

CIEL DE FRANCE est la dernière partie du recueil.
Des touches légères, printanières, suivies de notations
estivales, plus marquées, rappellent *les Pommiers en
fleur*. Le poète note les heures d'extase et de songe,
décrit la forêt, honore les beaux arbres :

> Devant ces fils aînés de notre vieille terre,
> Race auguste de forts et généreux géants,
> L'âme humaine se rouvre au céleste mystère ;
> Et comme la rumeur des houleux océans,
> Leur voix la berce, avec une tendresse austère...

> Grâce à vous, dont nos nefs premières furent faites,
> L'homme a dompté la mer immense, aux noirs écueils.
> Unis à nos travaux, à nos deuils, à nos fêtes,
> Vous nous accompagnez jusqu'à la mort ; vous êtes
> Nos tables et nos toits, nos lits et nos cercueils.

Ce sont encore des excursions par les chaumes, dans
les vignes ; un amour de la nature à ne pouvoir s'en
séparer, jusqu'au salut final :

> Ciel de France, doux ciel de la douce patrie,
> J'ai l'âme et les yeux pleins de ton charme léger ;
> Et, comme en son long rêve un humble et vieux berger,
> Je t'aime, avec la plus fervente idolâtrie.

> De tes pleurs généreux mon argile est pétrie ;
> J'ai bu ta pourpre au vin que j'ai vu vendanger ;
> J'ai reçu, pour le pain que j'avais à manger,
> Le grain doré par toi dans la moisson fleurie :

> Perle, nacre irisée, argent clair, tendre azur,
> Ciel de France, beau ciel au sourire si pur,
> Vers toi je suis monté jusqu'aux plus hautes cimes ;

Tes soleils m'ont versé la vertu des grands jours ;
Et, les poumons gonflés de tes souffles sublimes,
J'ai couronné de tes étoiles mes amours.

Vraiment, qu'importent les formes classique ou
romantique ? qu'importent pléiades et parnasses ? Les
groupements littéraires n'ont pas d'autre objet que la
conquête du succès par une génération d'écrivains ;
ils permettent aussi, par la désignation commune
qu'ils inventent ou qu'on leur invente, de les évoquer
noms, œuvres et aspects, en un seul mot : utilité
des abréviations ! Et c'est tout. Mais le petit nombre
des littérateurs qui apportent du nouveau solide et
durable, ne se soucient guère de ces classements, dès
qu'il s'agit de pensée, de vocation personnelle. S'ils
subissent, ainsi que tous les êtres, l'influence des
siècles révolus, de leur temps, des circonstances, c'est
comme la source qui, une fois jaillie du sol, doit
suivre telle pente et emprunter aux terrains qu'elle
traverse leur lenteur ou leur rapidité, leurs sinuosités,
les reflets de la rive, et parfois la teinte salie des vases.

Quiconque se dit : « Le romantisme triomphe, je vais
faire du romantisme », — est un marchand, non un
artiste. Or, le vrai poète, après le fondateur religieux,
est le plus réfractaire aux classifications intellectuelles ;
on retrouve, on doit retrouver à son origine, et tout le
long de son œuvre, cette limpidité, cette spontanéité,
cette originalité des sources qui sont de tous les temps,
de tous les pays. Voyez Emile Blémont : les critiques
tour à tour l'ont dit classique, romantique, parnassien,
et moi-même je prépare le lecteur à reconnaître que la
meilleure partie de ses travaux va servir au xxe siècle ;

eh bien ! les *Poèmes d'Italie*, les *Portraits sans modèles*, *les Pommiers en fleur* et *la Belle Aventure*, délivrés de la pente fatale, soustraits aux terrains divers du lit et de la rive, affranchis enfin de toutes influences, tels que je les ai reconstitués par mes citations choisies, sont-ils du classicisme, du romantisme, du parnasse, — ou simplement de la poésie ? N'y a-t-on pas reconnu cette persuasive bonhomie, ce lyrisme naturel, et, ce qui vaut mieux encore, les sentiments d'élévation, d'idéal, de divine humanité, qui sacrent un poète ? Tout est là, et cela suffit. — Je ne reparlerai de périodes littéraires qu'en mes conclusions, parce que ce sera nécessaire.

Philippe Gille (*Figaro*, 3 juillet) écrivit : « M. Emile Blémont est un poète qui ne chante qu'à ses heures, quand l'inspiration le lui commande, suivant la saison, le jour, l'évènement ; de là le charme varié du livre de poésies qu'il vient de publier...» Je note, de Charles Canivet (*le Soleil*, 16 juillet) : «...C'est la jolie chanson, celle qui se fait comprendre et qui, même, se passerait de musique, chacun y adaptant celle qui lui conviendrait, la chanson vraie, la chanson du cœur...» — De Charles d'Agostino (le *Stamboul*, Constantinople, 20 juillet) : «...C'est toute une floraison de choses roses, blondes et blanches, qui vous laissent comme une souvenance de baisers lointains, vaguement entendus sous bois, par un doux soir de printemps. — D'Antony Valabrègue (*Revue bleue*, 11 avril 1896) : «...Quelle souplesse dans tous ces morceaux ! quelle délicatesse de main pour les varier et les nuancer !..» — De Léon Barracand (*Moniteur universel*, 26 octobre) : «...Dans ce livre attendri, l'amitié a aussi sa place ; et les admirations de l'artiste, les regrets du temps qui fuit mêlés aux joyeux souvenirs de jeunesse ! Le Parnasse d'antan revit en ces dédicaces à Hérédia, Coppée, Sully Prudhomme, Paul Arène, Armand Silvestre, d'Hervilly, Verlaine, Valade, Mérat...»

Henner écrivit à l'auteur deux lettres toutes gonflées d'émotion : « Mon cher grand poète et ami, C'est en rougissant et presque les larmes aux yeux que je vous écris ce mot. Je ne suis pas digne de ce petit chef-d'œuvre que vous avez créé pour moi, et je n'ose presque pas le lire, et je ne sais comment vous exprimer mon admiration et ma reconnaissance... » — « Quels délicieux moments je passe avec vous dans ce bijou de volume ! Je relis sans cesse vos *Divinités modernes*. C'est ravissant... Comme vos titres sont jolis ! Je ne les ai pas toutes lues. Je relis sans cesse les mêmes... » — Autre lettre, celle-ci du compositeur Gustave Charpentier : « Votre beau livre, admirable de pensée et de forme, sera ma joie de cet été. J'y ai revu avec fierté votre sonnet, synthèse de ma *Vie du Poète*.»

Plus tard, Marthe Dupuy traduisit son impression en ces vers :

« Je le savais aussi que la Belle Aventure

C'est — le hasard aidant — quelque coin de verdure

Que l'on découvre, à l'heure où le rêve attendri

Cherchait l'asile où mène un clair chemin fleuri.

Ce chemin se déroule aux pages de ton livre,

Poète ; et j'ai goûté la douceur de le suivre. »

Daniel de Venancourt consacra une chronique dans *l'Artiste* (1895) à ce livre, et à l'œuvre antérieure : « ... Les épreuves amoureuses que vous avez subies,

ou que vous subirez un jour, y disait-il, vous les trouverez racontées dans ce recueil, à côté de paysages
d'une incomparable fraîcheur, de curieuses impressions, de tableaux achevés dans leur joli caractère de
modernité discrète et précise. A l'heure où toute une
génération de petits bourgeois déguisés en révolutionnaires de la littérature, s'amuse, sous le prétexte d'une
rénovation lyrique, à déformer notre beau vers français, il vous sera doux de lire quelqu'un qui, parce
qu'il est vraiment poète, sait exprimer avec un art
parfait des sentiments exquis et de fortes pensées. »

Emile Blémont ne délaissait pas son action traditionniste, où il rencontrait maintes légendes dont profitait
le poète. La Bibliothèque de *la Revue du Nord*, cette
année-là, publia *le Seigneur de Saint-Clair*, plaquette
illustrée par J. van Driesten, qui a portraicturé, dans
ses encadrements formés de sujets décrivant chaque
strophe et d'ornements selon le goût du Moyen-Age,
plusieurs de ses amis, entr'autres, à la dernière page,
Emile Blémont. En des carrousels où le roi a invité ses
nobles vassaux de France, le seigneur de Saint-Clair
plait à la reine : jamais elle n'a vu si beau cavalier ! Le
roi jaloux fait saisir le gentilhomme, que l'on conduit
à l'échafaud. C'est une naïve complainte comme il en
fleurissait au temps féodal ; elle a, en plus, le rythme
clair et la rime musicale modernes. « Les missels et les
livres d'heures du temps jadis n'ont pas le monopole
des miniatures et des textes encadrés en des ornemen-
tations délicates, remarqua *l'Echo du Nord* (octobre 1895) ; notre époque voit renaître ces petits chefs-
d'œuvre, appliqués à des sujets profanes... »

14

Commémorations

A l'automne de 1895, Paul Meurice, resté, par la mort de Schœlcher, seul président du Comité du Monument Hugo, se mit d'accord avec Emile Blémont, seul secrétaire aussi, pour reconstituer la commission de 1885. Les membres survivants, réunis chez Meurice, le 30 octobre, s'adjoignirent Georges Hugo. Il y eut, le 2 novembre, une nouvelle réunion, où Blémont, prié de remplacer le trésorier, Philippe Jourde, démissionnaire pour cause de grand âge, refusa net ; mais devant l'insistance pressante, il s'inclina, et fut élu à l'unanimité. C'est alors que la maquette de Barrias fut acceptée, par cinq voix contre quatre à Falguière.

Le testament littéraire de Victor Hugo avait laissé aux trois exécuteurs testamentaires la faculté de remplacer tel d'entre eux qui viendrait à mourir. Paul Meurice fit succéder à Auguste Vacquerie et Ernest Lefèvre décédés, Emile Blémont et Georges Hugo. Dans un article du *Figaro* inspiré par M. Meurice, M. André Maurel rendit publique cette décision. — Ajoutons que Blémont, depuis la mort de Hugo, faisait partie du conseil de famille d'Adèle Hugo.

Blémont fut donc à la fois co-exécuteur testamentaire de Victor Hugo, secrétaire général et trésorier de la souscription pour le monument. De 1895 à 1902, il consacra une bonne part de sa vie à ces fonctions, qu'il considérait comme des devoirs, qui lui étaient particulièrement chères, et pour lesquelles il n'eut jamais, d'ailleurs, d'autre récompense que la satifaction de conscience des devoirs accomplis. Pendant huit ans, il géra et fit fructifier un avoir de plus de trois cent mille francs ; et que de démarches il dut faire !

La Revue du Nord du 1er novembre 1895 rendit compte de l'inauguration au Havre du monument de Jules Tellier, enlevé brusquement par la fièvre typhoïde le 29 mai 1889. Devant le buste de son jeune ami si regretté, Blémont vint dire lui-même ce sonnet commémoratif :

> Quand on m'apprit sa mort, je refusai d'y croire.
> Il était si vaillant, il nous semblait si fort ;
> Il avait tant promis, tant donné tout d'abord,
> Et l'avenir s'ouvrait si rayonnant de gloire !
>
> Ah ! qu'elle est vive encor parmi nous, sa mémoire !
> Brun, pâle, et le front fait pour défier le sort,
> La lèvre fine, aux yeux l'éclair du noble effort,
> Le voyez-vous surgir pensif, de l'ombre noire ?
>
> Tous, comme nous l'aimions ! Comme on comptait sur lui !
> Au chœur formé par nous comme il manque aujourd'hui !
> — Mais il vécut assez pour faire œuvre qui dure.
>
> Il sut au bois sacré cueillir le rameau d'or ;
> Et sa voix reste éparse en la grande nature
> Où, sans avoir vieilli, son âme a pris l'essor.

A propos d'une traduction de Shakespeare, Alexandre Beljame, professeur à la Faculté des Lettres de Paris, écrivit à Blémont le 3 décembre : «... Vous êtes non seulement un fort aimable et sympathique critique,

mais un fin connaisseur (et combien y en a-t-il aujour-
d'hui pour l'anglais ? bien peu) ; et j'attache un prix
tout particulier à la bonne opinion que vous avez de
mes traductions .. »

Quand Verlaine mourut, Blémont publia les lettres
qu'il avait reçues de lui après la Guerre et la Commune. *L'Artiste* de janvier 1896 en donna une série, du
22 septembre 1872 au 8 février 1876, avec un portrait
par Aman Jean. La première est datée de Londres W.,
34-35, Howland street, où Verlaine habitait la chambre
de Vermersch. Au 5 octobre : « Mon cher ami, je reçois
à l'instant les deux derniers numéros de *la Renaissance*;
je vous félicite bien sincèrement du succès de votre
journal : le voilà quasi grand garçon d'un an. » Plus
tard, de Jehonville (Ardennes), le 22 avril 1873 : « Mon
ami, je m'ennuie atrocement. Vos lettres me sont
bonnes ; faites-les plus longues et moins rares. » Il
écrit encore : « Vous, mon ami, je n'oublierai jamais
que vous fûtes le premier à me venir voir lors de la
grande terreur de mai 1871 ; et je vous en ai voué
bonne et solide affection ; du moins on ne niera pas
que j'aime bien mes amis... A ceux de mes amis *qui le
sont*, cordiale poignée de main, et tout à vous. » Cette
correspondance, dont je ne cite que quelques lignes,
s'orne de la reproduction de l'autographe de la poésie :
« O mon Dieu, vous m'avez blessé d'amour ! » écrite
en juillet-août 1875, qu'il envoya à Blémont, et qui
ouvre le volume de *Sagesse*.

Une deuxième série de lettres, allant du 1er juillet
1871 au 15 décembre 1880, parut dans *la Revue du Nord*
du 1er juillet 1896, avec deux sonnets autographes de

Verlaine, qui sont des pastiches bien curieux de
Heredia et de Banville. Le 13 juillet 1871 : «... Valade
s'est enfin décidé à m'écrire. Il m'annonce votre très
prochain mariage. Hymæn ! Hymæne ! traduction :
mes meilleurs vœux, mon cher ami, pour un bonheur
dont je serai heureux. Tàchez de tirer un bon numéro.
Je n'ai pas, quant à moi, à me plaindre du mien.
Aussi, ne dirai-je pas, en parlant de vous, le vieux
cliché des vieux garçons : Encore un homme à la mer !
mais bien : Encore un homme dans le vrai ! » Et le
22 du même mois : «... Groupons-nous, mon cher,
groupons-nous ! Par les temps d'infection intellectuelle
et autres où nous avons la mortification de vivre, un
pacage rigoureux me semble de saison pour les honnêtes gens. » — On sait la façon heureuse et vaillante
dont Blémont opéra ce groupement, par *la Renaissance.*

Emile Blémont, vers le temps où il publiait cette
correspondance, écrivit le sonnet suivant, pour une
publication qui devait être consacrée à Paul Verlaine·

> Charnellement mystique en sa misère,
> Il ne voulut rien tenter à demi ;
> On l'admirait, on restait son ami,
> Même en doutant qu'il fût toujours sincère.
>
> Ce rut païen après ce doux rosaire,
> Cet humble orgueil, plein d'orage endormi,
> Vous captivaient, quoiqu'on en eût gémi.
> O le grand saint ! O le bon vieux corsaire !
>
> Pour la logique et pour l'austérité
> Grave embarras ! Puis, la mort a sculpté
> En marbre blanc ce crâne socratique.

> Maints vers de lui sont étrangement beaux.
> Son goût subtil, guidant sa foi sceptique,
> Ouvrit à l'art des horizons nouveaux.

Cette même année, Blémont collabora à *la Plume*, au *Journal des Voyages*, à *la Revue de France* ; dans cette dernière publication, il donna des poésies d'après Henri Heine (1er août 1899).

La Bibliothèque de *la Revue du Nord* édita *Chansons fleuries* (1896), mises en musique par C. Blanc et L. Dauphin, et précédées d'une causerie en vers par Gaston de Raimes ; ces chansons étaient tirées des *Pommiers en fleur.* «... Je voyais tout à l'heure les arbres rajeunis, écrivit Jules Claretie à l'auteur ; ils sont moins printaniers que vos vers. C'est délicieux. »

Blémont fit représenter encore, cette année-là, au Théâtre de Nantes, *les Ciseaux*, comédie en un acte, en vers libres, avec Jules Truffier (Librairie Schwob et fils, Nantes). Lisalda, pressée par son maître, un bourgeois de Bayonne, l'écarte avec ses ciseaux ; seule, elle songe a fuir en ses vertes Pyrénées, quand on entend une marche militaire. Quelqu'un frappe : le sergent José avec billet de logement. Cousin et cousine, ils se reconnaissent, se content des souvenirs qui les réjouissent. Puis, le sergent veut l'embrasser ; elle brandit ses ciseaux, dont il s'empare :

> — O les beaux ciseaux d'argent !
> — Rends-les moi vite, méchant.
> — Je te les rendrai, ma belle,
> Lorsque, le cœur moins rebelle,
> Tu me rendras, sans mépris,
> Le baiser que je t'ai pris.

Or, la trompette l'appelle. Lisalda, rêveuse, prend
d'autres ciseaux, travaille... Mais voici José triomphant.
Toute une comique histoire : le maître de Lisalda pris
par les cheveux comme Absalon, promettant cent écus
à José s'il le délivrait ; et José le délivrant grâce aux
cisaux, avec lesquels il a pu couper les cheveux. On
se mariera, la belle ! — Cette bluette légère fut jouée
encore au Théâtre-Blanc, où il fallait, dit *le Figaro* du
19 décembre 1896 : «... une gaîté très saine et une émotion de très bon aloi ; les librettistes et le compositeur,
Emile Boussagol, se sont tirés de ce pas dangereux
avec un tact et une délicatesse infinis. »

Emile Blémont continuait, avec persévérance, le
double effort de sa vie : la poésie et l'action. Ne délais-
sant ni la mémoire de Hugo, ni les manifestations
littéraires qui réclamaient sa sympathie, ni les relations intellectuelles maintenues par sa clairvoyante et
cordiale obligeance, il n'oubliait pas davantage le traditionnisme et *la Revue du Nord*. En cet organe,
d'ailleurs, c'étaient les idées de *la Tradition* qu'il
appliquait dans un cadre nouveau. Il put y honorer
dignement la mémoire de Crinon, de Desrousseaux,
de Marceline Desbordes-Valmore, enfin de Faidherbe.
Mais surtout, il conduisit avec succès ces deux entre-
prises : la Commémoration d'Adam de la Halle, le
Monument d'Antoine Watteau.

A Arras, le 21 juin 1896, *la Revue du Nord* donna
une soirée de gala, en l'honneur du trouvère artésien.
Blémont avait organisé tout à ses riques et périls,
avec l'appui de la ville et de l'Etat. Il mit en vers français modernes *le Jeu de Robin et de Marion* (xiiie siècle),

dont Julien Tiersot restitua et orchestra la musique (éditée par G. Fromont), et il fit le même travail pour les principales scènes du *Jeu de la Feuillée*. Il obtint pour interprètes les acteurs des théâtres nationaux, et fit répéter à l'Opéra-Comique et à la Comédie-Française. Il ouvrit la représentation par une causerie aussi savoureuse que documentée sur Adam de la Halle, poète. Cette soirée fut la révélation triomphale du trouvère oublié. — La Bibliothèque de *la Revue du Nord* publia un recueil : *Commémoration d'Adam de la Halle*, qui contient, avec des vers à maître Adam par Jean Richepin et des poésies de divers écrivains septentrionaux, *le Jeu de Robin et de Marion*. En son avertissement, Blémont rappelle que « cette ravissante pastourelle dramatique, où, de primesaut, avait été créé le genre qui, plus tard, devait s'appeler la pastorale, puis l'opéra-comique », était restée ensevelie dans les pages peu feuilletées des publications savantes. Blémont voulut lui rendre le jour et la vie ; l dut faire le nécessaire pour en concilier la forme avec les exigences modernes du théâtre ; mais il garda et rendit intact le fond savoureux du chef-d'œuvre de maître Adam. — A la suite, figurent les scènes du *Jeu de la Feuillée* adaptées par Emile Blémont et Ernest Laut.

Si Blémont aime à se retourner vers les époques des contes et chants naïfs, il faut voir là quelque chose de bien plus important que l'influence romantique ou le désir de l'originalité. Il y a dans cet acte souvent répété une indication caractéristique de sa nature ; il s'élance vers les enfances de notre pays, parce que tout, en lui, est orienté vers les printemps, les aurores et l'amour. Ce n'est que par réflexion, par second mouvement, ou sous la rigueur des évènements : telles la Guerre et la Commune, qu'il laisse parfois la note idyllique, pour saisir la corde d'airain. Dans le premier cas, il use avec enthousiasme, avec joie, des droits du cœur et de l'âme ; dans le deuxième, il remplit avec une énergie grave et vibrante un devoir civique.

C'est encore au XIIIe siècle, le siècle de Louis IX, qu'il a cueilli l'idée de *la Couronne de Roses*, drame lyrique, illustré par Edmond Rocher, avec musique de Irénée Bergé (Bibliothèque de *la Revue du Nord*, 1896). Dans un paysage de fête printanière, près d'une chapelle gothique, chantent des chœurs campagnards. Le chevalier Raymond s'approche, distrait, rêveur ; puis voici venir la princesse Janelle, couronnée de roses. Elle est accompagnée de ses filles d'honneur ; devant elle, le duc Orderic écarte rudement la foule. Janelle aperçoit Raymond et tressaille, émue ; lui, comme elle, est troublé. Orderic qui les épie, devine leur amour. Cependant les jeunes filles chantent un cantique devant une statue rustique de la Vierge :

> Vierge-mère au front pâle et doux comme un beau soir,
> De notre cœur fervent faites un sanctuaire
> Où, près de votre autel, une chaste prière
> Balance l'or de l'encensoir !

Une rose s'est détachée de la couronne de Janelle ; Raymond la ramasse. Quand l'assistance est dans la chapelle, Orderic revient et réclame cette fleur, que lui refuse Raymond. Il y a duel entre eux, au chant

voisin de l'orgue et des chœurs ; et Raymond tombe
au moment où la princesse reparaît. Elle court à lui :
« Je t'aime. Ne meurs pas ! » Il expire. Alors Janelle
repousse Orderic d'un geste hautain, prend la rose
restée sur le cœur de celui qu'elle aimait, et la remet
à sa couronne, qu'elle va suspendre en offrande devant la statue de la Vierge :

> Vierge pleine de grâce, acceptez ma couronne !
> Il n'y manque pas une fleur. Je vous la donne.
> Voyez, je la suspends à ce rustique autel ;
> Et morte à tout amour mortel,
> Je vous consacre aussi mon âme,
> O Notre-Dame !

C'est une jolie pièce, de grâce, de tristesse et de foi ;
une suite de vitraux tout pleins de ferveur croyante et
de couleur naïve du Moyen-Age, et à la fois de rêves
et d'aspects toujours humains. Henri de Bornier écrivit le 26 octobre : « ... C'est charmant, en vers tristes
et doux, avec je ne sais quoi qui élève le cœur en
l'attendrissant. Dites à votre princesse Janelle que je
suis son féal. »

J'ai constaté qu'une autre entreprise importante de
la Revue du Nord fut le monument d'Antoine Watteau.
Dès le 17 juillet 1892, Emile Blémont avait organisé un
pèlerinage au Monument de Nogent-sur-Marne. Dans
une allocution anecdotique, pleine de verve, il rappela
le regret d'Arsène Houssaye, de n'avoir vu qu'un médiocre buste où il espérait saluer une statue. La
phrase produisit un effet immédiat. Les conseillers
municipaux promirent deux mille francs ; et Blémont
constitua un Comité, lequel ouvrit la souscription. Un

an plus tard, la promesse de la ville de Nogent lui fut rappelée ; mais la municipalité, qui était changée, n'envoya que cinq cents francs ; le Comité les lui retourna, rompit avec elle, et obtint la concession d'un terrain au Luxembourg. Le dimanche 8 novembre 1896, le Monument, dû au statuaire Henri Gauquié et à l'architecte Henri Guillaume, fut inauguré dans le Jardin du Luxembourg, sous la présidence du ministre de l'Instruction publique. Mlle Béraldi, de l'Odéon, y dit des vers d'Albert Samain, hommage des Rosati à Watteau. Gustave Charpentier conduisit lui-même l'exécution de *la Fête galante*, de Paul Verlaine, qu'il avait mise en musique. Georges Baillet, du Théâtre-Français, interpréta supérieurement un poème d'Emile Blémont, par les soins duquel était dignement honoré un des plus grands et des plus français de nos artistes. Ce poème *A Watteau*, situait l'image dressée en ce beau jardin. Watteau y vint rêver sous les grands arbres, au cœur de ce Paris qui lui donna si vaillante humeur, et où il fixa pour la joie des yeux l'ondoyante harmonie du doux corps féminin. Mais les regards et les lèvres de la femme mentent trop souvent :

> Puisque d'un bel objet la beauté seule est sûre,
> Puisque, même au printemps, les ailes de Psyché
> Perdent leur clair velours sitôt qu'on l'a touché,
> A cette vie, au fond si pleine de souffrance,
> Dans ton œuvre tu pris seulement l'espérance...

C'est son rêve qui passe en ses galants décamérons aux féeriques paysages. Et qu'importe le réel ? La frêle chimère est si adorable ! C'est de la joie à nous léguée :

Comment nous acquitter, quand tu fis tant pour nous,
O poète immortel de la nature en fête,
Des parcs pleins de musique amoureuse et discrète,
Et des baisers légers, des longs baisers de miel,
Que pose, sur la chair de la femme, le ciel !

La Revue du Nord consacra son numéro du 15 novembre à Watteau. J'y remarque le poème de Blémont, une chronique sur les trois monuments de
Watteau (Nogent-sur-Marne 1865, Valenciennes 1884,
Paris 1896), la bibliographie sommaire de Watteau, le
relevé des documents nombreux publiés sur le peintre
du 1ᵉʳ juillet 1892 au 1ᵉʳ novembre 1896, le compte
rendu de l'inauguration au Luxembourg et deux reproductions : l'une de la maquette, l'autre du monument.

La Revue des Beaux-Arts et des Lettres du 1ᵉʳ décembre publia le portrait d'Emile Blémont, une notice
biographique et le poème *A Watteau*, — que Lemerre
édita aussi vers ce moment.

1896

Théâtre moliéresque et cornélien

Le 15 janvier 1897, l'à-propos en vers : *la Soubrette de Molière*, demandé à Blémont et improvisé aux derniers jours, fut dit à l'Odéon par Mᵐᵉ Marie Kolb, qui y obtint un des plus francs succès de sa carrière (Lemerre éditeur). Tout en contant les cent et une manières de sa fonction, la soubrette dépeint Molière par son côté populairement comique, elle qui peut dire :

> Je suis l'esprit du peuple avec un cœur de femme.

Le monologue s'enchaîne bien, et l'accent en est fort persuasif. Les vers sont « alertes, brillants, d'excellente facture. » (Catulle Mendès, *le Journal*, janvier). « L'idée est simple et gracieuse... On ne saurait mieux définir cette sémillante péronnelle, qui n'est pas encore tombée dans le précieux du marivaudage, et dont le langage honnête et franc fait contraste avec la coquinerie des valets. » (Henry Maret, *le Radical*).

« ... Cette dissertation sur les soubrettes de Molière est tout à fait juste de ton comme de fond, écrivit Emile Faguet au *Journal des Débats* du 25 janvier... Et M. Blémont a parfaitement raison de mettre dans la

bouche de sa bonne servante cette petite considération de littérature comparée :

> Laissez-moi faire ! Allez, vous aurez beau chercher
> Parmi la fine fleur du théâtre étranger,
> Ma pareille ne s'y trouve pas, je m'en vante.

La Plume du 15 mars 1897 publia une large étude,
très fouillée, remarquablement écrite, par Louis
Labat, sur Emile Blémont, avec quatre portraits divers
et six poèmes. « ... Il a vécu toute sa vie dans la poésie, disait Louis Labat ; il y a cherché une profonde et
voluptueuse retraite ; il n'a songé qu'à l'estime des délicats... Non qu'il professât pour la foule un mépris de
mandarin ; des choses qu'il a écrites, un assez bon
nombre est pour elle... A aucun moment, il ne se dé-
tacha de ce qui fait l'inquiétude, ou le besoin, ou le
désir, ou l'amour, ou la vertu, ou le malheur, ou l'espérance, ou la joie des autres hommes. Surtout, il a
communié avec eux dans les tristesses et la foi patriotiques... La force lyrique, combien en citerait-on,
de nos poètes, depuis Hugo, qui aient eu ce don là ?..
Mais M. Blémont, quand il faut, atténue les éclats de
sa voix, sait, pour se raconter, varier ses modes...
Voici intervenir l'émotion, la pensée, le rêve, l'homme...
Il s'enfonce dans la légende, il y rencontre la source
de la poésie primitive, de l'inspiration populaire, et
s'y précipite, s'y désaltère, ayant soif d'eau vive... Il
entend rappeler à l'humanité qu'elle a un très petit
nombre de façons de sentir, de penser et d'imaginer,
que c'est sur ce fonds indivis que la poésie doit vivre
et que les grands poètes ne furent les grands poètes
que pour s'être enrichis de ce qu'ils y ont puisé. »

La Revue de France publia, de Blémont, Molière en
bonne fortune, comédie en un acte, écrite pour
l'inauguration du monument de Molière à Pézenas
(Bibliothèque de la *Revue de France*, avec illustrations
de Raoul Thomen, août 1897). La scène est dans le
parc du château de la marquise de **Lavagnac**, en
mai 1656. Molière, à la fleur de l'âge, aime la marquise ; et celle-ci lui avoue qu'elle n'est pas indiffé
rente à son amour. Certes, elle consentirait à l'épouser ; mais à la condition qu'il ne jouerait plus la
comédie. Grande affaire ! Molière demande conseil à
ses amis, qui éclatent de rire ; et Dassoucy raconte :

> Quand je quittai Paris pour aller à Turin,
> J'avais un âne, un âne appelé Mathurin,
> Sobre, doux, jovial comme un magot de Chine,
> Qui, sans jamais broncher, portait sur son échine
> Mon téorbe, mon luth, mes coffres à chansons,
> Et moi-même au besoin. Et vers les horizons,
> Mon page me suivant, j'allais à l'aventure,
> Libre, gai, tout entier à la belle nature,
> Humant à pleins poumons l'air pur et généreux,
> Léger comme un oiseau, parfaitement heureux...

Or, un hôte lui ayant offert un cheval magnifique, il
l'accepta sottement, et le fougueux animal faillit lui
rompre la tête...

> Molière, gardez-vous d'un coursier trop lyrique !
> La meilleure monture, ami, c'est ma bourrique.

Molière est indécis. Pourtant, seul avec la marquise,
il avoue enfin n'avoir pas la force d'abandonner le
théâtre. Elle discute, lui montre que cent fois dire les

mêmes choses, fussent-elles spirituelles, c'est métier
d'automate. Mais lui :

> Et que pensez-vous donc que fasse un diplomate,
> En dépit de sa morgue et de son air profond ?
> Et qu'est-ce, en vérité, que tous les hommes font ?
> Et qu'est-ce que, vous-même, ingénument vous faites ?..

Il lui dépeint éloquemment la monotonie de l'existence, pour tous, grands ou petits. Puis, il appartient à
son rêve. Voudrait-elle tout quitter pour lui ? Elle proteste, ironique :

> J'ai le cœur gros de pleurs et vous me faites rire.

Alors Molière :

> Hélas ! je gagne ainsi mon pain quotidien.

Elle lutte encore ; il lui dit :

> Je ne me sens pas fait, marquise, de l'étoffe
> Dont sont faits les marquis... Mon rire plébéien,
> Mes bizarres façons et mon esprit païen,
> Vous déconcerteraient trop vite...

Il lui conseille d'épouser le baron : jolie scène qui prépare un dénouement imprévu. A la fin :

> Je devrais vous haïr ; pourquoi donc près de vous
> N'ai-je senti jamais un abandon si doux ?
> Je ne le comprends pas, et mon cœur me l'atteste.

Et Molière :

> C'est que, si le mari disparaît, l'amant reste.

Le baron épousera ; il accable Molière de remerciements, — cependant que la marquise donne rendez-
vous au jeune comédien, à minuit. Ainsi finit cette

bluette dont la vivacité passe avec le brio qui l'entraîne.

En ce mois d'août, pour la même inauguration, *le
Barbier de Pézenas* fut joué à Pézenas (le 8) ; et dans
un beau volume de circonstance, *l'Hérault artiste à
Molière,* Emile Blémont publia : Au Bât d'argent,
autre comédie moliéresque en un acte, en vers. Nous
sommes à Pézenas, dans une hôtellerie, par l'automne
de 1655 La pièce roule sur les méprises causées par
une chanson d'amour, dont Molière a fait les vers et
Dassoucy la musique. Le personnage burlesque du
fameux musicien errant donne à l'intrigue une fort
joyeuse allure. Il faut l'entendre conter l'histoire de
trois mauvais poètes qu'il a trop bien connus :

L'un fut apothicaire. Il portait jusqu'aux yeux
Une barbe !.. une barbe à damner Barbe-Bleue ;
Il la portait ainsi qu'une carpe sa queue,
Et c'était, comme on dit, barbe d'opérateur.
Or, avec un tel poil, il voulut être auteur.
Il fit des vers, en fit des quantités énormes,
De toutes les longueurs et de toutes les formes ;
Il rimait en triangle, en losange, en carré,
En potence, en croix simple, en croix de Saint-André,
Bref en tout ce qui peut offrir des symétries
Dans la nature vive ou les géométries.

. . . . .

Un autre, un avocat sans cause, un noir benêt,
Dans la rue, en plein air, soudain vous harponnait
Et ne vous lâchait plus qu'il ne vous eût, le traître,
Débité, quoi qu'on dit pour rompre et disparaître,
Les cent trente sonnets, pas un de moins, hélas !
Qu'il fit... sur la baleine où séjourna Jonas.

. . . . .
Quant au troisième,

C'était le pâtissier Raguenau. Son poème
Sur ses fameux pâtés de lièvre le perdit.
Aux rimeurs affamés, dès lors, il fit crédit :
Et, lui-même, il ne put bientôt payer ses dettes.
En prison, le bonhomme écrivit des sornettes
Incroyables, des vers d'un calibre inouï ;
Puis, parfaitement gueux, mais l'œil épanoui,
Il sortit sur ses pieds de Paris, ville ingrate !

Toute cette pièce, si alerte, si légère, est bien con
duite ; et d'un bout à l'autre, elle soulève une franche
gaîté.

Cette année 1897, Blémont collabora à une nouvelle
série de *Lutèce* ; et il donna à *la Revue de France*
(1897-1899) des chroniques dramatiques, des essais,
des vers.

Au commencement de 1898, parut chez Lemerre le
Théâtre moliéresque et cornélien, où il a réuni ses
diverses comédies sur Corneille et Molière. Une étude
érudite et attrayante sur les voyages de Molière et une
lettre à la ville de Pézenas, par Jules Claretie, pré-
sentent le volume. Le Théâtre moliéresque comprend :
*le Barbier de Pézenas, Au Bât d'argent, Molière en
bonne fortune, la Soubrette de Molière, Molière à Auteuil,* dont j'ai rendu compte à leurs dates respectives.
L'auteur donne, à la suite, *l'Inauguration du monument
de Molière à Pézenas* (8 août 1897), historique et description de ces fêtes brillantes, enthousiastes : belles
journées d'art autour du souvenir de Molière, dites
simplement, avec une pointe d'émotion. — Le Théâtre
cornélien se compose de *Pierre Corneille,* de *Visite à*

rneille, que j'ai présentés aussi en leur temps, et de *a Petite Rosange*.

Cette dernière comédie, en un acte, se passe au théâtre de l'hôtel de Bourgogne, en 1643. Corneille a lu *Polyeucte* à l'hôtel de Rambouillet ; on a été poli, mais froid, dit-il mélancoliquement à Hauteroche, le souffleur. Or celui-ci est plus soucieux encore que son interlocuteur, car, après avoir rêvé la gloire, il a dû descendre à cette infime fonction ; et pour comble d'infortune, il aime la petite comédienne Rosange, qui rit toujours, tandis que toujours il s'en va rêvant. — « Ouvrez-lui votre cœur ! — Elle en rirait plus fort !.. » Rosange arrive, entend Corneille lui révéler l'amour de Hauteroche, et part follement gaie. Puis survient Voiture, et il communique à Corneille les scrupules que *Polyeucte* a fait naître parmi les esprits d'élite de l'hôtel de Rambouillet ; sous l'air de vouloir ménager l'auteur, il abîme la pièce. Ce que dit Voiture, c'est à lire, tant cela rend bien la manière des gens médiocres ligués contre Corneille, et par conséquent celle des gens médiocres ligués, en tous les temps, contre n'importe quels talents ou quels génies. Et Voiture atténue, le bon apôtre !

C'est l'avis de messieurs Cottin et Vaugelas,
Que monsieur Colletet partage. La marquise
Ne trouve pas non plus ce beau zèle à sa guise ;
Et votre illuminé lui semble, c'est son mot,
À moitié janséniste, à moitié huguenot.
De tels emportements, si bizarrement chastes,
Ne peuvent stimuler que les iconoclastes.
J'aurais voulu, monsieur, que, caché quelque part,
Vous entendissiez tout ce qu'à monsieur Conrart

Disait l'abbé Testu. Sans compter la tirade
Que l'abbé d'Aubignac lançait à Benserade !
Et le bon Chapelain, et l'avocat Patru
Qui, debout dans son coin, discourait haut et dru,
Entre monsieur Ménage et l'abbé de Marolles,
Que n'avez-vous aussi recueilli leurs paroles !

Corneille :

Monsieur, je vous écoute et c'est très suffisant.

Certes ! et c'est même, au sens comique, une réponse
cornélienne. Voiture continue, hypocrite ; les comédiens arrivent, accablent aussi Corneille de leurs
craintes, de leur dépit d'avoir des rôles insupportables.
L'un d'eux s'écrie : « Voyez donc le monde comme il
est ! » A quoi répond Corneille :

Tel que vous le montrez, il est beaucoup trop laid ;
J'aime mieux le rêver, monsieur, tel qu'il doit être.

Viennent les actrices, dont Rosange ; toutes sont d'avis
que leur auteur devient par trop vertueux ! Les trois
scènes, bien enchaînées et graduées, sont magistralement faites pour dégoûter Corneille de sa pièce. Resté
seul avec Hauteroche, il songe à la retirer ; mais le
souffleur l'encourage, lui montre le peu de fond de
ceux qui le blâment. La scène a du cœur, de la fermeté. Corneille se ranime. Rosange joint Hauteroche ;
elle souhaite le succès, mais les méchants propos
l'ont assombrie. Bah ! il lui affirme que les autres ont
tort. Elle riposte : « Quelqu'un disait : « Si cela réussit, je veux être pendu ! Voulez-vous l'être, en cas
d'échec ? — Oui, mais en cas de succès, consentirez-
vous à m'accorder votre main ? » Elle accepte, rieuse.
Les comédiens s'amusent du cas d'Hauteroche ; mais il

semble telle ^cent sûr de la réussite, que Rosange s'en
inquiète. Et le voilà qui les invite tous à sa noce !
Du coup, les comédiens jurent de jouer avec foi, en
dépit de Voiture. — Acte agréable et sérieux, ferme
et solidement conduit ; les deux amoureux y sont épi-
sodiques, leur action reste menue jusqu'à la fin ; mais
la partie résistante est surtout aux scènes d'attaque de
la pièce de Corneille, et ces scènes sont remarquables
de finesse et de clairvoyance.

Le *Théâtre moliéresque et cornélien* fut fort bien
accueilli. Henri Potez écrivit dans le *Journal de Douai*
ces lignes caractéristiques : « Voilà bien Molière, généreux et mélancolique, ayant l'humour qui observe
sympathiquement les hommes, la verve qui leur
donne vie et mouvement, la tristesse qui sort de toute
observation profonde ; et Corneille, timide et fier,
petit bourgeois qui incarne l'âme héroïque d'une
race... » Dans *l'Echo de la Semaine* du 6 février,
Edouard Petit disait : « ... Ces vers forment un ensemble qui a son harmonie et son unité réelle... Ce
sont de toutes vraies comédies, qui élargissent et
ennoblissent le genre... M. Emile Blémont s'est fait le
biographe dramatique des deux maîtres... »

« J'ai relu les pièces que je connaissais et lu celles
que je ne connaissais pas, avec un vif plaisir, écrivit
Louis Moland à l'auteur ; elles sont dignes des grands
poètes qui les ont inspirées. » Et Guy Valvor : « ... Si
j'avais à parler de votre livre, je m'attacherais surtout
à montrer la sûreté de votre jugement et l'admirable
façon dont vous avez su définir en vers la portée des
œuvres de Molière et de Corneille. Pour ces qualités,

ce me semble, votre théâtre moliéresque est un appendice précieux au théâtre même de Molière. »

La Comédie-Française reprit *le Barbier de Pézenas*, pour l'anniversaire de Molière, le 15 janvier 1898.

Cette même année, fut édité par la Bibliothèque artistique et littéraire *Mariage pour rire*, comédie en un acte, illustrée par Emil Causé. Pierrot, marié de la veille, et Arlequin, boivent, de grand matin ; Pierrot cherche à s'étourdir, puis fond en larmes. Après la noce, seul avec Colombine, elle lui a ri au nez.

> Mes plus doux mots, mes plus ingénieux essais
> Ne servaient qu'à la rendre encore plus hilare.
> J'étais fort sérieux pourtant, je le déclare...

Colombine survient, et pouffe de rire en apercevant Pierrot. Il la bat, elle rit plus fort. Pourtant, à la longue, elle pleure ; il tente de la consoler, elle le gifle, le poursuit. Il va chercher un médecin. Alors Colombine avoue à Arlequin que si elle a épousé Pierrot, c'est qu'il est riche ; mais la voilà découragée du mariage. Arlequin s'offre à lui montrer que l'amour n'est pas si laid qu'elle suppose :

> L'amour est un dieu jeune et beau comme le jour ;
> Printemps, rosée, aurore, il est tout ce qui charme ;
> Il fait luire le ciel entier dans une larme ;
> Et, le front couronné d'étoiles par la nuit,
> Tendre comme une fleur, savoureux comme un fruit,
> Sur nos lèvres il met la caresse suprême,
> Le baiser !...

De ce Pierrot niais, de cette Colombine vénale, de cet Arlequin sournois, Blémont a tiré une pièce d'une gaîté singulièrement ironique ; et les exigences de l'alexandrin ne gênent nullement la souplesse de la narration. « Un prix de vertu ? évidemment non ! lui écrivit Edouard Pailleron (3 mars 1898). Mais s'il y avait un prix pour la virtuosité, l'esprit et la verve... évidemment oui ! Merci et bravo. »

Quelque temps après, Blémont, à l'occasion du sonnet sur Michelet dit par Truffier, le 14 juillet, au Théâtre-Français, reçut cette autre lettre : « J'ai été, mon cher ami, très heureux de vous être agréable, et le sonnet a été fort applaudi. Il méritait de l'être. Mme Michelet, présente, était charmée. A vous de tout cœur, Jules Claretie. 16 juillet 1898. »

Michelet : tel est le titre d'une très intéressante étude qu'Emile Blémont publia dans *la Revue de France* d'abord, puis dans sept numéros consécutifs de *l'Echo de l'Hérault* (23 juillet — 3 septembre 1898).

C'est un portrait précis, véridique, qui st ⁻⁻ amplement à expliquer l'homme, l'écrivain et le philosophe. Michelet revit là dans toute l'intensité de sa fiévreuse existence. Comme en ses autres études, le critique est bien informé, et, ce qui vaut mieux, très clairvoyant. Il évite la polémique véhémente autant que les subtilités de détail. Il évoque devant nous l'âme même de son modèle ; il nous montre d'où vient l'œuvre, ce qu'elle fut, quelles semblent devoir être ses destinées.

En mémoire d'un enfant

Le 2 novembre 1899, parut **En mémoire d'un en-fant** (chez Lemerre). Le volume, avec un portrait signé Frédéric Régamey et des fleurs dessinées par Edmond Rocher, fut tiré à petit nombre, pour la famille, les amis et les poètes. On comprendra quelle part de la vie de Blémont est enclose dans ce livre, en lisant sa réponse à l'enquête de Jean Bernard au *Gil Blas* (été de 1901) : « Quelles ont été la grande joie et la grande douleur de votre vie ? — La naissance de mon fils et sa mort. »

La simplicité douloureuse d'une *Invocation* nous avertit qu'ici l'homme va dominer complètement le poète :

> Enfant, toi qui, sur la terre,
> Fus mon vrai, mon pur amour,
> Et que sitôt, sans retour,
> M'a repris le grand mystère,
>
> Rêve enfui, blanche lueur
> Eparse dans la nuit noire,
> O notre éphémère gloire,
> Notre éternelle douleur,
>
> Sors de l'ombre qui te voile,
> Pâle encor, mais souriant,
> Et parais à l'orient
> Sous une amicale étoile !

Descends vers l'âpre sentier
Où je me perds dans le doute ;
Viens ! il ne faut pas, écoute,
Que tu meures tout entier !

A quoi veux-tu que je tienne
Si je n'ai plus, en chemin,
Ta chère petite main
Un seul instant dans la mienne ?

On le possédait là, dans ce berceau ; on l'y adorait en tremblant :

Comment agir mal à présent ? Il semble
Qu'on ferait souffrir cet être sacré.

Un jour, l'aveugle Inconnue passa, l'enfant eut comme une extase dans les yeux...

Je l'appelai « Pitié ! criai-je.
Nous t'aimons bien. Reste avec nous ! »

Puis c'est l'écrasement, le cerveau vide. Depuis cette heure,

La mort, la froide mort en mon logis demeure :
Je ne peux la chasser de chez nous ; et parfois,
Tout saisi, n'osant pas me retourner, je crois
Qu'elle est là, que sur mon épaule elle se penche,
Et me dicte ce qui noircit la page blanche.

Il fallut conduire le petit être au dernier asile. Ce fut comme en un rêve atroce. Et quelquefois, le soir, on le croit là encore, on craint de faire du bruit, de l'éveiller... Des souvenirs : il chantait de sa voix si joyeuse et si claire ! On se rappelle les petits et redoutés accidents, les chutes. Puis, quand il sortait, par les belles matinées, gai, souriant, avec sa mère si flère de lui... Et ce cri du cœur, soudain, qui fait jaillir l'émotion :

> Il faut croire en la justice,
> Il faut croire en la bonté,
> Même au bord du précipice
> Où tout est précipité.
>
> Il n'en faut pas douter, même
> Quand la mort, par trahison,
> Emporte l'enfant qu'on aime,
> Dans sa hideuse prison.
>
> L'amour, ô force féconde !
> Doit triompher du tombeau,
> Puisque rien n'existe au monde
> Qui soit plus pur ni plus beau.

Quel déchirement du voile qui, jusqu'ici, malgré tout, ne permettait que la divination de l'âme ! et comme on la voit enfin, la pensée mûrie de la poésie et de l'action, d'une vie et d'une œuvre ! La voilà, telle que nous la supposions, profondément, indestructiblement bonne, juste, digne de comprendre, donc d'égaler les plus sublimes croyances. — Homme, tu as cru que la douleur était le bourreau suprême de tous nos amours ; poëte, la douleur est un messager céleste qui t'emporte, d'un coup d'aile, vers l'amour éternel, source de tous nos amours.

Mais la pensée s'abîme dans l'accablement du cœur. On voudrait ne plus songer, et l'on préfère la douleur à l'oubli. Des remembrances vous rendent chaque jour à votre tristesse, l'anniversaire qui passe si morne dans les rires d'avril, et ces jeux dont il fallait être :

Je me laissais aller souvent
Aux caprices du cher enfant ;
Mais par ces jours où l'on est triste,
Je résistais, honteux, méchant,
Et malgré son babil touchant
Je suivais ma tâche égoïste...

Quel père ne comprend ces remords que l'on se forge sans raison ? Et voici encore les pressentiments éprouvés devant le malheur des autres, la vision de la plage où l'on se promenait. Tout est donc fini ? Est-ce le vide, le néant ?.. Non !

Je veux croire en un lieu suprême
Où, pour l'éternité, quand même,
On retrouvera ceux qu'on aime.

De ce paradis inconnu
Vers lequel on va pâle et nu,
Personne encor n'est revenu ;

Pour nous donner bonne espérance,
Nous n'avons que notre ignorance
Et l'excès de notre souffrance ;

On a beau crier, on a beau
Pencher sur l'abîme un flambeau,
Nulle voix ne sort du tombeau ;

Et l'âme recule, effarée,
Devant la volonté sacrée
Qui détruit tout ce qu'elle crée,

Mais qui, j'en atteste l'amour !
Finira par nous rendre un jour
Ceux qui sont partis sans retour.

Oui, la pensée était bien celle, profonde et lumineuse, que nous avons aperçue au déchirement du voile.

Voici briller l'éclair de la foi ; et cette clarté suprême, infinie, franchissant les abîmes de l'univers, atteint cette vérité divine : l'âme est immortelle, elle rejoindra les âmes de ceux que nous avons aimés.

Cependant nous laissons des lambeaux de nous-mêmes dans les cyprès ; nous cherchons ce qui nous soutiendra, sans y croire :

> Que le ciel est triste aujourd'hui !
> Puissé-je prendre patience
> En mettant toute ma science
> A vivre du bonheur d'autrui !

La mort de l'enfant est mêlée à la vie de ceux qui restent :

> Lorsque viendra pour moi l'instant crépusculaire,
> Je n'aurai dans le cœur ni regret, ni colère,
> Ni surprise ; ô mon fils, j'ai fermé tes yeux froids,
> Et je ne mourrai pas pour la première fois !

Les printemps sont voilés de deuil. Seuls subsistent l'affliction, le désespoir. L'illusion revient parfois ; et puis c'est comme s'il partait de nouveau !.. D'autres souvenirs s'imposent : le jour où l'on fêtait sa naissance, en famille, où l'on se sentait heureux et bon ; les plaintes d'un poète étranger sur un enfant pleurant dans l'ombre. Et chaque année roule au gouffre sans apporter la consolation.

> Le soleil a noyé tout le ciel de son sang ;
> Tel qu'un navire en feu qui flamboie et qui sombre,
> Le soleil rouge au loin s'est enfoncé dans l'ombre ;
> Mais bientôt renaîtra son orbe éblouissant.

Les lys, les sveltes lys ont exhalé leur âme ;
Flétris, ils sont tombés sous les astres en pleurs ;
Mais l'été nous rendra les virginales fleurs
Que le firmament d'or aux ténèbres réclame.

L'hirondelle a quitté son nid sous le vieux toit,
Ses cris ne vibrent plus lorsque l'angélus tinte ;
Dans un exil sans fin est-ce une joie éteinte ?
Non ! le nid revivra dès qu'il fera moins froid.

Il est parti, celui qui fut notre espérance,
Qui fut notre bonheur, l'être pur que j'aimais !
Tout ressuscite ; seul, il ne revient jamais,
Et l'azur luit sur nous avec indifférence.

Rien ne désarme les destins. Et la douleur semble se
pétrifier. On se dit que l'enfant n'a pas connu le mal
ni le sort décevant. Qu'il dorme en paix, du moins !
Heureux qui meurt si jeune ! Et mieux vaut ne pas
naître... Puis le temps s'écoule :

> Rien d'humain n'est durable,
> Pas même la douleur.
> Que tout est misérable
> Dans notre faible cœur !

Or, de ces ténèbres où le désespoir nous traîne, surgit toujours un autre espoir, de plus en plus radieux.

Mon front, si haut jadis, penche ; mon corps se voûte.
Je poursuivais un rêve et j'ai perdu ma route
Et je m'assois, lassé, dans le champ du re[
Où sont les combats fiers ? Où sont nos chers drapeaux
Qui flottaient au soleil sur un souffle de gloire ?
Tout fut-il vain mirage et promesse illusoire
Dans l'élan généreux de mon cœur jeune et pur
Vers les blanches vertus dont il peuplait l'azur ?

Efforts trahis ! J'en garde une amère faiblesse,
Un découragement douloureux que tout blesse,
Une plaie incurable où s'est fixé du plomb.
Ne m'abandonne pas, ô candide enfant blond !
Le vertige m'étreint, la fièvre me consume,
Ma tête s'obscurcit et se trouble ; une brume
Efface à l'horizon les formes d'autrefois,
Et du fond du passé je n'entends plus ta voix.
Je veux lutter ; le temps fuit sous mes pieds, m'entraîne
Dans la lugubre nuit béante. C'est à peine
Si je peux désormais résister au courant.
J'ai peur. Puis, quand je vois le ciel s'ouvrir tout grand,
Pour emplir ici-bas le regard qui l'implore
D'un firmament limpide ou d'un lever d'aurore,
Je me reprends à croire au juste, à l'idéal,
A tout ce qui console, au prochain floréal
D'un siècle pénétré de sublime harmonie ;
Et ton image vient calmer mon insomnie.

Des profondeurs de l'abîme nous avons crié vers vous,
Seigneur, et notre cri est entendu. Un lamentable mi-
séréré s'est élevé du fond de nos désespoirs, et vous
nous avez secourus. Dans cette pensée du poète,
éclairé par vous et qui éclaire les autres, déjà s'affirme
la croyance à un prochain floréal dont la justice enfin
juste, l'idéal enfin reconquis, seront une première
consolation ; et déjà l'homme est récompensé de sa
foi, élevée et purifiée, puisque l'âme de celui qui n'est
plus revient dès maintenant calmer son insomnie.

Pourtant, le père ne peut fermer son livre de tristesse sans proférer un dernier cri de poignante douleur :

Adieu ! ma vie en deuil s'achève.
Je n'ai plus d'espoir, plus de foi.
Que me reste-t-il de mon rêve,
Et que restera-t-il de moi ?

Le temps a brisé les idoles
Que j'aimais d'un amour si beau !
Déjà, mes funèbres paroles
Tremblent aux portes du tombeau.

La mort me frôle de son aile.
Adieu ! sur le dur oreiller,
Je m'endors dans l'ombre éternelle,
Sans désir de me réveiller.

Ce livre est strictement humain. Nulle influence ne trouble son art pur et naturel comme la voix même de l'âme. C'est le poème des douleurs paternelles, écrit aux instants où la muse, non disparue, réclamait timidement ses droits, dictait des pages hantées par l'obsession exclusive et constante des regrets... Sans doute, l'excessive douleur humaine perd le désir de se réveiller ! Quelles souffrances n'ont pas de ces cris ? Mais il reviendra, ce désir ; il sera même invincible, puisqu'on doit se rejoindre dans l'au-delà.

« ... Jusqu'à présent, mon ami, mon cher Blémont, écrivit Edmond Thiaudière, je vous considérais, certes, comme un poète de beaucoup de grâce et de délicatesse et même d'un talent supérieur ; mais, je vous l'avoue, je ne vous croyais pas ce qu'on peut appeler un grand poète. Maintenant c'est grand poète que je vous salue avec le plus affectueux respect ; car en vérité, de toute ma vie, je n'ai rien lu qui me parût plus parfaitement beau, tant par la noblesse et la pureté du sentiment que par la simplicité et la sobriété de l'expression... En élevant un monument sans exemple au fils chéri qui vous a été enlevé par la cruauté du sort, vous l'avez immortalisé, mon cher ami, et vous vous êtes immortalisé vous-même. » Auguste Dorchain : « ... Ce serait presque une profanation si je vous parlais de l'art qu'il y a dans ces vers... La perfection de ces strophes, ç'a été l'issue naturelle, instinctive, de votre émotion débordante... C'est pour cela qu'elles garderont à jamais une vertu de délivrance pour les affligés pareils à vous et qui les liront... Des pères et des mères vous en béniront. » Arsène Houssaye : « ... On ne dit pas mieux en poésie les choses du cœur. J'ai mis en ma jeunesse un voile noir sur un berceau, et je comprends toutes les joies et toutes les angoisses qui nous viennent des enfants. »

Dans sa chronique du *Figaro* (26 novembre 1899), Philippe Gille disait : « ... C'est l'œuvre d'un véritable poète, mais c'est surtout et avant tout celle d'un homme sincère, et c'est par là qu'elle vivra. » Pontsevrez *(Journal des Débats*, 11 juillet) remerciait le poète de sa publication : « ... Tout ce qui d'un cœur est sorti portant le cachet d'une émotion vraiment humaine devient le bien commun de tous les hommes. Montrer les larmes d'un père, c'est aider à pleurer ceux qu'étouffent leurs larmes comprimées... » Henri Potez publia, dans le *Manuel général de l'Instruction primaire* (26 octobre), une chronique : *les Poètes des morts*, où, rappelant *Pauca meae* de Hugo et *In memoriam* de Tennyson, il disait de Blémont : « ... En pleurant sur lui-même, le poète pleure sur nous. Il est l'écho vivant de notre douleur... Il faut lire tout le livre ; on comprendra alors pourquoi je n'ai pas hésité à écrire le nom de M. Emile Blémont après ceux de Victor Hugo et de Tennyson... J'ai voulu appeler l'attention sur le nom d'un poète dont la renommée n'est pas bruyante, mais dont l'œuvre est haute et pure... Quand nous ne serons plus que cendre et poussière, et que le départ se fera entre les œuvres qui passent et les œuvres qui demeurent, je suis persuadé que nos arrière-neveux mettront de côté la miniature d'*In memoriam* que nous a donnée M. Emile Blémont. »

Blémont avait collaboré au numéro de Noël de *l'Art méridional* (Toulouse, 1899). En 1900, il envoya de la prose ou des vers à *l'Universelle*, au *Quartier Latin*, à *la Revue des Poètes* (1900-1902), au *Beffroi* (Lille), et à *la Picardie* (Cayeux-sur-Mer). Dans *Simple Revue* du 1er mars 1900, Fernand Hauser disait de lui : « ... Ses œuvres ne sont pas seulement des œuvres littéraires, ce sont aussi des œuvres humaines. »

Sous le titre : *Un Poète de France*, Alexandre Goichon donna, dans *la Revue de France*, une étude sur Blémont, avec un portrait. « ... Ses poèmes, y disait-il, sont tout frémissants de clarté et d'ardeur généreuse et de sereine bonté... Et son œuvre a un caractère de précision qui se concilie fort bien avec les plis amples de l'idée et la douce musique du rythme... Poète de France, M. Blémont l'est par l'admirable pureté de sa phrase, par la vivacité toute gauloise de son esprit, par l'exquise sensibilité de son cœur, par les sources, enfin, où puise d'ordinaire son inspiration. »

Les Gueux d'Afrique. — Le Penseur

En mai 1900, parurent les **Gueux d'Afrique** (chez Lemerre). Ce livre fut un cri de révolte contre la mauvaise foi de l'Angleterre, et d'indignation devant l'hypocrisie officielle. J'ai dit qu'*En mémoire d'un enfant* indiquait une transformation ; ou plutôt, car nous nommons souvent transformation une conséquence que nous ne pouvons expliquer, que Blémont y atteignait la plénitude d'une pensée subtilement et patiemment élaborée depuis ses débuts. Là, plus de romantisme, plus de parnasse, plus d'évolutions. Ce rimeur, si souvent occupé de la nature, de ses souriants aspects, le voilà qui parle intensément de l'homme en criant sa douleur paternelle, et le voici qui va parler impérieusement aux hommes en leur criant leurs devoirs. L'humanité s'élargit, se hausse, s'illumine. La pensée ne cherche plus ; elle sait, elle voit. Le ton se fait plus grave, le sujet doit être plus viril.

Aux Boërs persécutés, assaillis, un Français, digne de la vieille France vouée aux causes héroïques, rappelle leurs ancêtres :

> Ceux que le duc d'Albe et ses princes
> Nommaient avec dédain : les Gueux,
> Ont su, cœurs fermes, bras rugueux,
> Unir et sauver leurs Provinces...

> Burghers à l'âme libre et forte,
> Que le même élan triomphal,
> Dans l'Orange et dans le Transvaal,
> Vers un but pareil vous emporte !
>
> Ces héros purs sont vos aïeux :
> En votre fierté générique,
> Vous leurs enfants, ô Gueux d'Afrique,
> Soyez dignes des anciens Gueux ?

Cette Angleterre qui les assaille, eut ses jours de grandeur ; cette reine des flots, par Milton, retrouva l'Eden. Elle marchait à pas altiers sur de vastes régions du monde... Mais les temps sont révolus, sa gloire s'écroule. En de beaux ïambes est développé ce thème. Non, ce n'est plus la vierge-reine que vit passer Shakespeare, c'est

> Lady Macbeth, hantée en songe par son crime
> Et dans l'ombre essuyant ses doigts,
> Que ne sauraient laver tous les flots de l'abîme
> Ni cacher la pourpre des rois.
>
> Elle est là, voyez-vous, sur la scène tragique,
> Devant les peuples assemblés ;
> Elle a frémi, malgré sa raideur énergique ;
> Sa tête et son cœur sont troublés.

Ce qu'elle dit, c'est le rêve funeste où toujours elle voit cette tache de sang, c'est la haine à laquelle elle se voue. Mais,

> Sur ton front dur et froid où l'envie est écrite,
> Sur ton cœur avide et cruel,
> On voit distinctement, meurtrière hypocrite,
> Némésis planer dans le ciel.

Il tombera sur toi, le glaive inévitable !
O le brusque et tranchant éclair !
Ton orgueil colossal, sous le choc formidable,
Croulera dans le gouffre amer.
Va ! le destin vengeur fait son coup de théâtre
N'importe comment, n'importe où !
Contre Goliath, David n'eut besoin, l'humble pâtre,
Que d'une fronde et d'un caillou.

L'abrupt et vieux promontoire austral sera pour les
républicains le cap de Bonne-Espérance ; mais pour
les écumeurs anglais, qu'il redevienne le sombre cap
des Tempêtes !..

Pays du trafiquant, pays du mercenaire,
Qu'on voit saigner déjà, qu'on sent déjà pourrir,
Comme a péri Ninive aujourd'hui solitaire,
Comme ont péri Babel, Sidon, Carthage et Tyr,
Tu vas déchoir, tu vas périr, vieille Angleterre.

Non, les mercenaires, les valets des lords ou des bour-
reaux n'ont pu vaincre... C'est donc vrai, ils crient
leur victoire ! Ils étaient vingt contre un : victoire
abjecte, de raccroc ! Ah ! la ville et la cour triomphent,
et la foule danse, ivre, bestiale...

Chantez, riez, soyez joyeux, dansez la gigue,
Adorez le veau d'or et les biens qu'il prodigue,
Pavoisez le bazar ;
Et puis mangez, buvez, messieurs de la coulisse !
Mais j'ai grand peur pour vous que cela ne finisse
Comme chez Balthazar.

Parmi eux :

Quel émule de Dante et de Victor Hugo,
Levant d'un bras nerveux le fouet de la satire,
Accouplera, pour les flétrir, pour les maudire,
L'honnête Chamberlain et l'honnête Iago ?

Cependant le patriote du monde encourage les Burghers :

Vous la connaissez bien, l'implacable ennemie
Qui n'hésita jamais à faire une infamie,
          A verser un poison,
A glisser un poignard dans la main d'un sicaire,
Soit dans l'ombre à Moscou, soit en plein jour au Caire,
          Pour dorer son blason...

Mais ce qu'assurément vous savez mieux encore,
Ce qui dans vos grands cœurs luit, clair comme l'aurore
          Sur les sommets neigeux,
C'est que rien ne prévaut, quoi qu'on ait de science,
Ni trésors, ni canons, contre la conscience
          D'un peuple courageux...

Vous n'avez pas besoin de roi, ni de prophètes ;
Rien ne vous a domptés, menaces ni défaites,
          Rien ne vous domptera.
Allez, et vous vaincrez, aidés par vos compagnes,
Comme Israël jadis descendant des montagnes
          Où chantait Débora !..

Triomphez ! redressez la conscience humaine,
Qu'ont faussée à l'envi le mensonge et la haine
          Par le feu, par le fer !
Rappelez à la France, en votre espoir vivace,
Ce qu'elle fut aux jours de magnanime audace,
          Ce qu'elle était hier !

Livrez pour tous le grand combat expiatoire !
Même quand vous seriez trahis par la victoire,
          Vous n'auriez pas en vain
Montré qu'on peut, malgré la fortune contraire,
Affronter le plus fort, punir le téméraire,
          Et l'ébranler enfin

Si, frappée en vos rangs, la Liberté succombe,
On aura beau creuser profondément sa tombe,
            Nous la verrons demain,
Soulevant au soleil la pierre sépulcrale,
Ressusciter, planer, sublime et triomphale,
            Une palme à la main.

On célèbre, on vante les sinistres marchands et
boursiers qui triomphent. Patience... Déjà, dans la
verte Erin, s'entend un chant de délivrance. Et partout, alerte contre la pieuvre, perfide, sournoise, vorace ! Vous, Shakespeare, Milton, Byron, Shelley,
venez, et voilez d'un long deuil la poésie anglaise. —
Ah ! cet ennemi, s'écrie le justicier, c'est toujours le
peuple du mensonge, du brigandage, la vieille tribu de
Caïn, opposant son seul droit à celui de l'humanité...
Ecoutez sur l'Angleterre cette vérité terrible, soudain
révélée à nos esprits qui tâtonnaient encore :

Venue, hélas ! trop tard pour traîner au Calvaire
            Et pour crucifier ce Dieu
Auquel tu rends un culte et dont tu voudrais faire
            La parade cachant ton jeu,
Tu t'en es consolée, enfin, par les deux crimes
            Qui, depuis la mort de Jésus,
Sont les plus grands forfaits qu'en ses plus noirs abîmes
            La démence humaine ait conçus.

C'est le lâche assassinat de la plus divine femme de la
terre, cette pure et héroïque Jeanne Darc ; et c'est
l'étranglement fourbe d'une aurore de justice et de liberté : la Révolution française.

O sombre nation transformée en furie
            Au gré d'un renégat subtil,
Jusqu'où veux-tu mener cette longue tuerie,
            Quels nouveaux charniers te faut-il ?

Telle est ta vanité que, mordant à l'amorce
 Brutalement, sans réfléchir,
Tu te crois tout permis par le ciel, ruse ou force,
 Pour t'engraisser, pour t'enrichir ;
Et tourbe de marchands sans élans magnanimes,
 Ramassis de gens bien vêtus,
A tes seigneurs tu dis : « Commettez tous les crimes !
 Moi, j'aurai toutes les vertus ! »
Mais on sait le défaut de ta lourde cuirasse ;
 On te raille où l'on te louait ;
Sous ta lèvre pieuse on voit ta dent vorace ;
 Toute l'humanité te hait.
Toute l'humanité sent, à l'heure qui sonne,
 Que ton cynisme a peur, qu'il ment ;
Et comme tu ne fus clémente pour personne,
 Personne pour toi n'est clément.

Là-bas, s'écrie le poète que saisit une émotion profonde et imposante :

 Là-bas, la pauvre mère, en couchant sa couvée,
  Dit à son benjamin, le soir,
 Que tout s'achèvera comme un conte de fée ;
  Il s'endort, bercé par l'espoir :
 Oui, l'ogre a beau courir, enjamber les mers bleues,
  Cheminer par vaux et par monts,
 Et vous poursuivre, avec ses bottes de sept lieues,
  Chères têtes que nous aimons ;
 Il ne parviendra plus à manger la chair fraîche !
  A la fin, le petit Poucet,
 Brave, léger, malin, de tout bois faisant flèche,
  Triomphera, comme on le sait ;
 Et de loin tu verras, toi, la prudente Europe,
  L'ogre, frappé de cécité,
 Fuir dans l'ombre à tâtons, pareil au noir cyclope
  Que le vieil Homère a chanté.

Est-il nécessaire d'indiquer qu'en ce recueil, comme dans celui d'*En Mémoire d'un enfant*, il ne reste rien du Romantisme ni de son correctif : le Parnasse ? Que la forme soit belle, c'est tout ce que nous en exigeons aujourd'hui ; mais qu'importe qu'elle soit de telle ou telle époque ? A l'âge où parvient la race française, ce qui compte, c'est la somme d'idées de son passé, et leur réalisation définitive dans le présent et l'avenir. Or, ce livre des *Gueux d'Afrique*, il serait superflu d'en vanter la forme, tandis qu'il faut insister sur son objet, et montrer qu'il occupe, d'un mouvement absolu, la place qui lui revient dans les lettres d'aujourd'hui. Un des plus majestueux aspects de la littérature du xxᵉ siècle, c'est la grandeur épique, la beauté lyrique de la justice humaine et sociale. Elle chante pour le peuple, et c'est le peuple qui chante en elle.

Regardez en face la pensée d'Emile Blémont, en son automne vigoureux et fructueux. Quand elle était liée encore à la tradition strictement française, elle se donnait pour but de ranimer le patriotisme républicain par des poèmes tirés immédiatement du creuset de la Révolution. Maintenant que la douleur a coupé le lien, maintenant que cette pensée plane sur l'univers, elle veut chanter, elle chante non pour le peuple de France, mais pour un peuple du Monde. Les influences tombent comme un manteau gênant aux pieds du poète. C'est l'âme seule qui devine, le cœur seul qui souffre, l'esprit seul qui commande : rien que l'homme, mais tout l'homme, à qui rien d'humain n'est étranger. Cherchez dans le passé : vous ne trouverez pas l'équivalent de cette protestation poétique. Dante brandis-

1900

sait un glaive emporté de Florence, et Hugo dressait
une torche emportée de Paris : ils restaient de leur
pays. C'est une race d'Europe qui n'est pas sa race,
c'est un peuple du Monde qui n'est pas son peuple,
que défend le courroux justicier de l'auteur des
Gueux d'Afrique. Ce livre est unique ; s'il eut des précurseurs, il est le premier, en ce genre, et pour son
ampleur, et pour sa portée universelle. Il appartient
tout entier à la poésie et aux idées du xxᵉ siècle.

« Natures généreuses, c'est-à-dire natures poétiques,
vous êtes les gardiennes du feu sacré de l'humanité... »
déclara *la Paix* du 12 juin. Emmanuel des Essarts
(*Moniteur du Puy-de-Dôme*, 11 août, et *Revue du siècle*,
Lyon) disait : « ... Ce noble recueil fait honneur à la
poésie et à la conscience humaine... » — De Benjamin
Nicoleau (*Cosmos*, Amsterdam, novembre) : « ... Ce
volume est un étonnement, et les délicats en savoure-
ront l'exquise noblesse.. » — Emile Pouvillon écrivit :
« Bien cinglé, bien flagellé, bien fustigé ! J'ai eu à vous
lire une grande joie d'homme et d'artiste. » Et Paul
Meurice : « Vous avez été noblement et grandement
inspiré, mon cher poète, avec une indignation superbe. Vous avez été vraiment cet « émule de Dante et
de Victor Hugo » que vous appelez... »

Ce livre fut jugé téméraire par les officiels. Oser dé-
noncer l'Angleterre !.. Mais d'autres personnes, dont
l'auteur parfois connaissait simplement le nom, lui
dirent qu'il avait fait preuve d'un rare courage civique, et que c'était l'acte le plus haut, le plus généreux, le plus méritoire de son existence. Des journaux
gardèrent un prudent silence, tandis que d'autres re-

produisirent, presque jour par jour, toutes les pages du volume. Et les poèmes furent dits en maintes solennités. Notons que le livre se vendait au profit des blessés du Transvaal et de l'Orange.

Le 25 juin 1900, le banquet de la société d'alliance latine l'*Alouette*, présidé par Blémont, se termina par un hommage enthousiaste à l'héroïsme des Boërs. Les vers des *Gueux d'Afrique* furent dits ou lus, Paul Romilly communiqua un sonnet dédié à Emile Blémont, et celui-ci porta un toast à l'indépendance des deux Républiques sud-africaines : « ... Quelques amis me dissuadaient de publier *les Gueux d'Afrique*. Pourquoi, m'objectaient-ils, consacrer votre temps et votre peine à défendre une cause juste mais perdue ? — Comme si on perdait jamais son temps et sa peine à défendre une cause juste ! Une cause juste n'est jamais une cause perdue. La plus triomphale conquête, la plus solide en apparence, est essentiellement précaire, profondément instable, quand elle n'a point pour base la justice ; et elle est inévitablement destinée à disparaître, dès qu'un grand souffle monte du fond des âmes... Gardons la vieille devise des Gueux : « Ne désespérer de rien ! » L'avenir est au plus digne. L'avenir, ne pouvant justifier la force, fortifiera la justice. Ayons confiance en ce qui mérite la foi. Si humble et si malheureux que soit un peuple, ce n'est jamais en vain qu'il fait preuve de toutes les vertus vitales, ce n'est jamais en vain qu'il est sublime. »

Le docteur A. Heymans, secrétaire particulier par intérim du président Kruger, transmit les remerciements de ce dernier à Blémont, le 23 juillet 1900, de

Watervol (Républiques sud-africaines). Le 1er décembre
suivant, le président Kruger lui écrivit personnellement : « Je vous remercie du témoignage de sympathie
cordiale que vous m'avez donné. Ces marques chaleu-
reuses d'intérêt me sont particulièrement précieuses.
Elles me réconfortent, ainsi que mon peuple, dans la
lutte suprême que nous soutenons au nom du droit et
de l'humanité. » Emile Blémont alla voir à l'hôtel
Scribe M. Kruger, de passage à Paris, et lui serra la
main avec une profonde émotion ; et comme le président ne savait pas le français ni Blémont le hollandais, les paroles qu'ils échangèrent furent dites en anglais. Ironie du destin !

Au Congrès des Traditions populaires tenu à Paris,
pendant l'Exposition de 1900, Emile Blémont lut une
remarquable étude sur *la Tradition poétique*. Cette
même année, il collabora, par un sonnet, au *Livre d'or
de Remy Belleau*, édition du monument ; et Léon Boc-
quet, dans *le Beffroi* (Lille, septembre-octobre). publia
une bonne étude sur son œuvre, avec un portrait da-
tant de 1870, un autre en sergent fourrier (1871), dû à
Félix Régamey, et la reproduction du *Coin de Table*
de Fantin-Latour. « Il en est peu qui l'égalent
dans la fraîcheur suave de la description, disait Boc-
quet, et il est notre véritable poète national. Chose
sans précédent, il a su faire chanter dans ses vers,
avec une puissance lyrique également éloignée de
l'enflure ou de la platitude, la franche poésie républicaine... »

Les *Archives de la Société des collectionneurs d'ex-
libris*, en décembre, publièrent, avec une biographie et

une liste de livres parus. l'ex-libris d'Emile Blémont
par J. van Driesten : « Une tige portant trois épis de
blé, émergeant du sommet d'un ovoïde simulant un
mont, et comme fond, un champ de blé et des bouquets d'arbres, au-dessus desquels rayonne un soleil
levant. » (L. Bouland). — Je rappelle aussi la biographie de Blémont, par Joseph Uzanne, dans l'*Album
Mariani :* « ... Il est de ceux vers qui il est bon de revenir après les pires excursions dans la littérature. Sa
poésie ressemble à ces sources vives que recherchent
les voyageurs lassés des breuvages artificiels. »

En janvier 1901, Emile Blémont fonda *le Penseur*,
avec Daniel de Venancourt. Ce titre répond bien à
l'état de plénitude et de clairvoyance atteint par la
pensée du poète ; et sa proclamation au premier jour
de ce xx⁰ siècle qui réclame tant d'éléments d'organisation à la philosophie, à la science, à l'ordre encyclo-
pédique, est significative.

Michel-Ange, sur le Tombeau de Laurent de Médi-
cis, a placé un Penseur dont la posture, l'attitude et le
regard forment un ensemble d'une gravité simple qui
force le silence autour d'elle. C'est cette gravité, plus
profonde, plus consciente encore, qui doit dominer
dans la pensée actuelle ; et c'est elle que je distingue
désormais dans la pensée de Blémont. Elle a mis des
années et des écrits et des actions à s'y imposer. Plus
l'œuvre suprême où l'on s'en va est haute et large,
plus il faut de temps et d'efforts avant de l'atteindre,
que dis-je ? avant même d'en avoir la vision précise.
Les sentiments épars et vifs de Blémont à ses débuts,
s'étaient rassemblés un jour dans la meilleure voie

poétique de tous les temps : la nature ; puis dans la meilleure voie sociale de notre temps : la Révolution française. Avide de connaître l'avenir, il avait sondé d'abord la tradition ; puis, la douleur mûrissant lentement les fruits spontanés et ceux du savoir, il s'était haussé à prendre le parti de l'Humanité en défendant un peuple étranger. Et qu'y a-t-il au-dessus de l'Humanité ? Le mystère, l'éternel, l'infini. C'est là que la connaissance des sentiments et des hommes, la réflexion hardie, l'audace prudente, le sens critique des comparaisons, le choix de plus en plus marqué de l'essentiel dans les productions de l'esprit, la culture en étendue et en profondeur de l'observation idéale, l'exercice du jugement des cœurs et des actes, toute une science expérimentale, venant à l'aide de la primordiale inspiration, ont conduit cette pensée. C'est à la compréhension des lois supérieures.

A quoi tient l'amour

Un esprit toujours tendu manquerait le but, aussi malheureusement qu'un cerveau trop relâché. Il est bon de sourire, et je crois même que les plus grands penseurs sont pris parfois des plus naïves gaîtés, bien qu'ils n'en conviennent guère. J'aime donc, après l'explication précédente, enregistrer les dix sonnets que Blémont donna dans la *Revue hebdomadaire* du 30 mars 1901, sous le titre : *Ali, sonnets à mon chat*. Ce sont d'alertes et souples tableautins, finement observés ; certes, un de ces doux compagnons de l'homme méritait bien son poème :

Malgré l'orgueil humain, ce masque de misère,
Rien n'est encor si bon que la bonté sincère.
Donc, afin d'oublier le sort et tous ses maux,

Afin de retrouver les candeurs de l'enfance,
Acceptons l'amitié des humbles animaux
Qui n'ont pas d'ironie et de qui rien n'offense.

Jules Kienlin publia, avec un portrait et de nombreuses citations bien choisies, une étude sur *Emile Blémont* dans *la Revue d'Europe*, qui en édita un tirage à part (mai 1901.) Il y disait : « Son œuvre compte aujourd'hui parmi les titres de gloire les plus purs de la littérature française... Il est intéressant de noter toutes

les étapes de cette pensée puissante et prophétique...
Ses livres sont comme le bréviaire du beau ; le poète
leur a soufflé sa grande âme éprise d'humanité, faite
pour consoler et guérir, pour inspirer la générosité et
l'amour... Comme Hugo et Michelet, le poète aime la
France et la liberté par dessus tout; et comme eux, en
se faisant l'interprète de l'âme française, il a su être
l'un des maîtres de notre langue. Après eux, il a été et
restera le guide sûr et fort de la jeune génération républicaine. »

Dans *le Mouvement poétique français de 1867 à 1900*,
par Catulle Mendès, je note : « ... Emile Blémont en-
treprit presque solitairement son œuvre, en un éloignement de toute notoriété facilement acquise, et la
continue en une tranquillité de douleur à l'écart et de
pensée qui ne se mêle pas à la vie. » — L'action ne
consiste pas à faire grand bruit parmi ses contemporains, mais à les diriger, eux et leurs successeurs,
dans les meilleures voies, par des efforts sages et éner-
giques accomplis d'accord avec la pensée conscien-
cieusement élaborée ; et à ce compte-là, Blémont est
un des écrivains qui se sont le plus mêlés à la vie.

Un luxueux album édité chez L. Danel, à Lille, rendit compte de la Grande Fête septentrionale donnée en
matinée à l'Opéra-Comique, le 9 décembre 1901, par
l'Association amicale des Enfants du Nord et du Pas-
de-Calais (la Betterave); il comprenait, entr'autres
ouvrages inédits, *Roses rouges*, comédie historique en
un acte, par Emile Blémont et Jules Truffier, avec
musique de scène de J. Tiersot, et une notice biographique d'Ernest Laut sur Blémont, où je lis : « Il a

double droit de tenir sa place en ce Livre d'Or septentrional, et par son talent de poète et d'auteur dramatique, et par les services rendus à la cause du Nord... »

Il fut un des organisateurs des Fêtes du Centenaire
de Victor Hugo. Le dimanche 23 février, il présida, à
la mairie du 16e arrondissement, la grande Matinée
d'inauguration de la Société « les Hugophiles », dont
il est vice-président d'honneur. Il fut présent à la représentation de l'Odéon offerte par l'Etat aux Ecoles
le 25, représentation pour laquelle il avait composé *les
Litanies de Victor Hugo*, dites par neuf artistes, et re-
prises en chœur par toute la salle. Ce poème est un
fervent et fidèle souvenir, « un religieux, éloquent et
touchant hommage, » écrivit Auguste Dorchain à l'auteur ; « ... d'une sobriété puissante et d'une pensée
profonde, » marqua Emile Straus dans *la Critique*
(mars). — Le lendemain (27 février), Blémont assista à
la cérémonie du Panthéon, à l'inauguration du Monument place Victor Hugo, solennité essentielle du Centenaire, et à la reprise des *Burgraves*. Le 27, il fut au
Festival des Etudiants, dans le grand amphithéâtre de
la Sorbonne, et à la soirée de l'Hôtel de Ville ; enfin,
le dimanche 2 mars, au Banquet des Poètes dans la
grande salle de l'Hôtel Continental, et à la fête diurne
et nocturne de la place des Vosges.

La Presse lui demanda ses impressions qui furent
relatées dans le numéro du 4 mars : « ... Sans distinction d'opinion politique, tous les partis se sont unis
dans une commune admiration ; nous avons eu la
Trêve du génie. » A l'occasion du Centenaire, Blémont
publia dans les journaux diverses études : *Victor Hugo*

et l'Immortalité sélective, Victor Hugo et les Nations, le Poète de la Bonté. A ces solennités se rattachent aussi deux livres dont les éléments ont été réunis et coordonnés par lui, pour Paul Meurice qui les fit éditer : *le Centenaire de Victor Hugo,* relation des Fêtes, comprenant les *Litanies,* parues d'autre part chez Lemerre ; — *la Couronne poétique de Victor Hugo* (chez Fasquelle), recueil des poèmes adressés à Hugo ou écrits en son honneur. Les poésies de ce recueil vont de 1817 à 1902. C'est un précieux document d'études littéraires : on y a le chef romantique vu dans le miroir de l'opinion des poètes du xixe siècle. Emile Blémont est représenté personnellement par six poèmes.

Un autre recueil, *Victor Hugo par le Bibelot,* donna les six vers de Blémont dont le manuscrit photographié servit de légende à la carte postale offrant le portrait de Hugo gravé par Legénisel :

C'est le grand vieillard paternel
Couronné de neige sublime.
C'est l'âme auguste. C'est la cime,
A jamais dressée en plein ciel,
D'où s'épanche un fleuve éternel
De bonté pure et magnanime.

Après avoir soldé toutes les dépenses du monument inauguré le 26 février 1902, Emile Blémont put remettre à Paul Meurice soixante-quinze mille francs, qui servirent à couvrir les frais d'aménagement en musée de l'ancienne demeure de Victor Hugo, Place des Vosges. Meurice aurait préféré la maison de Passy, où est mort le Maître ; mais le propriétaire en deman-

dait cinq cent mille francs. Une heureuse idée vint à
Blémont : celle d'installer le musée dans le bâtiment
de l'ancienne Place Royale, qu'avait habité Hugo de
1833 à 1848. Ne serait-il pas bon que Victor Hugo fût
représenté, là par le monument, ici par le musée ?
Meurice ne se laissait pas convaincre. Alors, Blémont
se rendit, seul, Place des Vosges ; il apprit que l'immeuble, occupé par une école primaire, était propriété
municipale ; il alla à l'Hôtel de Ville, y acquit la certitude qu'on pouvait s'entendre avec la municipalité
pour le déplacement de l'école, l'aménagement à faire
et le régime à établir. Il réussit enfin à emmener Paul
Meurice place des Vosges ; et Meurice fut enthousiasmé par l'aspect imposant de l'édifice, qui lui rappelait de si beaux souvenirs de jeunesse. La cause
était gagnée.

Blémont a fait don au musée de quelques objets,
entr'autres : un tableau de Joseph de Nittis, *la Grisette*,
inspiré par des vers de Hugo ; six grandes et curieuses
gravures coloriées, sous cadres de l'époque, représentant des scènes de *Notre-Dame de Paris* ; un buste, en
biscuit blanc, de Victor Hugo, et une photographie de
Hauteville-House, par Adolphe Pelleport, montrant la
famille Hugo groupée dans le jardin, autour du bel
aloës en fleur. Un quatrain de Pelleport, qui n'a pas
été recueilli dans son livre posthume, *Tous les Amours*,
sert de légende à cette dernière image :

> Fleurir,
> Mourir,
> Peut-être
> Renaître !

Emile Blémont fut un des premiers souscripteurs de la statue de Victor Hugo inaugurée à Rome le 6 mai 1905, pour laquelle le sculpteur Lucien Pallez le consulta. Il rêve d'autres effigies du Maître à Guernesey, Madrid, Athènes. Je rappelle encore qu'il a donné de nombreuses études sur les ouvrages de Hugo publiés depuis la fête de 1881, des impressions spéciales sur les autres livres, la vie, la correspondance. On a souvent annoncé qu'il écrivait une *Histoire de Victor Hugo* : tel est, en effet, le titre de l'ouvrage qu'il espère pouvoir achever. et pour lequel il a accumulé les documents les plus divers.

En mars 1902, je commençai ma campagne littéraire par une *Enquête sur la Littérature*, à laquelle Blémont répondit : « ... Les anciennes lois littéraires ne subsistent plus qu'à titre d'indications expérimentales et de conseils aux débutants. Toutes les entraves sont abolies. Qu'on marche donc en avant vers le prochain idéal ! » Quand ma brochure parut, il m'écrivit :

« Paris, 7 juin 1902.

« Mon cher confrère,

« Je m'empresse de vous remercier pour votre bienveillant envoi, et de vous féliciter pour votre excellent travail.

« L'*Enquête sur la Littérature*, menée à si bonne fin par vous au printemps de 1902, restera le point de départ d'une nouvelle et généreuse évolution poétique.

« Cette évolution ne pouvait débuter sous un meilleur parrainage.

« Votre bien dévoué,

« EMILE BLÉMONT. »

Il avait répondu le premier à mon enquête, et sa lettre fut la meilleure qu'elle suscita : je fus vivement touché de ces deux témoignages où je vis autant de sympathie que de vaillance. Je voulus connaître mieux l'œuvre de cet homme de bien et de talent ; et dès lors, la présente étude fut décidée.

Cette même année, Blémont collabora à l'*Indépendance belge*, et à *Cosmopolis* (1902-1903). Il contribua, par une page de prose, au *Tombeau de Louis Ménard*. Il écrivit la préface de *l'Amour des bois et des champs*, d'Antony Valabrègue (Lemerre) ; il y faisait revivre Valabrègue, en un portrait familier, de touches nombreuses et fines, et analysait l'œuvre à fond, quoique rapidement.

Il fut un des membres les plus actifs du Comité pour le buste de Gabriel Vicaire, qui avait débuté à *la Renaissance*. Le 20 octobre 1902, Francisque Allombert, député de l'Ain, président du Comité, lui écrivit : « Vous avez été notre conseil, notre guide, et vous vous êtes contenté — vous qui auriez dû nous présider — d'être le membre du Comité le plus assidu, le plus fidèle, le plus dévoué... » Quand le buste, œuvre d'Injalbert, fut inauguré au Luxembourg, le 23 octobre, Blémont, au nom de Jules Claretie empêché et en son propre nom, prit la parole : « ... Vicaire a chanté les bonnes fées qui lui avaient fait ce don incomparable, ce don magique : le charme... Autour de ce buste si ressemblant, si vivant, flottera sans fin, désormais, un rêve d'amour délicieux et léger, que ne pourront flétrir ni glacer les automnes ni les hivers... »

Le 1ᵉʳ mars 1903, à la solennité de la Sorbonne pour

le centenaire d'Edgar Quinet, des chœurs et un orchestre exécutèrent l'*Hymne à la mémoire d'un Penseur*, composé spécialement par Julien Tiersot sur un poème d'Emile Blémont et Charles Jarrin, aux strophes pleines et fortes, de noble allure.

Par arrêté du Préfet de la Seine, du 13 mars 1903, Blémont fut désigné pour faire partie du Comité consultatif de la Maison de Victor Hugo »; ce musée de la Place des Vosges, qui lui doit en bonne partie d'exister, fut inauguré le 30 juin 1903.

Le Comité du Monument à Gavarni avait demandé un Prologue à Blémont, pour la représentation au bénéfice de la souscription. Le peintre Gérome, président du Comité, lui écrivit : « ... Les vers sont tout à fait agréables, bien faits, spirituels ; ils peignent d'après le vif l'époque et surtout l'esprit de l'époque où vivait Gavarni... » Le poème fut dit à la représentation du 23 mars 1903, à l'Opéra-Comique, par Mlle Marie Leconte, du Théâtre-Français, et l'actrice y eut une ovation. Gavarni !

> . . . . .
>
> Nom sonore et crâne, élu par l'artiste
> Qui sut effeuiller d'un coup de crayon,
> Sur un siècle noir au costume triste,
> La fleur d'allégresse où danse un rayon !..
>
> D'un sage et d'un fou combinant l'étoffe,
> Poète à son heure, un peu carabin,
> Comme Figaro s'il est philosophe,
> Il est amoureux comme Chérubin...

Gavarni parut chez Lemerre. « Vous nous l'avez rendu d'une plume aussi précise que fut son crayon, écrivit

Franc-Nohain, avec la même inspiration délicate, la même légèreté de touche... » — et Gaston Deschamps : « Gavarni est entré chez moi, ce soir, spirituellement annoncé et commenté par vos rimes pimpantes... » Emile Hinzelin, dans *la Lorraine*, publia : « Voilà Gavarni illustré par un poète ; et quels traits, d'une justesse exquise !... » — Le monument fut inauguré, place Saint-Georges, le 3 décembre de l'année suivante.

En mai 1903, parut A quoi tient l'Amour, recueil de petits romans que suivent des *Contes de France et d'Amérique* (chez Lemerre). — *Lucile Fraisier* nous reporte au temps de la guerre ; elle aime André Jorre et refuse François Rouillon, quoique celui-ci tienne les parents de la jeune fille par une créance. André rejoint son régiment. Les Prussiens arrivent au pays, repoussent les francs-tireurs et s'emparent de Rouillon, qui, pour sauver sa vie, dénonce trois hommes. Ils sont fusillés, en une scène poignante. Après la guerre, Rouillon, las d'attendre, commence les poursuites contre le père de Lucile ; mais André revient, peut rembourser ; et cela au moment où Rouillon, dont le crime vient d'être révélé, est arrêté, condamné et fusillé. Récit absolument dramatique. L'émotion jaillit des faits, de certaines phrases, et ne vous quitte pas ; et c'est simple, comme on raconte : une grande nouvelle parfaite. — *Le Mariage d'Octave* est l'amusante historiette d'un gauche cousin que n'aimait pas sa rieuse cousine, mais qui fut soudain aimé d'elle pour avoir été rencontré en compagnie d'une grisette. — *La Demoiselle du moulin*, aimée, lors du siège de Paris, par un lieutenant allemand, le refuse, parce qu'allemand ; et comme elle l'aimait aussi, elle en meurt. — *Par une nuit de neige* est un souvenir de douloureuse fin d'amour. — *La Strellina*, la dernière maîtresse avant le mariage, est d'une gaîté italienne pittoresque. — *La Vieille au chien noir* : aventure amoureuse du Quartier-Latin, avec un brin de frisson superstitieux — *La Désespérée* : histoire londonienne d'une sentimentalité tragiquement excentrique. — *Une vraie Française* : c'est une jeune fille qui rompt ses fiançailles avec un riche commerçant pour épouser un officier, cependant que le richard fait un mariage de raison ; le tout, orné d'incidents vivement contés, va bien avec les tempéraments divers ; et cela devrait toujours se passer ainsi ; on verrait moins de désaccords au foyer. — On retrouve dans ces récits la sève de la bonne prose française.

Les *Contes de France* sont surtout des descriptions de mœurs, d'aspects. *Le Jeune Alexis* est une histoire légère, captivante et fine, des dernières années de Louis XIV. — *Nouvelle manière de coller les timbres-poste* : elle fut innovée par une dame, utilisant, pour cette opération, la langue de sa femme de chambre. — *La Veillée* est un bon tableau, complet, d'intimité, avec fables et légendes : l'écriture est savoureuse ; et écoutez ce bon cri de la fin : « O sainte simplicité, veillées du soir, refrains naïfs, calme des villages, bonne odeur des fagots, contes toujours les mêmes et toujours amusants, rires francs et honnêtes médisances ! Peut-être valez-vous mieux encore que les propos des valseurs bien gantés et que toutes les représentations du grand Opéra. » — *Ernest, coiffeur*, que nous avons signalé lors de sa publication dans *Paris à l'Eau-forte*. — *Le Péché*, spirituel discours sur la psychologie comparée des pêcheurs et pécheresses suivant les âges. — *Un Fantaisiste* : fantaisie quelque peu macabre. — *Sœur Sainte-Ursule*, où l'on voit le malheur d'une femme et de sa fille causé par la paresse et l'ivrognerie du père. — *La Foire de Ménilmontant*, esquisse pittoresque de lutteurs et de saltimbanques. — *La Messe des anges*, celle qui se dit sur le cercueil des petits enfants, touchante et douloureuse étude donnée d'abord dans *la Renaissance*, que semble avoir inspirée à Blémont la mort de son fils, mais que, par une sorte de mystérieux pressentiment, il avait écrite quelques années plus tôt, devant le deuil d'un autre père. — *Les Derniers jours de Pécuchet* terminent la série. C'est le Pécuchet de Flaubert, retrouvé sur la montagne Sainte-Geneviève ; il y est écrivain public, ce qui permet un amusant et fin chapelet de réflexions sur les avatars des idées et des opinions.

Le volume s'achève par les *Esquisses américaines*, d'après Mark Twain, que nous a déjà fait connaître une première édition spéciale.

Toutes ces nouvelles ou esquisses de mœurs parurent d'abord en des journaux et revues ; l'auteur y date celles que des confrères peu scrupuleux démarquèrent fructueusement. Voici plusieurs appréciations. E. Ledrain *(Illustration)* : «... Il y a là quelques petits chefs-d'œuvre, parfaits sans effort, et d'une grâce attendrie, qui ne peuvent manquer de délecter les lettrés et les âmes délicates... » — Paul Maison *(la Picardie)* : « Ah ! le beau livre, qui charme de la pre-

mière à la dernière ligne ! De la fantaisie, du trait, de
la vivacité, parfois une simplicité émouvante, telles
sont les moindres qualités de l'œuvre ; elle représente
de façon unique, dans toute sa légèreté et sa finesse, la
tradition de l'esprit français... Et surtout je voudrais
que personne n'ignorât ces pages de *la Messe des
Anges*, où un poète, où un philosophe, où un père a
mis toutes les délicatesses, toutes les émotions, toutes
les mélancolies d'un cœur, hélas ! cruellement blessé. »
— Eugène Hoffmann (*Publicateur des Côtes du Nord*) :
«... On trouve là des descriptions délicieuses de nature,
des paysages brossés avec une *maestria* rare, en un
style d'une gracieuse précision, d'une jolie netteté.
Sous la fraicheur pittoresque des décors, pris sur le
vif, on sent un poète à la vision délicate, que frappe
l'harmonie des choses, et qui sait souligner les traits
saillants d'un caractère ou d'une figure... » — Daniel
de Venancourt (*le Penseur*) : «... Quels qu'ils soient,
plaisants ou tragiques, faisant sourire ou faisant
pleurer, les personnages possèdent une existence profonde ; ils sont humains, ils sont vrais. Dans l'atmosphère et le décor appropriés à chacun d'eux, leur
image est dessinée par des lignes définitives et peinte
avec d'ineffaçables couleurs. Plus d'un mériterait
d'être pris pour un des caractères de ce temps. Tous
ensemble, ils constituent une puissante expression de
la vie même ; ils évoquent l'humanité sous ses jours
différents, dans la multiplicité merveilleuse et poignante des sentiments et des passions. » — Comtesse
Lœtitia (*Simple Revue*) «... Il serait superflu de louer
le mérite littéraire d'une prose à travers laquelle on

retrouve toutes les qualités poétiques d'un auteur désormais classique. »

Blémont écrivit la préface des *Histoires échevelées* de Florian Parmentier (Théry, Valenciennes). C'est l'impression ressentie à la lecture du livre, qui lui rappelle « les jours printaniers où son excellent ami Tancrède Martel lui dédiait une des pages les plus hautes en crinière de ses *Poëmes à tous crins*, à savoir la Ballade sur un thème cher à Villon et à Banville ».

Bastia, voulant placer un souvenir sur la maison où Victor Hugo, six semaines après sa naissance, fut amené par sa famille, s'adressa à Blémont, dont la réponse explicative fut insérée au *Petit Bastiais* du 8 juillet 1903. Cette maison est située dans la citadelle. Les Bastiais demandèrent avec insistance à Blémont une inscription en vers, et il leur adressa les rimes suivantes :

> Ici Victor Hugo vécut ses jeunes ans ;
> Le grand maître du verbe en ce vieil édifice
> Vit le ciel bleu sourire à ses premiers accents ;
> Fils de la France, il eut la Corse pour nourrice.
> Ici fut son berceau : découvrez-vous, passants !

Antoine Gallet consacra une de ses chroniques de *la France* à Emile Blémont (1er octobre 1903) ; il y disait : «... Sur toute son œuvre, descriptive, combattante ou héroïque, il court de la beauté, de la tendresse et de l'amour... » Le 29, Léon Riotor, au *Rappel*, écrivait : « Figure amie, et douce, et tendre, que celle de cet écrivain... M. Antoine Gallet le classe dans ses Chasseurs de chimères *(la France)*. Il pourrait le ranger aussi parmi les probes et les honnêtes. De cette vie

tranquille rien ne s'élève qui soit discordant... Et toujours je l'ai retrouvé avec la jeunesse, apportant les
fruits de l'expérience, les enseignements d'une sagesse
longuement conquise... Il a des qualités qui lui
gagnent les cœurs sensibles, parce qu'on y découvre
le dédain des glorioles vaines et le sincère espoir du
poète qui ne cultive que la beauté... »

Je consacrai, vers le même temps, un chapitre de
mes *Ecrivains d'hier et d'aujourd'hui* à Emile Blémont.
Déjà je l'y indiquais entrant de plain-pied dans la
poésie du xxe siècle, au moins par ces deux recueils :
En mémoire d'un enfant, les Gueux d'Afrique. Et je con-
cluais : « Que les poètes célèbrent, ainsi que lui, ces
autres peuples faibles ou désarmés que des puissances
criminelles égorgent par le monde depuis quelques
années ; et le rouge de la honte montera peut-être enfin
au visage, la coupable indifférence fera place à de
généreuses croisades, les nations meurtrières tremble-
ront, la guerre humaine s'apaisera comme s'apaisaient
les fauves au son de la lyre d'Orphée ; — et l'ère de la
paix divine, si longtemps annoncée, peut-être enfin
s'ouvrira. »

La Presse du 27 décembre publia : «... Le poète
Emile Blémont a soufflé aux Girondins que Léon
Valade méritait bien un buste à Bordeaux, sa ville
natale. » Et Jules Truffier, dans *les Annales* du 14 février 1904, évoqua certaine collaboration de Blémont
et Valade, le long de la côte normande : «... Chemin
faisant, ils sentaient se mêler à leurs vers l'âme de ce
bon terroir. Quelque ami les accompagnait parfois,
Pierre Elzéar ou Camille Pelletan ; si bien qu'un jour

ils purent voir, dans l'aurore, le futur ministre de la marine sortir tout ruisselant de l'écume des flots. » Sous l'inspiration de Blémont, l'Association girondine de Paris ouvrit, en mars, une souscription pour ériger dans le Jardin public de Bordeaux une effigie commémorative de Valade. Le Grand-Théâtre de Bordeaux donna, le 3 juin, une représentation au bénéfice du monument, et la Comédie-Française y vint jouer *la Raison du moins fort*. Le monument, confié au statuaire bordelais L. Malric, comporte un buste en bronze sur haut piédestal, devant lequel se détachent en plein relief deux figures de femmes : Paris, Venise, les deux patries adoptives du poète. Et Bordeaux a donné à une rue le nom de Valade. — On voit, là encore, si l'action de Blémont fut souvent et sérieusement fructueuse.

Cette même année, et la suivante, Blémont collabora à *la Jeune Champagne*, devenue *Revue littéraire de Paris et de Champagne*. Il répondit, à l'*Enquête sur la Décentralisation artistique et littéraire* de Jean-René Aubert, éditée en février 1904 : «... Pour lutter contre les nations rivales, la France doit faire appel à toutes ses forces vives et développer soigneusement toutes ses cultures, si variées, dans le milieu le plus propice à chacune d'elles. Ainsi seront créés bientôt un nouvel art et une littérature nouvelle, où l'âme française s'incarnera en des formes vives et jeunes, aussi diverses que les terroirs de France... »

En juin, *le Penseur* publia de lui une série de poésies : *Saison à Houlgate*. Par les herbages, s'en va le poète, qui stationne dans une ferme d'aspect idyllique, finement décrite. Il monte sur la falaise, d'où, paresseusement, on croit voyager sur cette grêle barque glissant au ras des flots. Des mélancolies l'effleurent...

> Le sourire amical de la nature est cher
> Au vieux songeur vaincu, plein de sombres fumées...

Après une *Chanson romantique*, lisez cette *Attente* :

> Tandis qu'interrogeant la science et les rêves
> Des âges primitifs et des siècles nouveaux,
> Le front lourd, je poursuis de captieux travaux
> Qui me font oublier la fraîche odeur des sèves ;
>
> Tandis que, dans ma chambre étroite ou par les grèves,
> Par les vergers normands, par les monts, par les vaux,
> Je cherche le secret qu'aux sophistes rivaux
> L'humanité demande en ses trop courtes trèves ;
>
> De l'ombre où mon appel se perd, nul mot ne sort
> Qui justifie enfin la Souffrance et la Mort.
> Rien ! Mon cœur bat ; j'attends, j'écoute, je regarde.
>
> Il passe un vent plaintif ; et sous le ciel changeant
> Tremble, aux rameaux épars du peuplier d'argent,
> La feuille verte et blanche en fer de hallebarde.

Rien ! On se dit cela, juste à la veille de découvrir tout. Déjà, voyez cette pensée tâter le panthéisme :

> Quand l'aveugle Foi nous égare,
> Quand vient de l'abîme un frisson,
> En vain, plus froide et plus avare,
> S'offre à nous l'aveugle Raison.
>
> Mais à la fin, âme ou substance,
> L'être chétif et tourmenté
> Qui n'est rien dans cette existence,
> Sera tout dans l'éternité.

Cependant le poète, qui est parvenu au commencement du beau triomphe de l'idéal, écrit cette désespérée *Fin d'une âme !*..

> J'ai rêvé la vertu, le bonheur et la gloire ;
> Puis j'ai lutté sans vaincre et j'ai perdu mon fils.
> Laissez là les lauriers, n'apportez point les lys,
> Ne dressez aucun marbre à ma sombre mémoire !
>
> Si j'ai mérité mieux, je n'en veux rien savoir.
> Disparais pour toujours, ô songeur sans malice,
> De ce globe où la vie inflige un tel supplice
> Au cœur trop ingénu pour trahir son devoir !
>
> Qu'importe ? Epris du beau, j'ai connu la tendresse ;
> Et parfois, pénétré d'une mystique ivresse,
> J'ai plané comme un dieu hors du monde réel.
>
> J'accepte les destins, justes ou non. Qu'importe ?
> Pour l'âme abandonnée où l'espérance est morte,
> Rien vaut-il le repos du sommeil éternel ?

Or, la nature bientôt le soustrait à cette douloureuse résignation : l'extase d'une apothéose, devant deux chênes altiers. Et la nature reconquise le remet aux pieds de la muse ; il écrit, fièrement, noblement, l'*Inutile Poésie :*

> Les marchands, les tribuns, les sots et les docteurs
> Ont un mépris profond pour la céleste Muse.
> « Comprend-on qu'à chercher des rimes l'on s'amuse ? »
> Dit monsieur Josse, avec ses grands airs protecteurs.
>
> Mais que font les dédains et les propos menteurs
> Des gens qu'a dépravés leur puissance ou leur ruse ?
> Le poète, ce fou qu'on raille, qu'on accuse,
> Est et sera toujours le roi des séducteurs.

Dans la pensée, il met le rythme et l'harmonie ;
Il aime, il fait aimer, l'amour est son génie ;
Il nous donne, en chantant sur le fleuve lacté,

La pleine conscience et la vertu féconde
De toute la Bonté, de toute la Beauté
Dont palpite à jamais l'orbe immense du monde.

Le 18 juin, au théâtre d'Arras, dans la soirée de
gala donnée à l'ouverture de l'Exposition du Nord, fut
représentée *la Fête des Roses*, d'Émile Blémont et
Jules Truffier (Lemerre, éditeur). C'est la même
comédie que *Roses rouges*, publiée dans l'album de la
Grande Fête septentrionale. — Au banquet des Rosati,
à Blangy près d'Arras, en 1784, Anaïs s'introduit
déguisée en servante : aimée par Lazare Carnot,
Robespierre et Raymond de Gorre, elle veut voir ses
soupirants tels qu'ils sont. Après cette entrée souriante, sans à-côtés qui traînent, arrivent les Rosati,
porteurs de roses roses et rouges. Raymond seul a des
roses blanches : celles que préfère Anaïs, laquelle
guette, voit, entend, fait ses petites remarques.
Robespierre chante sa chanson ; Carnot vante les
roses et leur poète, l'illustre Sadi. Puis, un médecin lit
dans les mains de Robespierre et de Carnot des choses
qui l'inquiètent. Joies et refrains s'épanouissent ; c'est
fort gai, agréable, sans digressions, très réussi. Cependant le docteur, ayant endormi la servante, veut lui
faire confirmer l'expérience de chiromancie ; et tout
d'un coup elle se dresse devant une hallucination
terrifiante, elle tombe sans connaissance. Ce voile levé
sur l'avenir donne une sensation de terreur, vite
effacée par une scène finale où Anaïs, laissant son

déguisement, choisit pour fiancé Raymond, qui boit
aux glorieuses destinées de Robespierre et de Carnot.
— Cette comédie était jouée à deux pas de la maison
natale de Robespierre, qui subsiste telle quelle dans la
rue des Rapporteurs, presque en face du théâtre.

«... Les auteurs ont mis en scène Robespierre sentimental et tendre, et Carnot enivré par le parfum des
roses, écrivit Georges Montorgueil dans l'*Intermédiaire
des chercheurs et des curieux ;* la fable qui permet cette
évocation est adroite et gracieuse... » *The New-York
Herald* du 6 octobre signala le succès de cette pièce,
qu'étaient venus interpréter dans Arras les artistes de
la Comédie-Française, de l'Odéon et de l'Opéra-
Comique. A cette représentation, on avait donné aussi
une reprise du *Jeu de Robin et de Marion.*

Beautés étrangères. — Chez Phidias

Blémont publia Beautés étrangères vers la fin de juillet 1904, chez Lemerre. La première partie : Poèmes d'outre-mer et d'outre-monts, débute par *Enoch Arden*, dont j'ai parlé en son temps. Suivent des *Strophes et Fragments*, d'après P.-B. Shelley, rendus très harmonieusement. Les *Chansons en Espagne*, selon la tradition populaire, offrent l'arête vive des sentiments de ce pays. Huit petits poèmes lyriques, d'après Henri Heine, vivent, avec Blémont, de toute leur sève originale. Viennent enfin deux Hommages à Victor Hugo, l'un d'après Tennyson, l'autre d'après Carducci.

L'auteur consacre la plus importante partie du volume à ce qu'il nomme trop modestement des Notes sur quelques poètes anglais ou américains du XIXᵉ siècle.

Walt Whitman est essentiellement américain. Blémont conte ses divers métiers, la lutte âpre, les voyages, le combat pour l'abolition de l'esclavage, et l'éclosion des livres : *Brins d'herbe*, étrange glorification de l'Amérique, de la démocratie, de la nature, précédée d'une préface aussi célèbre là-bas que celle de *Cromwell* en France ; *Chants démocratiques*, sur le

Monde, la Révolution française ; *Roulements de tambour*, sur la guerre de Sécession ; *Walt Whitman*,
série de pièces intimes, les plus personnelles; *Chants
d'adieu*, expression suprême de son amour pour l'humanité. Les Revues anglaises le ridiculisèrent ; des
poètes le défendirent. Il possédait une inspiration pro-
digieuse, la vérité, la largeur, la puissance, avec des
défauts monstres. Ses dernières années furent tristes ;
il était pauvre ; les poètes d'Europe allaient visiter ce
vieux patriarche, qui s'éteignit, laissant « ses généreux
poèmes qui, longtemps, rouleront leur torrent d'images
sonores, ou berceront dans leurs larges flots le ciel et
la terre, en chantant la bonne chanson naturelle. »

Ce portrait est fait avec vigueur et sagacité. On y
connaît ce poète haletant, d'impression universelle,
de style irrégulier, abrupt, fort. Dans un post-scriptum,
Blémont indique que Walt Whitman « pratiqua d'em-
blée, sans effort, toutes les prétendues innovations en
l'honneur desquelles, après lui, nos écoles de particu-
larisme littéraire entreprirent péniblement d'abolir les
formules classiques, romantiques, réalistes et parnas-
siennes... Il réalisa d'avance, et avec une souveraine
ampleur, le programme de ces écoles dites nouvelles ;
il affirma, à la bonne franquette, tout ce que plus tard
promulguèrent, avec des transports hystériques, nos
symbolistes et nos décadents, tout sauf la décadence
qui rend la vie indigne d'être vécue, tout sauf le symbolisme qui tue le corps et l'âme à coups d'abstrac-
tions... Avec ces prétentieux suiveurs, le sens de
l'identité universelle se perdit en minutieuses analyses
et en excentricités morbides... L'audace active, la libre

hardiesse, le goût du nouveau, la recherche de l'inconnu, tournèrent en obliques tendances au bizarre
et au pervers. La poésie, union souveraine du rythme
et de l'idée, on la démembra en musique et prose.
Dans l'art, comme dans la vie, on se déshabitua peu à
peu des hautes idées et des actes magnanimes. L'élévation et l'héroïsme, devenant de plus en plus incom-
préhensibles aux âmes de plus en plus déprimées,
furent alors des sujets d'étonnement, de défiance et
d'ironie. On finit par laisser s'atrophier et se perdre,
faute d'exercice de la fonction, le sens du sublime et
le goût du beau. » — Ceux qui partagent cet avis de
Blémont ne me reprocheront pas de l'avoir publié ;
quant aux fervents des décadences, je leur souhaite de
comprendre ce blâme.

Un chapitre est consacré à des *Poètes spirites d'Amérique :* Thomas Lake et miss Lizzie Doten.

Le critique présente ensuite *Longfellow,* rappelle ses
voyages, sa connaissance de dix ou douze langues, sa
vie familiale et laborieuse. Il commente ses ouvrages :
Voix de la nuit, où se révèlent des affinités avec les
lakistes anglais : « C'est un rêveur chrétien qui pour
église prend la nature » ; *Poèmes sur l'esclavage,* aux
accents prophétiques ; *Chansons, Sonnets,* où « règne
une douce et noble mélancolie, que fait valoir un art
très pur » ; *Au bord de la mer,* série de « poèmes
imprégnés des âcres et généreuses senteurs de l'océan » ;
Au coin du feu, pièces intimes ; *la Légende dorée,*
scènes dramatiques « à travers lesquelles la fantaisie
vagabonde du poète nous emporte par villes, fleuves,
champs et forêts, dans les régions rhénanes rajeunies

de sept siècles » ; *la Chanson d'Hiawatha*, sorte d'*Edda*
des Peaux-Rouges ; *les Fiançailles de Miles Standish*,
« tendre badinage poétique » ; *Oiseaux de passage*,
poèmes de grâce légère et vive ; *Miscellanées*, avec ce
beau et mystique poème *Excelsior ; Judas Macchabée*,
drame au souffle biblique ; *Contes ; Evangéline*, chef-
d'œuvre de Longfellow, dont le sujet s'adapte parfai.
tement à sa nature. « On trouve chez Longfellow,
observe le critique, un charme infini de grâce affec-
tueuse, de beauté morale et d'élévation intellectuelle...
Son âme est un beau pays verdoyant, où partout,
sous les feuillées fleuries et même entre les ruines
antiques, luisent et chantent des sources vives. »

Puis c'est un Anglais, *Robert Browning*, que nous
apprenons à connaître. « Il n'y a réellement pas, ou
presque pas, de théâtre anglais au xixe siècle, écrit
Blémont. Les scènes exhibent des opéras d'Allemagne,
d'Italie et de France, des compositions burlesques, des
drames noirs, beaucoup de pièces françaises dé-
marquées... » Longue déchéance qui tient peut-être au
cant, plate singerie du vieux puritanisme. Browning
voulut réagir contre cette décadence ; il échoua. Dans
Paracelse, il tenta de faire revivre un homme et une
époque ; *Strafford*, drame, fut joué sans succès. Dès
lors, il écrivit seulement pour être lu. Il publia *Sordello*,
poème psychologique ; *Dramatic Lyrics*, diverses compositions scéniques ; un recueil de monologues : *Dra-
matis personæ*, etc... La qualité essentielle de Browning
est la savante et profonde subtilité qu'il apporte
dans l'analyse des passions humaines. C'est un esprit
original, artiste. Tel il se montre dans l'*Epître de*

karshish, où un Lazare le ressuscité, très curieux,
est évoqué fortement, par un récit étrange. Il est habile,
non pas naïf, ni populaire. C'est un analyste, « dont
l'esprit brille comme un scalpel, dont le vers mord
comme un acide. »

Blémont nous expose d'autre part *l'Ecole préraphaélite*. Vers 1850, quelques peintres et poètes fon-
dèrent un recueil périodique : *le Germe* ; ils voulaient
rajeunir l'art, reproduire les manifestations de la vie
dans leur naïve origine. Dante-Gabriel Rossetti, peintre
et poète, d'origine italienne, traduisit des poètes antérieurs à Dante, et publia des poèmes, des sonnets : *la
Maison de la Vie*, qui unissent « la délicatesse et la
morbidesse italiennes à la rêverie septentrionale. » Il
a le triple don de l'émotion, de la pensée, de l'harmonie. — Sa femme, Christina Rossetti, affectionne la
musique, le clair de lune, le sentiment. Coventry
Patmore a une délicatesse, une fraîcheur exquises,
avec une ingénuité parfois excessive. Thomas Woolner
est un passionné chaste, sévère sans froideur. William
Bell Scott, peintre, aquafortiste et poète, révèle des
idées originales, une imagination riche. — « Poètes
comme Théophile Gautier, peintres comme Puvis de
Chavannes, ils ont reconnu que la condition première
de la vie était la simplicité, la passion ; et toute leur
science, tout leur art, ils les ont employés à devenir
simples, vrais, touchants. »

Swinburne débuta par deux drames de talent, impri-
més sans avoir été représentés. Il fut plus heureux
avec *Atalante*, tragédie grecque d'une pure beauté. Il
donna des *Poèmes et Ballades* : « Dans leurs strophes

merveilleusement ciselées, l'inspiration et l'art se
dégagent, se subtilisent, se distillent en perles étin-
celantes. » Son drame : *Chastelard*, est « coloré, ardent,
gonflé des tumultueux élans et des fièvres mortelles
d'un amour effréné. » Il publia un *Chant sur la Révolution*, un *Salut à Hugo* exilé, et après 1870, une *Ode
républicaine*, où il acclame la République universelle.
Ses *Chants avant le lever du soleil* sont d'une pensée
large, pleine d'espérance. Il apparaît avec de violentes
passions et de hautes idées, ardent et sincère. Critique,
on lui doit un *Essai sur Shakespeare*, où il caractérise
magistralement chaque pièce. « A l'âpre modernité de
Baudelaire, il unit le don de comprendre et d'évoquer
le beau selon le goût des classiques primitifs. »

Les *Parnassiens anglais* voulurent « oublier le vulgaire, travailler pour une élite. » William Morris a
l'imagination, la vision, tous les dons du conteur ; il
procède par larges masses d'harmonie. Ses principaux
ouvrages : *La vie et la mort de Jason*, le *Paradis ter-
restre*, forment un vaste recueil poétique. « Les
poèmes de Morris semblent une suite de beaux songes,
purs et pleins d'harmonie... Comme un climat doux et
salubre, règne en ses vers une résignation antique,
une sérénité noblement familière, qui n'exclut ni le
libre arbitre ni le constant effort de l'homme vers la
grandeur et la beauté. » — Mathew Arnold, critique,
fut poète par instants. Richard Henri Horne donna
plusieurs drames bien écrits et mouvementés. Henry
Taylor écrivit aussi des drames, d'un vrai sentiment
historique, d'observation sûre de l'âme humaine.
William W. Story fut un sculpteur poète.

Ces études s'achèvent avec *John Payne*. En une page éloquemment gracieuse, Blémont définit le clair de lune poétique de John Payne, dont la muse est « vêtue de blanc et couronnée d'étoiles, » Son recueil : *Intaglios,* respire une vive admiration et une grande expérience de l'art italien *Le Palais des rêves* forme deux livres : *la Transfiguration des ombres,* où l'on trouve *la Légende de Rédemption,* poème le plus saisissant de Payne ; et les *Chants de la Vie et de la Mort,* d'imagination septentrionale unie à l'art latin. Blémont explique en une belle et bonne page la douceur, pour un poète mystique, de se créer un monde imaginaire de vaporeuses légendes.

Voilà ce que l'auteur nomme des *Notes.* C'est de la critique profonde et véritable. Au lieu de s'étendre en d'innombrables et menues analyses qui ne prouvent rien et sont du temps perdu, il se borne — et c'est le seul rôle nécessaire du critique — à nous faire bien comprendre la nature, la pensée, les aspects et le but de ces écrivains. Si, de plus, je rappelle que ces Etudes furent écrites après la guerre, et publiées en 1872-1874 dans *la Renaissance,* on conviendra que leur auteur est le principal et souvent le premier initiateur à qui nous devons de connaître ces poètes anglais et américains ; bien des pages écrites à leur propos, et qui firent du bruit, ne vinrent qu'après les siennes. Là encore, à côté du littérateur, je vois l'homme d'action, réalisant cet excellent résultat de joindre au courant littéraire français l'apport d'une bonne poésie étrangère. Ces travaux, sur des écrivains qui furent parfois des précurseurs de nos lettres, forment une autre contribution de Blémont à la littérature nouvelle, qui lui en devait déjà quelques-unes.

Ce livre suscita le sonnet suivant, de Jules de Marthold :

« Poète ami, merci du souvenir charmeur
Où l'art sacré revit comme au pays hellène,
S'évoquant à nos yeux sur l'idéale plaine,
Galère capitane où vous êtes rameur.

Romantique vaillant, impeccable rimeur,
Qui nous donnez Shelley, Tennyson, Henri Heine,
Vous savez tout montrer avec grâce et sans peine,
Vaste esprit parcourant le monde en bon semeur.

Les lettrés aimeront ces *Beautés étrangères*,
Leurs épiques grandeurs, leurs tendresses légères,
Fleurs au puissant parfum sans rien d'artificiel.

Les pôles ont la neige et Paros a le marbre ;
Quel que soit le terroir et quel que soit le ciel,
Partout l'homme est un arbre aussi beau qu'un autre arbre. »

    5 août 1904.

The New-York Herald (1er septembre 1904) remarqua : «... Le poète est comme possédé du génie qu'il interprète... Ses études historiques et critiques, très curieusement documentées, mettent en lumière des hommes et des œuvres mal connus chez nous... » Edouard Petit écrivit au *Journal du Dimanche* du 18 : «... Il a choisi le meilleur dans l'excellent et il a composé une manière de florilège, avec tant d'originalité dans la transposition qu'elle vaut autant qu'une création... » «... Comme critique, dit Edmond Thiaudière dans *la Revue diplomatique* (30 octobre), Emile Blémont se montre égal à ce qu'il est comme poète. Sa prose

remarquablement euphonique et cadencée est tout à
fait digne de ses vers. C'est une autre sorte de musique
faite pour être goûtée par une oreille délicate, autant
que le fond même de ses études le doit être par un
esprit éclairé... »

Dans la *Revue des Poètes* du 10 octobre, B.-H. Gaus-
seron disait : « Voilà un poète original, de talent gracieux et robuste, dont maints ouvrages, et notamment
le volume *En mémoire d'un enfant*, atteignent cette
réalisation du beau devant laquelle l'esprit secoue la
chair d'un frisson, — qui se fait l'interprète enthousiaste de beautés littéraires anglaises, espagnoles,
allemandes et italiennes, et qui, les revêtant du verbe
français dont il est le maître, les propose à l'admiration de tous... » Edmond Rocher, dans l'*Atlantide* :
«... Où M. Blémont nous atteint au plus profond de nos
intimes sensations, c'est lorsqu'il fait revivre la grande
et démocratique figure de Walt Whitman. Le grand
poète américain est érigé en larges touches, comme
sous le pouce d'un Rodin... » Henri Duvernois dans
la Patrie du 18 août : « Quel régal de retrouver dans
notre langue claire et harmonieuse la marque caractéristique, l'empreinte de ces génies divers ! Les
Beautés étrangères forment un de ces recueils complets
et définitifs qui prennent place dans une bibliothèque. »
Saint-Yves dans *les Nouvelles* de Lyon : « Le volume
entier est une mine où l'on découvre à chaque instant
de nouveaux trésors... » Charles Le Goffic dans *la
Revue universelle* du 15 avril 1905 : «... Quand une traduction, une adaptation atteignent ce degré de perfection extraordinaire, il n'est que juste d'y voir un effort

original... Ce recueil est infiniment précieux pour l'entente des grands poètes étrangers. »

Blémont garde en portefeuille un volume inédit sur *Edgar Poe.*

Le 15 octobre 1904, Henry Roujon publia dans *le Temps* un chronique : *Revues littéraires*, où je lis : « Après la Guerre et la Commune, Paris fut pris d'une fièvre de lecture... Mais la Poésie pure manquait d'un « chez elle ». Tous les hommes dont la copie était d'une utilisation difficile constituaient une faction, presque un parti, qui s'appela *les Jeunes*... L'organe par excellence du parti des Jeunes fut *la Renaissance* d'Emile Blémont. Joli papier, d'aspect souriant, où la prose était rythmée, où la polémique avait des ailes, où les vers mettaient de l'espace. Tous les genres de bonne littérature y furent gracieusement hospitalisés. *La Renaissance* vécut vaillamment et dura trop peu. On y vit passer, comme des météores, les personnalités les plus diverses. Des vétérans y combattirent avec des conscrits ; les enfances de Richepin et de Bouchor y fraternisèrent avec la sagesse nestorienne de Louis Ménard. Ce fut dans la marée montante de la presse un flot de verdure, où les liserons se mêlaient aux chênes. »

Au Pays de John Bull, de Paul Maison (Lib. de *la Picardie*), parut avec une préface de Blémont, évoquant le souvenir de ses séjours en Angleterre, et conseillant d'emprunter à nos voisins d'outre-Manche ce qui nous manque, mais sans illusions, en nous tenant sur nos gardes. Un almanach-album pour 1905 : *la Comédie-Française, les Sociétaires par les Auteurs*

(Edmond Depas), contient une notice sur Marie Kalb, la Claudine du *Barbier de Pézenas*, par Emile Blémont. Il écrivit aussi la préface de *la Maison des Souvenirs*, de Fernand Hauser (Messein, 1905); il y disait : «... Plus un rimeur voudra être libre, plus il devra se montrer lucide et prudent, plus il aura besoin d'un tact sûr et d'un jugement supérieur. Certes, la force du tempérament et l'audace de la pensée arrivent parfois à transformer en qualités tous les défauts... Mais heureux le poète assez ferme et assez ouvert à la fois pour maintenir intactes ses facultés natives en s'assimilant celles des autres ! Heureux le poète qui, nourri du fruit de la science, conserve cependant l'ingénuité du Paradis perdu, les yeux et le cœur de l'enfant ; qui mêle en son âme toute la conscience à toute l'inconscience de l'humanité ; qui reste intarissable, pur et primesautier, comme un jaillissement de source !.. »

La Bégum Jeanne (Alph. Lemerre), poème improvisé en quelques heures, fut dit par Mlle Dudlay à la matinée donnée par le Comité Dupleix au grand amphithéâtre de la Sorbonne (19 février 1905). Des journaux *(la Presse, le Rabelais)* le reproduisirent intégralement. Mme Adam écrivit à son auteur : « Vous savez honorer les grandes Françaises, et chaque femme de France vous en est reconnaissante. » L'idée que Blémont dégage du poème au sujet de l'Asie :

> Ah ! mêler nos espoirs et nos fièvres sublimes
> Aux souvenirs géants de l'idéal décor !..

sera certainement un des grands actes de l'avenir. Aujourd'hui, l'Europe ne mêle encore que son sang à celui de l'Asie ; mais le poète est prophète, et son

geste ample indique le rôle grandiose qui s'offre à
nous :

> Semer le grain gaulois, pour une autre genèse,
> Sur ce vaste et fécond tombeau.

Le premier Congrès international d'Archéologie,
tenu à Athènes le 9 avril, rassembla une élite de
savants. Devant eux fut dit, par Silvain, Mme Silvain
et J. Truffier, de la Comédie-Française, un poème dramatique d'Emile Blémont : *Chez Phidias*, qui parut chez
Lemerre. La scène représente l'Acropole, devant les
ruines du Parthénon. Un visiteur moderne évoque
Phidias ; il s'agit de sauver ce que le temps et les
hommes ont laissé debout du temple souverain. Après
cette partie clairement descriptive et finement didactique, Phidias fait revivre l'époque superbe où, avec
l'aide de ses disciples, il éleva cette merveille d'art ;
et il conclut :

> Ni l'or, ni la victoire,
> Ni rien d'humain ne peut recommencer l'histoire.
> A quoi bon restaurer le temple et les autels,
> Quand, la foi s'éteignant, sont morts les immortels ?
> Il faudrait relever, avec le sanctuaire,
> Tout un siècle étendu dans l'ombre mortuaire ;
> Il faudrait réveiller les héros chez Pluton,
> Retrouver le Pæan, refaire Marathon,
> Rendre à Phœbus son char, rendre à l'aigle son aire,
> Et dans la main de Zeus remettre le tonnerre.

Alors apparaît Athèna-Parthénos. Ne portez pas les
mains sur mon temple en ruines ! dit-elle :

> Le destin, la nature, à sa splendeur pâlie
> Ont mêlé leur mystère et leur mélancolie ;

Et sous la majesté des siècles de douleur
Il semble plus sacré qu'il n'était dans sa fleur.

. . . . .

Le Parthénon survit : vénérez sa vieillesse !
Avec des soins pieux protégez-le sans cesse,
Ainsi que vous soignez l'aïeul fragile et cher
Qui doit aller, hélas ! où s'en va toute chair,
Mais qui longtemps chez vous demeure, cime auguste,
Modèle aux cheveux blancs du héros et du juste,
Et qui, dans les hardis émules qu'il aura,
Par la race ou l'exemple à jamais revivra.

Cette deuxième partie vibre entière du noble respect
des œuvres antiques. On ne restaure pas les monuments de l'art et de la foi : on les soutient, on les imite
pour en propager l'image, ou l'on fait d'autres œuvres.
Tel est le sens de ce poème d'Emile Blémont, qui a su
l'entourer d'une pure atmosphère hellénique, et l'ani-
mer d'une émotion d'artiste moderne.

Le *Neon Asti* (*la Cité nouvelle*), principal journal
quotidien d'Athènes, offrit à ses lecteurs, dans les
colonnes de sa première page, élargies pour les alexandrins de Blémont, les principaux fragments du poème
dramatique si applaudi, qui portait là ce titre grec :
Dialogos Pheidiou kai sugchronou (Dialogue de Phidias
et de l'étranger). Le *Figaro* du 19 mai reproduisit intégralement le poème. Camille Le Senne en donna des
extraits dans *le Siècle* (19 juin). Pierre Vanneur (*le
Penseur*, juillet) y reconnaissait « ... la prière du poète,
la prière ailée, qui, déployant la superbe envergure de
ses rimes sonores, prend l'essor en chantant et plane
au ciel de l'Attique... » Emile Faguet fit des citations

au *Journal des Débats* (10 juillet), ajoutant : « ... Ce divertissement littéraire n'est pas sans faire honneur au bon poète Emile Blémont. Et puis, par qui faire saluer le Parthénon, si ce n'est par le Parnasse? »

Paul Meurice écrivit à l'auteur : « Je viens, cher ami, de lire ce beau poème, et je vous écris tout ému. Vous avez fait parler divinement Phidias et la déesse. Il y a de ces vers qui font tressaillir... » Henri d'Almeras avait dit dans *la Presse* du 8 août : « L'auteur de ce poème sait faire le vers, ce qui devient de plus en plus rare. Il prend la peine de resserrer entre des rimes sonores et bien venues des pensées réellement poétiques. L'ouvrage qu'il dédie à Phidias a la lumière et l'éclat d'un bloc de marbre du Laurium qui se profile dans l'azur. »

Quelques jours après la représentation de *Chez Phidias*, Emile Blémont fut élu à l'unanimité président de la Société des Poètes français.

Le Génie du Peuple. — L'Ame étoilée

De 1901 à 1905, Emile Blémont a publié dans *le Penseur* des nouvelles, des poésies, des études. La première de celles-ci fut : *la Jeunesse de Victor Hugo* (mars 1901). Vinrent ensuite : *l'Esprit et l'Ame selon Victor Hugo* (décembre 1901); *Victor Hugo et les bêtes* (mars 1902) ; *Alfred de Vigny intime* (avril 1902) ; *Petits souvenirs sur Alphonse Daudet* (juin 1902), etc... Dans son *Edgar Quinet*, Blémont rappelait cette idée du philosophe, qu'une religion nouvelle, républicaine, est la seule solution du grand problème actuel. Quinet reconnaît dans la Révolution française la force destinée à renouveler le principe religieux : réforme ni romaine ni judaïque, ni anglo-saxonne, mais franchement française et largement humaine, conciliant la foi et la raison. « C'est dans son œuvre, conclut Blémont qui le comprend si bien, qu'il faut chercher son âme; on y retrouvera, avec lui, les grands principes et les nobles sentiments trop oubliés ou trop dédaignés aujourd'hui. » — Je rappelle encore les essais concernant l'œuvre d'André Chénier (février 1904), le Texte primitif des Chants populaires français (mars), le Folklore de France (août), la Métaphore chez Victor Hugo (novembre), Henri Heine (septembre, octobre) : toutes remarquables pages. Citons enfin les souvenirs à propos d'*Angelo* et de *Notre-Dame-de-Paris* (mars 1905).

Les études de Blémont offrent un aspect large et précis, une texture d'érudition, une finesse analytique et une vivante synthèse, qui en font de précieux travaux à consulter. Le jour où celles-ci seront éditées, avec d'autres publiées ailleurs, nous aurons un ouvrage de critique indépendante, élevée, solide, vraiment belle, et bonne plus encore.

Le Génie du Peuple, paru en juin 1905 (A. Lemerre), comprend d'abord l'*Esthétique de la Tradition populaire*, dont j'ai dit l'excellence au temps de la première édition. Blémont passe de cette vive théorie à son expérimentation, en restituant des contes, des fables d'autrefois. C'est la légende de *la Mégère apprivoisée*, que Shakespeare a empruntée à nos chroniques des xɪᵉ et xɪɪᵉ siècles ; Blémont en rapproche un autre conte, naïf, moral et touchant : l'*Histoire du roi Bec-de-Grive*. Il y a là une ingénuité fraîche et pénétrante, que Shakespeare n'a pas toujours gardée : « Souvent, ceux qui courent après la muse populaire ne l'attrapent au vol qu'en lui arrachant ou en lui froissant ses ailes de papillon, ses ailes divinement irisées, si célestes et si frêles ! »

Mais voilà saint Martin, et cette délicieuse invention : l'été de la Saint-Martin accordé au saint homme par le ciel pour le garantir du froid, quand il a donné aux pauvres tout ce qui l'en défendait. Il faut voir la grâce souriante, la fine bonhomie de l'auteur apercevant et démêlant, non sans une sagacité prudente, les gestes et paroles de l'histoire et de la légende, si souvent entre-

mêlées au Moyen-Age. Et voici, sur *Adam de la Halle*,
la conférence faite au théâtre d'Arras le 21 juin 1896 ;
elle met en lumière la hardiesse d'esprit du trouvère,
sa grande chaleur de cœur, son sentiment ingénument
pieux qui fait songer à Verlaine, lequel, par sa mère,
était originaire du même pays d'Artois. Le Bossu
d'Arras naquit dans cette cité vers le commencement
du XIIIe siècle. Avec le comte Robert d'Artois, il visita
l'Egypte, la Palestine, le royaume de Naples, où il
mourut, après y avoir fait représenter *le Jeu de Robin
et de Marion*. On lui doit quelques autres pièces ; et
c'est lui qui, pour la première fois, mit en scène des
sujets pris ailleurs que dans l'histoire religieuse. Shakespeare a emprunté l'idée du *Songe d'une nuit d'été* au
Jeu de la Feuillée.

Un Miracle réaliste, c'est celui de Notre-Dame délivrant une abbesse qui était grosse de son clerc. *La
Farce d'un Gentilhomme* est du théâtre d'une franchise
allègre et claire, où un manant, trompé par son seigneur, lui rend la pareille, ce qui assagit le beau sire.
Puis nous apparaît l'Arioste, aux féeries ondoyantes et
diverses, à l'imagination brillante, à la forme aisée, au
style limpide et transparent; mais il n'a guère inventé:
la plupart de ses personnages viennent des Chroniques
et Fabliaux de France. *Le Paradoxe de Judas* est curieux; on a parfois essayé d'expliquer ce traître.
« Quoi ! disait-on, pour trente deniers, à peine soixante
francs !.. » Mais oui ; cela valait plus qu'en nos temps,
et un être abject n'établit pas de proportion entre le
crime et sa solde. Jean, d'ailleurs, dit nettement que
Judas était voleur; doit-on en croire Jean, ou d'obs-

curs commentateurs venus sur le tard, tels qu'il s'en
rencontre pour nier l'existence d'Homère, et même la
mort, sur le bûcher, de Jeanne Darc? J'aurais voulu
voir Blémont redresser, en passant, ces erreurs, parce
qu'elles donnent un appui aux négateurs contemporains ; mais il préfère raconter, ne s'attarde guère à
juger, et déjà le voici qui nous décrit les diverses
formes du *Diable sur la scène*, du Moyen-Age à nos
jours.

Après l'étude sur Andrew Lang et la mythologie primitive, dont j'ai parlé en son temps, vient une relation du *Congrès de Folklore* à Londres. Ceci fut écrit
le 4 octobre 1891. A ce deuxième Congrès, plus nombreux encore que le premier, Blémont vit porter tant
de toasts, qu'il voulut boire au vrai créateur du
folklore : le Peuple. Mais l'ordre des toasts avait été
réglé d'avance ; il ne put placer le sien. — Suit le *Programme pour une Revue traditionniste*, que j'ai men-
tionné antérieurement. Une étude sur *la Chanson populaire en France* montre que l'élément celte y a per-
sisté et prévalu. « Dans le chant, est-il dit, c'est la
poésie qui marque le sens ; et la musique y fausse tout
si elle ne se consacre à renforcer et à développer la
signification des paroles... La chanson populaire ap-
plique toujours ces principes avec un instinct sûr. »

Le dernier chapitre du volume est *la Tradition
poétique*, cette étude lue au Congrès des Traditions populaires tenu à Paris pendant l'Exposition de 1900.
Blémont y inscrit des remarques à précieusement re-
cueillir. La poésie populaire a l'air de n'être l'œuvre
de personne ou d'être l'œuvre de tout le monde : cela

tient surtout à la transmission orale, laquelle n'a cure
du nom des poètes. Mais ce que des poètes ingénus
ont réalisé d'un jet, d'autres plus savants l'ont para-
chevé en tirant de ces idées flottantes la haute poésie
littéraire. C'est un échange incessant, du peuple aux
poètes et des poètes au peuple, qui, toutefois, ne
s'opère guère entre pays étrangers : « Tel air que Paris
fredonne aujourd'hui, vibrait déjà, il y a vingt ou
trente siècles, sur les bords de l'Euphrate ou du
Gange ; tandis que la poésie est la création exclusive
d'un peuple, l'essence de ses joies et de ses douleurs,
la vision idéale où il se survit à jamais. »

On peut suivre dans l'histoire l'influence de la poésie
populaire sur celle des lettrés ; la part de la tradition
y est énorme ; et sans elle, bien des types, bien des
héros, bien des scènes d'écrivains célèbres n'existe-
raient pas. Le peuple est le grand trouveur, l'inventeur du merveilleux. En France, il a d'abord formé la
langue, puis les chansons, les poèmes épiques, les
romans d'amour où l'auteur, en érudit, montre une
première renaissance : la Renaissance celtique. Mais
cette poésie naturelle fut supplantée par une poésie
courtoise, de plus en plus factice, et le xvie siècle
tourna le dos au Moyen-Age. Maintenant qu'on y est
revenu, l'Anthologie des poèmes français sur thèmes
populaires, que prépare Emile Blémont avec Paul
Sébillot, et qui groupera les manifestations successives
de cette grande âme du pays, est vraiment désirable ;
elle s'ouvrira par ce chapitre, dont le savoir et la
clarté sont dignes de l'*Esthétique de la Tradition populaire*.

Tout l'ouvrage, d'ailleurs, est écrit dans cette bonne prose française, élégante et précise, souple et imagée, que n'ont pu détruire les grossièretés naturalistes ni les convulsions décadentes. Blémont y ajoute des qualités personnelles, de tact, de mesure, de finesse, et ces deux éléments : la justesse d'information, la sincérité souriante et avisée, qui font courir un bon frisson de vie aussi bien dans ses études profondes que dans les prestes légendes par lui restaurées. Son idée aussi, que le peuple est un grand poète anonyme et que même la poésie littéraire vient de lui, est si vraie, si nettement éclatante, qu'il semble redire une vérité historique ; et pourtant elle reste nouvelle, car les poètes littéraires ont la prétention de n'exister que par eux, oubliant que rien n'existe par soi. — Qu'importe à Emile Blémont ? Il suit la voie de sa pensée générale ; et qu'il l'exprime en des poésies, du théâtre ou des études, cette pensée est toujours formée d'éléments naturels qui la préservent de l'erreur, qui la guident vers les beautés réelles et simples de la Terre, vers les grandeurs réelles et sublimes du Ciel. Il va vers l'avenir en restant uni au passé.

Spécialement, ici, c'est le peuple qu'il remet en possession de son génie, trop longtemps nié ou pillé. Et il expose la constitution de ce génie ; ainsi, dit-il, « ce n'est pas l'art, c'est le sentiment, c'est l'âme, qui donne du prix à la chanson populaire. » Il a tout mesuré, tout aperçu, dans la masse anonyme : « Le peuple élémentaire et profond, dit-il encore, le peuple aux innombrables âmes, le peuple sans nom et sans gloire, n'a-t-il pas, en vérité, plus de génie que Shakespeare,

comme il a plus d'esprit que Voltaire ? » Et il confirme : « Le peuple est un poète, un très grand poète,
le plus grand de tous les poètes ; donc l'histoire populaire est poétique... Elle a toutes les passions, tous les
entraînements du monde ; et c'est justement pour ce
motif qu'elle exprime admirablement l'âme des foules. »
Et les périodes littéraires peuvent entrer, l'une après
l'autre, en décadence ; la source est intarissable : « Ainsi
que les temps héroïques, les temps artistiques ne sont
jamais clos pour le peuple. »

Ce titre : *le Génie du Peuple*, m'a plu d'abord par lui-
même. Ce fut comme une figure amie, subitement et
joyeusement retrouvée. Mais qu'y avait-il derrière ?
Notre temps pullule de titres remarquables qui re-
couvrent généralement du vide, ou pis encore : de
l'erreur. Et celui-là était bien grand, grand comme le
peuple même, qui ne le fut jamais davantage qu'au
jourd'hui, où seul il peut sauver la France, et par la
France, la race de Japhet, si l'une et l'autre peuvent
encore être sauvées ! Eh bien ! le livre est digne de
son titre : Blémont est allé droit à la fraternité, cette
lumière du cœur ; à la poésie, cette étoile de l'âme ;
éclairé par elles, il a vu profondément le peuple et en
a montré la naïve grandeur, la force fidèle, l'enthousiasme et la bonhomie. Il vient à son temps,
cet ouvrage, puisque le peuple commence enfin
son œuvre personnelle et libre, selon son génie
spécial.

Oui, Emile Blémont est avec nous, disais-je récemment dans ma « Chronique du Livre » de la *Revue littéraire* (juillet), et il a fait mieux que nous rejoindre.

Toute son œuvre, pas à pas, en évolution lente et sûre, se dégagea du Romantisme, puis du Parnasse, puis de ces courtes étapes intermédiaires qui nous précédèrent ; elle y venait naturellement, vers cet avenir qui est enfin le présent, vers nous qui savons, comme Blémont, que seul le peuple, appuyé sur la foi reconquise et la raison maintenue, peut encore tout sauver, — et qui attendions, sûrs de lui comme de nous, cette orientation hautement affirmée de sa pensée, laquelle ne pouvait mentir à ses origines, à son passé de poésie idéale et de sage action.

Ph.-Emmanuel Glaser, au *Figaro* du 9, dit : « ... Le livre forme un ensemble harmonieux, séduisant, hautement instructif, et qui mérite d'être apprécié par tous les amis des belles et bonnes lettres. » M.-C. Poinsot (*Vox*, juin) remarqua : « ... C'est de la bonne décentralisation, de la bonne critique littéraire et de la bonne démocratie... » *Le Petit Bleu* (15 juin) signala « ... cette suite d'études pleines de substance et de saveur, ces observations très justes, ces aperçus ingénieux, ces curieuses exhumations, en une langue prudente, claire et précise... » Notons encore, de Fernand Rivet (*Chronique mondaine*) : « ... M Blémont a montré avec excellence ce que gagne le génie du peuple à passer au laminoir d'un écrivain qui sait son métier...» — De *la Nouvelle Revue* (15 juillet) : « ... Livre d'un démocrate éclairé et d'un généreux poète. » — De A.-M. Gossez (*Echos mondains*) : « ... Il y a là toute une mine de découvertes curieuses... » — De Fernand Hauser (*la Presse*, 16 juillet) : « ... Voici un livre magistral, nous rappelant qu'Emile Blémont est un des précurseurs du mouvement traditionnaliste actuel... » — De Florian Parmentier (*l'Essor septentrional*, juillet) : « ... Livre à méditer, d'une philosophie à la fois simple et profonde... » — D'Alcanter de Brahm (*le Rappel*, 28 septembre) : « Si le champ traditionnel, qui se peut cultiver déjà dans l'histoire démocratique contemporaine, ne possède pas des éléments suffisamment puissants pour satisfaire les foules et aider à leur conquête, ne saurions-nous trouver, comme le pense M. Blémont au cours de ses diverses études sur l'esthétique de la tradition populaire, un moyen de renouer au présent le fil d'or du passé, en nous aidant, et de l'histoire du peuple et de son évolution à travers la Féodalité, la Renaissance et la Monarchie absolue, et en ajoutant à cet enchaînement logique des faits, envisagé selon la philosophie de l'histoire, le côté imaginatif des formes lyriques du passé ? »

Dans un article d'Olivier de Gourcuff sur Emile Blémont (*Nantes mondain*, juillet 1905), je lis : « Peu d'existences d'hommes de lettres ont été aussi bien remplies. Plus de soixante volumes ou plaquettes de poésie, de critique et d'histoire de la littérature, attestent une activité qui ne se dément jamais, et la marche en avant d'un esprit toujours en éveil... Il a fait le tour des langues et des littératures du monde entier... Il s'est plu dans la compagnie de trois des grands éducateurs de la race française, Corneille, Molière, Hugo... Je crois qu'entre tous les ouvrages d'Emile Blémont, dont il appréciait le talent, l'auteur des *Misérables* aurait distingué celui qui vient de paraître : *le Génie du Peuple*. Notre poète, fin lettré, interroge l'âme po-

pulaire, et, comme d'une harpe, il en tire de merveilleux accents... »

Le *Figaro* du 22 août a annoncé l'apparition prochaine de plusieurs ouvrages de Blémont. Plus récemment, *le Rappel* (28 août) publiait : « La Société
des poètes français, présidée par M. Emile Blémont,
vient de prendre l'initiative d'un appel parfaitement
digne d'intérêt : il s'agit de créer un prix de Rome
de poésie, alternant avec un prix de Rome pour
les prosateurs, de façon que l'un ou l'autre soit
décerné tous les ans. » En effet, si les prix de Rome
sont vraiment utiles, pourquoi les artistes en ont-ils,
alors que les littérateurs en sont exclus ? Il faut
savoir gré à Emile Blémont et à la Société des
Poètes français d'avoir protesté contre une telle injustice.

Cette question du prix de Rome de poésie a été
posée à la Chambre des Députés, le 12 février 1906,
par M. Charles Couyba (en littérature Maurice Boukay),
lequel, dans son discours, a rappelé que « M. Emile
Blémont, un des défenseurs les plus autorisés des
hommes de lettres, s'en fut, un beau jour, trouver
M. le ministre de l'Instruction publique et des Beaux-
Arts, et lui tint à peu près ce langage : — Monsieur le
ministre, vous savez que les voyages forment la jeunesse et vous en connaissez des exemples fameux.
Lamartine à Naples, Musset à Venise, Victor Hugo à
Madrid, Chateaubriand en Amérique, Verlaine au pays
de Shakespeare, sont allés autrefois, et nous ont rapporté de leurs voyages toute une rénovation littéraire
et poétique... Pourquoi n'accorderiez-vous point des

bourses de voyages aux jeunes littérateurs peu favo-
risés du côté de la fortune ?.. »

Le ministre a répondu, avec l'approbation de toute
la Chambre, qu'il se disposait à faire cette création
très prochainement. On peut lire son discours, et celui
de M. Couyba, dans le *Journal officiel* du 13 février
(pages 639-640).

Par une lettre du 9 avril 1906 adressée à Emile Blémont, le nouveau ministre de l'Instruction Publique,
M. Aristide Briand, a confirmé la fondation d'une
Bourse nationale de Voyage littéraire, et a approuvé le
choix des membres de la Commission qui doit désigner
alternativement, comme titulaires de cette Bourse an-
nuelle, un poète et un prosateur. La Commission a tenu
sa première séance le 12 avril ; Blémont a été nommé
président à l'unanimité.

Pour l'inauguration du Monument d'Alfred de
Musset (23 février), Emile Blémont a prononcé un discours très applaudi : « ... Il mérite qu'on le nomme le
poète de l'amour et de la jeunesse, car ses vers ont
consacré ce qu'il y a de vraiment supérieur, de merveilleusement mystérieux, de presque surhumain et de
presque surnaturel dans la jeunesse et dans l'amour.
S'il fut souvent trop infidèle aux réalités d'ici-bas, c'est
qu'il resta trop fidèle à son idéal, c'est que son idéal
était trop beau pour lui permettre d'adorer paisible-
ment les imperfections de ce monde... »

Le 4 avril, au théâtre du Châtelet, dans un Grand
Concert au bénéfice des veuves et orphelins de la ca-
tastrophe de Courrières, Mlle Delvair, de la Comédie-
Française, a dit une poésie de Blémont : *Pour les Vic-*

times de Courrières (Imprimerie Robert, à Paris, avec couverture illustrée par Steinlen), où il sait, comme en ses précédentes pièces de circonstance, allier la pure forme descriptive et les sentiments généreux :

> Vers la silencieuse et plaintive maison
> Où ne reviendra plus, vivante providence,
> Le père, à tous les siens portant la subsistance,
> Que notre amitié vienne, ayant fait sa moisson !..
>
> Que l'homme, instruit enfin par tant de maux soufferts,
> Dompte mieux les fléaux dont ce monde est la proie !
> Subjuguons l'élément aveugle qui nous broie ;
> En pacificateurs conquérons l'univers.

Un nouveau recueil de poésies : *l'Ame étoilée* (Lemerre, avril 1906), vient d'être publié par Emile Blémont. Dans la première partie : AMOUR ET NATURE, il cueille de frais et tendres bouquets printaniers, note des harmonies douces, souriantes, une alerte *Symphonie buissonnière* et cette *Blancheur céleste* :

> Les fleurs des hauts tilleuls, par le vent caressées,
> Dans l'ombre, au clair de lune, embaumaient nos pensées.
> Nous ne nous parlions pas, nous regardions les cieux ;
> Mais nous nous comprenions plus tendrement et mieux ;
> Et nos âmes, dans l'air tout imprégné de sève,
> Ensemble se laissaient aller au même rêve,
> Au beau rêve d'amour éternel, d'amour pur,
> Qui semblait revêtir de blanc le monde obscur.

Puis il chante une jolie *Chanson fidèle :*

> . . . .
> Sur les vallons arides
> En vain souffle l'hiver ;
> Le cœur n'a pas de rides,
> L'amour est toujours vert.

POUR DES AMIS, c'est d'abord ce remarquable sonnet *A mademoiselle Camille B... :*

Ainsi nous te perdons, tu pars. Ah ! tu voudrais
Ne le jamais quitter, ce doux pays de France,
Patrie où parmi nous te berça l'espérance,
Où trop souvent, dis-tu, reviendront tes regrets.

Reçois tous nos baisers ! Bientôt, sous les agrès
Que la houle des mers dans le ciel nu balance,
Au loin, vers l'avenir obscur, avec vaillance,
S'en iront ton cœur tendre et tes chastes attraits.

Tristes sont les adieux ; mais tu pars jeune et belle.
Vois-tu, cousine, aux longs chagrins on est rebelle
Lorsqu'on a tes yeux clairs et l'âge des amours.

Oublie, aime, sois femme et mère ! O charmeresse.
Nous garderons en nous la fleur de ta jeunesse ;
Et ton regard d'enfant nous sourira toujours.

Viennent ensuite les *Souvenirs du Pays messin, Pour André Gill, Jules Tellier,* que nous connaissons. Des paysages tourangeaux, de Joseph de Nittis, incitent le poète à faire revivre les jours de sa jeunesse. Voici un groupe douloureux d'Alfred Lanson, un radieux paysage estival de J. van Driesten, un dessin japoniste de Félix Régamey. Nous connaissons *Ali, sonnets pour mon chat.* La station amicale s'achève par des vers à Louis Labat, par une rêverie rustique d'après Robert Burns, enfin par une excellente, une généreuse page à propos de la chasse, jeu lâche et féroce.

La troisième partie du recueil, EN MÉMOIRE D'UN ENFANT, est la reproduction du livre que Blémont fit éditer pour ses amis en 1899.

Jusqu'ici, nous avons eu des rappels de la poésie de sentiment qui anime plusieurs ouvrages de Blémont, depuis la grâce printanière dont il est passionné, jusqu'aux lamentations paternelles. Le ton va s'élever DEVANT L'INFINI :

> Ces vers sont faits d'amour,
> De douleur et d'extase ;
> Dans l'ombre où meurt le jour,
> Tout l'infini s'embrase.

Et d'abord s'offre cette *Adoration* :

> Mes yeux, mes sombres yeux sont pleins d'astres, ce soir ;
> Je respire un parfum de fleurs qui me pénètre ;
> Sous les calmes rayons où je me sens renaître,
> Un invisible ami vient près de moi s'asseoir.
>
> Que la nature est belle à qui sait la bien voir !
> Comme l'air frais qui souffle est doux sous le grand hêtre,
> Et comme, du ciel même, à travers tout mon être
> Court le frisson léger du caressant espoir !
>
> De ce monde, pourtant, que dois-je attendre encore ?
> Quel avril désormais peut dans mon âme éclore
> Et fondre sur mon front les neiges de l'hiver ?
>
> Mais j'ai l'extase au cœur, je contemple, j'adore ;
> Et dans l'ombre où déjà fuit tout ce qui m'est cher,
> Il semble que je vais chanter comme à l'aurore.

Le poète évoque ses joies d'artiste, ses heures d'amour, ses rêves ; il lui reste, de ce passé, le noble souci des *Bonnes Œuvres* :

> Il faut toujours donner sans espoir de retour,
> Et dans le fond du cœur n'aimer que pour l'amour.

Nous retrouvons les mélancolies de la *Saison à Houl-*

gate. Parmi d'autres pièces dans le même ton grave et recueilli, cette désespérante et si vraie page, *le Péril :*

> Et nos meilleurs côtés sont les plus vulnérables !

Le Refuge est un retour de l'âme à la résignation :

> Puisque tu peux mourir, puisque la délivrance,
> Quand tu souffres le plus, est toujours dans ta main,
> O faible chair humaine, ô pauvre cœur humain,
> Frère, ne te plains pas de ta longue souffrance.
>
> Même si nul ami ne vient te secourir,
> Même si tu n'as plus ta femme ni ta mère,
> O vaine ombre qu'anime une flamme éphémère,
> Attends sans blasphémer, puisque tu dois mourir.
>
> Le morne et froid vieillard, qui de tout se défie,
> Dans sa jeunesse ardente eut au moins un beau jour.
> Soumets ton âme au sort : il t'a donné l'amour !
> Puisque tu vas mourir, ne maudis pas la vie.

L'ascension du poète *Vers le Vrai*, le seul vrai immortel, est achevée :

> L'invincible Espérance
> Ne saurait nous mentir, quand ses divins accords
> Nous disent l'union des âmes et des corps
> Dans un rayonnement d'apothéose immense ;
> Et l'univers n'est pas un acte de démence.

La douleur ?

> C'est la révélatrice austère de la vie.
> Le monde entier l'explique et tout la justifie.
> Sans la nuit, saurait-on le pur éclat du jour ?
> Saurait-on, sans la mort, tout ce que peut l'amour !
> Et celui qui jamais sur une fleur flétrie
> N'a pleuré dans l'exil, connaît-il la patrie ?

La vérité suprême ?

> Tout pâlit auprès d'elle ; et les firmaments d'or,
> Remplissant l'infini de leurs soleils sans nombre,
> Ne sont qu'aveuglement, stérilité, nuit sombre,
> Dès que rayonne en nous le tout-puissant flambeau...

Après cette belle et vigoureuse page, flottent des rêveries sur la grève, au bord du lac...

> Je vous respire et vous devine,
> O vous que l'on ne comprend pas,
> Ame universelle et divine !

Lisez cette belle et pure *Communion* :

> Le jour décroît dans les limpides profondeurs.
> L'air moins lourd, imprégné de plus fraîches senteurs,
> Mêle au bruit clair de l'eau sous les branches mouillées
> La musique berceuse et vague des feuillées.
> Par les murs du village et les champs d'alentour,
> Les rumeurs du travail s'apaisent tour à tour.
> L'angélique frisson des cloches, sur l'église,
> Tinte dans la douceur du soir qu'il divinise ;
> Et déjà l'on peut voir, à ce fervent appel,
> Une étoile argentine éclore au sein du ciel.
> Le soleil s'est couché. La dernière hirondelle,
> Pour revenir au nid, donne un dernier coup d'aile.
> Du rideau d'or qui tombe, un monde enchanté sort ;
> La nuit calme s'emplit d'astres, comme la mort.
> Le Rêve, ange flottant sur le souffle qui passe,
> Nous apporte le lys qui fleurit dans l'espace :
> L'infini tout entier s'ouvre et scintille, pur.
> Tout est mystérieux, mais rien ne semble obscur ;
> Tout se tait, mais au fond du silence ruisselle
> Une exquise harmonie, intime, universelle,
> Qu'on ne peut percevoir qu'avec l'âme et le cœur.
> Ce n'est pas une voix unique, c'est le chœur

Des innombrables voix de la nature immense ;
C'est un chant fait d'espoir, de candeur, de clémence,
Accord suprême, élan d'invincible retour,
Où bat le rythme saint de l'éternel Amour.

En face de la nature toujours nouvelle, une sérénité
renaît dans l'âme, l'élève, la transfigure ; c'est *la Fin
du jour* :

Ce qu'en l'âme j'avais d'obscur et de petit,
Ce qu'à mon horizon j'amassais de nuages,
S'est fondu : l'égoïsme aux grondements sauvages,
La vanité, la haine et l'ardent appétit.

Mon rêve, en son essor que rien n'appesantit,
Monte. Le soleil rouge emporte les orages.
Le firmament surgit, au-dessus des outrages ;
La terre diminue et le ciel s'agrandit.

Oh ! fuir vers ces clartés que nul œil ne dénombre !
L'argile où j'ai vécu va bientôt choir dans l'ombre ;
Que la paix l'enveloppe, et l'éternel oubli !

Mais puissent les accords où mon haut espoir vibre,
Où respire un cœur pur, d'amour loyal empli,
Flotter parfois dans l'air sur l'humanité libre !

L'Inutile Poésie, ce fier sonnet signalé dans *la Saison à
Houlgate*, clôt le livre.

Une vie droite, dont les efforts quotidiens ont toujours tendu vers le beau, le bien et le vrai, épure
l'âme jusqu'à lui donner la douceur, la limpidité des
cieux constellés qui répandent sur nos solitudes,
comme une irradiation d'oubli, les bonheurs surnatu-
rels, les consolations divines. *L'Ame étoilée* n'a plus de
nuages, ses calmes profondeurs scintillent sur les
passions de l'homme et n'en sont plus troublées. Si

l'œuvre de sentiment se reflète encore en quelques
fraîches idylles, en quelques saluts à des amitiés
chères, en ce rappel surtout d'une inguérissable douleur paternelle, le poète, devant l'infini, ne s'attarde
plus aux signes de la terre ; il ne varie plus dans ses
élévations ; il voit, il sait.

Parmi les compositeurs qui ont mis en musique des
poésies de Blémont, je relève les noms de Claudius
Blanc (*Mélodies orientales*, tirées des *Poèmes de Chine*),
Léopold Dauphin (plusieurs recueils de mélodies), Paul
Puget, Gabriel Dupont, Gustave Ferraris, Ernest Boc-
quet, Guarini, Gustave Charpentier, Martin Lazare,
Antonin Marmontel, H. Bemberg, Silvio Lazzari, André
Messager... Cette floraison de musiciens autour de
cette œuvre poétique suffirait à démontrer combien
Blémont possède l'âme, l'esprit, la voix et le rythme
de la muse populaire.

Emile Blémont a encore à publier, en poésie :
*Douce France ; la Chanson bleue ; les Poèmes d'Edgar
Poe*, interprétés en vers français ; *Anthologie des Poèmes
français sur' thèmes populaires*, avec Paul Sébillot ; —
en prose : *Artistes et Penseurs*, où sont évoquées les
grandes figures des deux derniers siècles ; *Histoire de
Victor Hugo ; Contes de la Saint-Jean*, nouvelles et légendes dont la moitié a paru en divers périodiques ;
Mémoires d'un poète ; — au théâtre : *Libres Cœurs*, drame
légendaire en cinq actes en vers, avec Daniel de Venancourt ; *la Belle Aude*, drame héroïque en cinq actes
en vers ; *les Canonniers de Paris*, drame révolutionnaire
en cinq actes en prose ; *le Chevalier d'amour*, drame
lyrique en trois actes en vers avec Daniel de Venancourt ;

Rome libre, opéra en cinq actes, avec Raoul Gineste pour les paroles et P.-V. de la Nux pour la musique.

Je rappelle que, dans son théâtre publié, diverses pièces n'ont pas encore été représentées : *Roger de Naples, Mariage pour rire, la Couronne de Roses, Molière en bonne fortune, Au Bât d'argent,* et *la Petite Rosange.*

L'Idée

Dans une de ses études sur les poètes anglais et
américains du xixᵉ siècle, Emile Blémont remarquait :
« Apprécier l'œuvre d'un poète est chose essentiellement délicate ; sur quelles balances peser l'inspiration ? où trouver le diapason du bon goût ? comment
doser la sincérité, le sentiment, l'émotion ? » Voilà qui
était excellent à livrer, une fois, aux méditations des
gens qui écrivent sur la poésie sans autre faculté que
celle, pour ainsi dire mécanique, des systèmes or-
donnés et transmis par les professeurs de lettres. S'ils
veulent démontrer que telle fleur est une rose, ils
comptent et mesurent ses pétales, son calice, décrivent
sa forme, sa couleur, analysent son parfum ; or, la
meilleure appréciation, en pareil cas, est celle d'une
femme qui, sans aucune science, sait choisir, parmi
des fleurs, les roses, et parmi ces roses, la plus belle
ou la mieux odorante.

J'ai dit pourquoi les études de Blémont étaient nécessaires ; je les ai même déclarées urgentes, au sujet
d'écrivains étrangers, parce qu'en France nous nous
isolons trop volontiers dans notre littérature et qu'il
était temps, vraiment, de connaître mieux les idées et
les œuvres étrangères du xixᵉ siècle. J'espère donc une

communauté de sentiments, lorsque, poussant plus loin que lui son opinion déjà sévère, je demande à la plupart des chroniqueurs du livre et des arts : — Même une critique qui sait apprécier un poète, peser son inspiration, trouver le diapason du bon goût, doser la sincérité, le sentiment, l'émotion, à quoi cela sert-il ? Une seule chose, de cet habile labeur, reste véritablement bonne : ce sont les citations produites. Que nous importe la rhétorique entassée autour ? La critique, faite sans autre objet que de discourir sur un écrivain, peut intéresser des confrères ; mais le public, qui déjà vient si lentement aux sources, aux ouvrages des poètes, s'attache fort peu aux commentaires de ces ouvrages ; d'autre part, ce procédé, qui prétend propager les auteurs, les gêne au contraire, puisqu'il accumule d'inutiles publications entre ce public déjà surmené de lectures et ces auteurs généralement étouffés sous leurs analystes. Des études semblables sont donc vaines toujours, et souvent préjudiciables. Pour ce motif, bien des critiques du xixᵉ siècle ne se lisent plus, et les seuls qui subsistent sont ceux qui purent, dans leurs descriptions ou leurs explications de livres, en faire ressortir des enseignements publics, ou des arguments pour des idées communes à proposer ou à défendre.

Si vous étudiez un auteur, si vous en racontez la vie, rarement séparable de l'œuvre, et si vous donnez, par des commentaires et un choix de citations, l'essence de cette œuvre, que ce soit toujours pour un autre dessein qu'un simple compte-rendu, celui-ci fût-il un superbe morceau de prose. Marchez vers un résultat :

lutte d'opinions, campagne d'idées, principes nouveaux
à définir et à répandre. Si vous avez vu juste, et que
par surcroît vous ayez bien exprimé votre vision,
vous pourrez passer à la postérité autant que votre
auteur, car votre travail est de ceux dont la postérité profitera. Autrement, vous avez perdu votre
temps.

C'est pour une lutte d'opinions que Blémont a en-
trepris de nous parler de certains écrivains français :
son choix le prouve. Et c'est pour des principes nouveaux à définir et à répandre qu'il s'est donné la peine,
après la Guerre et la Commune, de nous présenter des
écrivains étrangers.

- Pour moi, dans mes études, si je n'avais en vue que
de louanger ou blâmer des littérateurs, la superfluité
de cette tâche m'en détournerait vite ; les citations que
je fais, seule qualité d'une telle sorte de critique, ne
suffiraient pas à me convaincre. Mais on a vu, dans
mes examens précédents, que j'ai un but : celui de
contribuer à la formation logique et harmonieuse
d'une nouvelle époque littéraire, en dégageant, de certains écrivains du xix⁰ siècle ou d'aujourd'hui, ce qui
me semble déterminer l'orientation et constituer l'in-
tellectualité de cette nouvelle époque désormais ouverte. Aussi, pour Emile Blémont, si je ne voulais que
discourir sur ses écrits, je vous dirais : Lisez-les ! —
et mon étude serait finie en ces deux mots ; ce serait
même la meilleure des critiques de ce genre, étant la
plus courte. Or, il existe chez lui deux qualités impor-
tantes qui m'ont décidé et qui doivent susciter l'attention publique : il fut un des précurseurs des lettres

actuelles, et de plus son action est de celles qui relient deux siècles littéraires.

La forme, dans sa poésie, offre toujours cette façon personnelle d'être et de paraître qui constitue un des caractères du vrai poète et permet de le reconnaître, souvent même en l'absence de sa signature. Mais dans les *Contes et Féerie*, elle avait largement emprunté aux mouvements passionnés et à l'allure pittoresque du Romantisme ; l'art et son culte, exclusifs chez les Parnassiens, sont prédominants dans les *Poèmes d'Italie ;* le goût des paysages ondoyants, des couleurs lumineuses, des nuances, de la musique, qu'affectionnèrent des écoles plus récentes, se reconnaît dans les *Portraits sans modèles* et les *Poèmes de Chine ;* le lyrisme simple et pur, se laissant aller jusqu'à la chanson naïve, s'affirme aux *Pommiers en fleur ;* la gaîté française, l'esprit de la race, sont restaurés ou maintenus par *la Belle Aventure.* Parallèlement, le langage épique républicain, au lendemain de nos désastres et à côté de Victor Hugo, renaît dans *Wattignies* et les autres poèmes révolutionnaires et patriotiques. Enfin la poétique, avec *En mémoire d'un Enfant, les Gueux d'Afrique* et *l'Ame étoilée,* atteint pleinement la seule expression humaine, — et c'est justement là notre forme, à nous qui acceptons toutes les bonnes indications des siècles antérieurs, mais qui nous sommes délivrés de toutes leurs influences particularistes.

Le fond, aussi, est toujours constitué par cette inspiration naturelle que les poètes apportent en naissant, et par cette orientation spéciale de l'âme qui individualise chaque poète. Mais l'imagination excessive et la passion surtout extérieure l'emportent dans *Contes et Féerie* ; la préférence du passé s'inscrit aux *Poëmes d'Italie*, où déjà cependant l'homme s'éveille devant la vie présente à redresser ; le sentiment lutte contre le souci d'art dans les *Portraits sans modèles* et les *Poëmes de Chine*, et parfois il le dompte ; avec *les Pommiers en fleur*, triomphent l'amour, la vie, la nature, et *la Belle Aventure* reconquiert l'âme française. En même temps, *Wattignies* et les autres poëmes de cet ordre retrouvent l'énergie de la Révolution et relèvent les caractères. Enfin la pensée, avec *En mémoire d'un Enfant*, *les Gueux d'Afrique* et *l'Ame étoilée*, reconnaît le but le plus haut de tous, la vision idéale qui seule fait agir au nom de l'humanité, — et c'est justement là notre fond, à nous qui acceptons toutes les idées éternelles des siècles antérieurs, mais qui nous sommes délivrés de toutes leurs conceptions passagères.

La prose de Blémont présente la même ligne évolutive. Ses études étrangères, ses chroniques sont principalement une campagne romantique ; il y élargit et éclaire le domaine intellectuel du xixᵉ siècle. Ses études françaises, certaines pages aussi des études étrangères, l'*Esthétique de la Tradition* et *la Tradition poétique*, fouillent notre passé pour mieux deviner, pour mieux préparer notre avenir ; elles sont, par les conseils qu'elles renferment et les réflexions qu'elles suggèrent, un grand et sage effort de marche en avant. L'*Esthétique de la Tradition* encore, et *le Génie du Peuple*, rejoignent cet avenir ; le rappel du sentiment religieux, sans préoccupation d'anciens dogmes, et l'affirmation de l'idéal populaire, voilà de l'action qui ne sert plus l'ordre social antérieur : elle appartient tout entière au programme du xxe siècle.

D'autre part, l'œuvre d'Emile Blémont, dans ce qu'elle eut de romantique, n'apparaît pas seulement idéaliste. Le réalisme du xixe siècle lui donne incessamment une base solide. On le rencontre dans sa poésie, avec son sens du vrai, sa connaissance de la tradition, sa lucidité devant son temps. On le trouve dans sa prose, dans ses nouvelles et croquis pleins de réalité amenuisée, lumineuse, comme chez Alphonse Daudet; et dans sa critique où, à côté de l'âme qu'il dégage, il sait décrire avec exactitude les gestes spéciaux des types étudiés, et les influences, les circonstances qui aidèrent à les façonner. Il a donc appartenu au Romantisme tout entier, soit idéaliste, soit réaliste, avant de venir au xxe siècle.

Enfin, par son action, il s'est mis en parfait accord avec son œuvre. Actif parnassien et bon patriote, il publie *la Renaissance* ; ami d'Hugo et démocrate, il ranime l'épopée révolutionnaire; esprit de clairvoyance et de mesure, il fonde *la Tradition* ; il comprend la nécessité de fortifier la France ailleurs qu'au centre, et dirige *la Revue du Nord* ; dévoué aux arts et aux lettres, il relève des renommées, rend des hommages, provoque des commémorations et des monuments. Et maintenant le voici avec nous, faisant campagne à nos côtés, défendant un peuple héroïque contre une cohue de marchands avides, et combattant pour la nouvelle jeunesse, la nouvelle génération, le nouveau siècle.

N'est-il pas davantage qu'un précurseur, celui qui, et

non des moins actifs, des moins ardents, lutte à nos
côtés ? Or, la facture et l'aspect sommaires de cette
œuvre reconnus, voyons l'ensemble intellectuel où elle
eut ses origines et commença de grandir.

Le Romantisme — c'est-à-dire tout le xixᵉ siècle littéraire, y compris le Parnasse et le Naturalisme — fut
la littérature de la Bourgeoisie triomphante. Comme
elle, on le vit tantôt croyant ou athée, tantôt impéria-
liste, royaliste ou républicain ; avec elle, il remonta
vers des sources communes, en ce Moyen-Age où il retrouva l'esprit aventureux et discoureur gaulois mêlé
à l'âme épique et romanesque germaine, dans le décor
naïf et sublime de l'Eglise et dans l'ombre des châteaux
farouches de la Féodalité : il en tira son fonds de verve
puissante, et sa forme si pittoresque, échevelée et
broussailleuse chez les uns, gaillarde et matoise chez
d'autres, épique ou lyrique ou dramatique chez les
meilleurs. Il voulut tout voir, tout connaître, tout
écrire ; mais, lié à la fortune de la Bourgeoisie, il
commença de décliner avec elle, en plein triomphe,
dès 1848 : c'est vers ce temps qu'il toucha ses extrêmes
limites, d'un côté avec ceux de ses spiritualistes qui
tentèrent de restaurer l'idée religieuse, soit en renouant
la tradition chrétienne, soit en cherchant une formule
mieux appropriée à notre ère démocratique ; de l'autre,
avec ceux de ses matérialistes qui voulurent célébrer
l'avènement du peuple, les droits de la femme, l'ins-
tauration de la paix : trois choses en dehors de la littérature bourgeoise aussi bien que de sa politique.

Ces romantiques qui ont ainsi dépassé, quelquefois,
les limites spiritualiste et matérialiste de leur époque,

préludant au nouveau verbe en formation, nous appar-
tiennent en partie. Comme Diderot, Rousseau, Gilbert,
Mercier, Ducis, Bernardin de Saint-Pierre, Chénier,
Sénancourt, Fontanes, Chênedollé, Lemercier,
Mᵐᵉ Cottin présagèrent l'esprit littéraire du xixᵉ siècle,
dont ils furent l'aube et l'aurore ; de même, parmi les
écrivains romantiques, Lamennais, Edgar Quinet, Laprade, Pierre Dupont, Barbey d'Aurevilly, Léon Cladel,
Edmond Thiaudière, Louis-Xavier de Ricard, Maurice Bouchor, Edmond Haraucourt, et avec eux
Emile Blémont, firent prévoir la littérature du
xxᵉ siècle et parfois en écrivirent de beaux chapitres
préliminaires, jaillis de leur âme avide d'inconnu et de
progrès. Ils distinguèrent l'avenir, le préparèrent, n'étant
qu'à moitié de leur temps, qui, en échange, les récusa
à moitié. Une part d'eux-mêmes vécut vingt, quarante,
soixante ans plus tard. Certains de leurs travaux font
partie du domaine intellectuel désormais circonscrit
dans le passé, tandis que le reste, incompris et souvent
dédaigné par leurs contemporains, attend sur le seuil
du domaine futur, qui s'ouvre maintenant pour l'accueillir.

Emile Blémont apparaît avec une autre mission
encore. On vit, d'ailleurs, plusieurs cas analogues entre
les xviiiᵉ et xixᵉ siècles ; et il en existe entre toutes les
grandes époques littéraires. Celles-ci, nous venons de
le rappeler, ne s'affirment jamais spontanément ; elles
sont amenées ou favorisées par des précurseurs ; or,
ces derniers, quand ils parviennent jusqu'aux fondateurs, se mêlent à eux franchement. C'est ainsi qu'entre
deux périodes de littérature, plusieurs écrivains, pré-

curseurs devenus fondateurs, sont des traits-d'union nécessaires, des esprits transmetteurs, dont le rôle est souvent difficile et toujours remarquable. Un nom et une œuvre personnifient généralement ces moments de transition.

Ainsi Clément Marot, que ses origines, sa première éducation, rattachent si bien au Moyen-Age, à cette poésie savoureuse des enfances sur laquelle il répand sa logique, sa clarté et sa fermeté, tressaille à des souffles nouveaux d'art et de réforme, lit et traduit des latins, se mêle aux premiers mouvements de ce charme, de cette grâce savante qu'est là Renaissance. — Ainsi Malherbe vient, qui, de la Pléiade expirante où il a débuté continuant Ronsard, se dresse, avec sa critique rude, sa maîtrise, son bon sens, au seuil du Siècle de Louis XIV, et organise le choix des idées et des termes, l'ampleur et la correction du vers français, que Boileau n'aura qu'à parfaire. — Ainsi Fontenelle, neveu de Corneille, subtil, sérieux, écrivant d'abord dans le goût du grand siècle, révèle un esprit nouveau, prélude aux idées philosophiques en attaquant l'ignorance, éclaire de sa raison les habitués du salon de Mᵐᵉ de Lambert, qui ouvre le Dix-Huitième Siècle, et règne jusqu'à l'apparition de Voltaire. — Ainsi Fontanes, poète élégant et frivole comme le premier milieu fréquenté, d'où il entrevoit Voltaire, proteste contre les excès de la Convention, se réfugie à Londres, y retrouve Chateaubriand, le conseille, l'encourage, aide au réveil religieux, fournit l'idée, le plan du *Génie du Christianisme*, qu'ensuite il propage ; parallèlement, il devine Bonaparte et soutient Napoléon ; il console l'auteur des *Martyrs*, après leur

insuccès, par des vers d'ami fidèle, et lui garde sa confiance clairvoyante, son affection salutaire.

Emile Blémont, venu du Romantisme, a fait mieux
que de fréquentes excursions hors du xixe siècle, à la
rencontre des idées nouvelles. Son œuvre et son action
rejoignent le peuple à l'heure où brille le soleil levant
de la pensée française renaissante, comme Fontanes et
ses amis, voici cent ans, saluèrent le soleil levant du
Romantisme que fondaient Chateaubriand et Mme de
Staël. Son action et son œuvre se mêlent fraternelle-
ment aux nôtres, dans la satisfaction pure et vaillante
de reconnaître enfin cette vivante synthèse, née tout
ensemble de la vieille tradition et de la jeune révolution, de la foi et de la raison, — dans la joie de toucher
la main à ses instaurateurs et d'en être. Ce but atteint,
ce bonheur intime et profond d'un poète, d'un penseur, d'entrer dans la Terre promise, lui était bien dû,
à lui qui, orienté vers l'avenir, n'obtint d'abord qu'une
gloire partielle, et non cette pleine renommée conquise
par des camarades travaillant exclusivement pour leur
temps, lequel se reconnut en eux et les acclama.

Je sais l'arbitraire des comparaisons et des classifications. Nul plus que moi, en principe, n'y est rebelle.
Toutefois il n'existe pas de moyen plus clair ni plus
sûr d'exprimer le sens et le caractère des affinités intellectuelles. Les écrivains de transition dont je viens
de parler annoncent si logiquement le rôle d'un Emile
Blémont, qu'il fallait y penser, et le dire ; mais si j'ai
bien exposé, antérieurement, l'essentiel de son œuvre,
et si l'on consent à me suivre en mes dernières conclusions, on reconnaîtra qu'il nous apporte autre chose

de plus imprévu, de plus ample et d'une portée plus considérable.

Et cela tient d'abord à son tempérament tout à la fois personnel et altruiste, traditionnel et indépendant. Jeune, nous l'avons vu respecter, quoi qu'il en souffrît, l'autorité paternelle qui lui inspirait une tendre déférence ; mais plus tard, dans *les Gueux d'Afrique*, il a poussé contre l'Angleterre le plus véhément cri de révolte que nous ayons entendu depuis *les Châtiments*. Ami de Victor Hugo, il lui a maintenu, aussi bien après la mort que pendant la vie du Maître, une fidélité exemplaire ; mais ni son milieu originel, ni l'influence même de Hugo, ne l'ont empêché de s'engager résolument dans le chemin de sa conscience, dès qu'il eut reconnu le danger des solutions factices et hypocrites. Poète, il a exprimé son harmonie intime ; critique, il a été ordonné, comparateur et précis, sous sa verve française, comme dans une science positive. Est-il double ? Non ! avec son âme essentiellement rythmique, avec son équilibre actif, sa pondération organique et progressive, il est simple et complet comme un accord juste. C'est un « juste-milieu » ; et voilà encore pour expliquer sa renommée restée modeste jusqu'ici. Les esprits extrêmes, à qui manque une moitié d'eux-mêmes, la remplacent par des gestes énormes et des vacarmes éclatants. Les « juste-milieu » ne triomphent que par l'appoint des circonstances. Quand il est nécessaire qu'ils deviennent les dominateurs de leur époque, ils sont par exemple, en politique, Périclès, Auguste, Léon X, Louis XIV, et en littérature, Ronsard, Boileau, Voltaire, Hugo.

Nature ouverte et lucide, esprit délié comme une
balance de précision, aimant le beau de droite comme
celui de gauche, admettant des opinions diverses ce
qu'elles ont de sincère et de raisonnable, préférant
l'art de France mais goûtant l'art étranger, Emile
Blémont possède les facultés de centralisation conci-
liante qui, justement, étaient indispensables pour rassembler les principes, les éléments du passé destinés à former l'indestructible base de l'œuvre nouvelle : œuvre française par son génie, européenne
par son influence directe, universelle par son but
suprême.

Notez qu'un tempérament impartial, ouvert à
toutes les belles œuvres et soucieux de toute la justice,
n'y aurait pas suffi. Une tâche si grande et si haute ne
peut tenter qu'une âme bonne. Blémont, choisissant
presque toujours, comme sujet, la bonté humaine, la
fidélité féminine, de préférence aux drames de l'égoïsme
et de la trahison, rend meilleurs les bons, et suggère
aux mauvais je ne sais quelle timidité honteuse qui
les rend, sinon plus sages, du moins plus hésitants à
mal agir. L'essence de son tempérament n'est-elle pas
une flamme de sympathie humaine, une ardeur de
progrès, d'élévation, un rayonnement de chaude et généreuse lumière ? C'est par cette bonté, qui n'exclut,
en lui, ni la clairvoyance, ni la fermeté, ni l'énergie,
qu'il a pu, d'abord, maintenir tant de relations amicales
en un temps peu enclin à l'amitié ; ensuite, accueillir
bienveillamment plusieurs venues de jeunesse, dont il
admettait les hardiesses à cause des espérances qu'elles
recouvraient ; enfin, faire jaillir de son esprit l'idée

bienfaisante qui est aussi la nôtre, synthèse de foi et
de raison où l'âme reprend tous ses droits, où l'humanité rapprend tous ses devoirs.

Toute l'œuvre de Blémont fit pressentir cet avènement. Ses idées partielles poussées en si grand nombre
sur le terrain de sa pensée tantôt souriante, tantôt vigoureuse, offrirent de plus en plus cette évidente ascension vers les plus hauts sommets du beau. C'est
pour ce motif que l'artiste amoureux d'harmonie, en
contradiction avec les excès du matérialisme de son
temps, s'écriait dans l'*Esthétique de la Tradition* : « Les
postériorités sont exaltées, même par les poètes, qui
les couronnent de fleurs et d'étoiles ; et c'est ce carnaval brutal et funèbre comme un faune en habit de
croque-mort, qu'on appelle bravement le modernisme. » Et il y opposait l'œuvre naïve de la foule et
celle consciente de l'artiste : « L'art a pour fonction
de compléter le travail de l'imagination populaire,
ébauche souvent sublime, où manquent presque toujours l'harmonie totale et la lumière supérieure. » Puis
il menait cette conception éclairée à ses résultats les
plus lointains, en donnant cette explication qui pourrait être celle de toutes les sociétés humaines : « En
somme, toute création de l'esprit humain doit, pour se
parfaire, parcourir trois stades : d'abord, conception
quasi-spontanée d'un idéal dans l'imagination populaire, c'est-à-dire tradition et inconscience ; puis, organisation raisonnée de cet idéal dans l'œuvre de génie,
c'est-à dire conscience et art ; enfin, incarnation de cet
idéal dans la réalité, c'est-à-dire progrès social. »

Pourquoi, seule, une élite distingua-t-elle les ex-

cellents apports de cette œuvre ? Comment l'époque
n'en aperçut-elle pas l'idée générale, avec les biens
qu'elle pouvait en tirer ? Sans doute, la part d'avenir
que recélait l'œuvre, s'opposait à la reconnaissance de
son temps qui, comme tous les temps, n'aima que les
modes du jour, les propositions tout de suite réali-
sables et les proies quotidiennes. La nature discrète
de l'auteur y contribua aussi. Mais je vois un autre
obstacle dans la quantité même de l'œuvre d'Emile
Blémont : elle est trop vaste et trop complexe, pour
que la puissance et l'harmonie en soient facilement
accessibles au public simpliste et distrait. Il faut du
loisir et quelque réflexion pour en saisir nettement la
signification générale, l'idée maîtresse.

Cette idée, qui détermine la mission de Blémont,
pourrais-je la caractériser mieux qu'il ne l'a fait lui-
même, lorsqu'il écrivait, dans les *Beautés étrangères* :
« La poésie est la fleur de la pensée humaine : elle porte
à la fois en elle l'espérance et la beauté ; elle est un
charme et une promesse. Elle séduit l'artiste par la
forme et l'éclat, attire la foule par la pénétrante douceur de son parfum, et s'impose à l'attention du penseur parce qu'elle contient l'inconnu, parce qu'elle est
le symbole et le germe de l'avenir. Il est donc du plus
haut intérêt, même au point de vue le plus étroitement
positif, d'observer les phénomènes de la vie poétique
des peuples. Le poète a été fort justement nommé par
l'antiquité *vates*, c'est-à-dire devin, prophète. Ses splen-
dides créations, qui d'abord ne paraissent à l'homme
pratique que les songes d'un cœur surexcité ou d'un
cerveau morbide, sont la plupart du temps l'hallucina-

tion fatale et exacte, le mirage antérieur et normal de
la vérité qui va luire. » — Et à quoi bon montrer les
évolutions de ce poète marchant, d'œuvre en œuvre et
d'action en action, au sublime, quand lui encore, dans
le même livre, déclare : « Tous les poètes commencent
par chanter. Leur jeunesse est surtout éprise de musique. La forme les préoccupe, d'abord, plus que le
fond. C'est seulement quand ils sont dans la force de
l'âge qu'ils apprennent à aimer la vérité austère. Puis
vient la maturité où, sollicités par les problèmes de la
destinée humaine, ils cherchent les raisons des choses,
et tâchent d'arracher le mot de l'énigme à la mystérieuse nature, au sphinx éternellement impénétrable. »
   Qu'il s'agisse de ligne harmonieuse et de fine mélodie,
ou d'arracher au sphinx le mot de l'énigme, tout, dans
Blémont, forme et fond, part de cette source unique : le
culte de la beauté. Son idée générale, comme ses idées
partielles, et si variées, viennent de l'instinct du beau
et vont à son affirmation, soit par l'écriture, soit par
une propagande incessante de véritable mission-
naire du Rythme. Et le beau entraîne avec lui le vrai et
le bien. Blémont ne le conçoit pas autrement. Un gra-
phologue, dans ses manuscrits et sa signature, aperce-
vrait tout d'abord son goût du discernement et de la
mesure. Simplement, modestement, il maintint la tradition, ligne centrale souvent ignorée, parfois dédaignée,
mais si évidente, si droite, si inflexible au fond, qu'elle
nous rejoint à l'heure fatidique où sortent de leur long
travail préparatoire les lettres du xxᵉ siècle.
   Et quel droit lui confère ce rôle prépondérant ? dira
notre temps ennemi de toutes supériorités, sauf de

celles qui s'imposent par l'intrigue et le cynisme. —
Le droit de suprématie que l'idéal a sur le réel, la vérité sur le mensonge, la lumière sur les ténèbres.
Poète, alors que la plupart des poètes versaient dans
l'ignoble, il est venu à la nature ; prosateur, il est allé
en ses études aux sincères ; penseur, soit en vers, soit
en prose, il a marché vers ces deux puissances éternellement liées : la Foi, initiatrice de toute poésie et de
toute science ; le Peuple, unique base de toutes fon-
dations intellectuelles, morales et sociales. Il est donc,
et quelle que soit sa taille personnelle, avec les plus
grands des hommes : il est resté fidèle aux directions
supérieures, uni aux chefs naturels, qui seuls devraient
tout diriger. Et cela ne vaut-il pas mieux que d'avoir
perdu son temps à discuter des formes ? pas mieux surtout que de s'être prêté aux illusoires fantaisies et aux
grossières matérialités de l'époque ?

J'ai dit que ce précurseur est aujourd'hui avec nous,
parce que, des castes exclusives qui représentent
maintenant le passé, il est venu au Peuple, en qui est
désormais l'avenir. Mais c'est lui-même, c'est son
Esthétique de la Tradition, qui va vous le répéter, à son
point de vue d'écrivain atteignant d'un seul coup le
fond des choses : « En esthétique, sinon ailleurs, le
peuple est, et reste, l'initiateur suprême. » Si le
poète vient à lui, c'est qu'en lui il a découvert un merveilleux trésor, non sans le vérifier par cette expérimentation serrée : « Le peuple, étant la classe où
s'unissent le mieux le sentiment inconscient, l'instinct
affectif, et ce désintéressement qui donne au beau son
caractère d'universalité, possède au plus haut degré

la faculté esthétique. » Là il a vu, aussi, la source profonde et limpide où toujours il faut revenir, où perpé-
tuellement les plus sublimes créations de l'humanité
ont puisé leur sève féconde : « C'est dans le cœur du
peuple que doivent se retremper sans cesse la poésie
et l'art, pour rester verts et florissants... Les livres qui
ont ouvert l'infini à l'humanité, créé le ciel, supprimé la
mort, tous ces livres, Bibles et Evangiles, sont fortement
marqués du caractère populaire et traditionniste. »
Et aujourd'hui confirme autrefois : « Du xviii° siècle
jusqu'à nos jours, le sens esthétique du peuple n'a
cessé de travailler et de produire. » Si vous en doutez :
« Ecoutez le poète rustique ou faubourien... Le moindre
mot, la moindre note de son chant, il y met son âme...
On y sent la vie, on y trouve l'idéal. » Désormais, le
peuple aura même un rôle qu'il n'eut jamais dans le
passé, car, en prenant la Bastille, « il a gagné le droit
d'avoir une âme. » (*Prise de la Bastille*). Blémont élargit la portée de sa vision jusqu'à l'universalité : « Notre
siècle est le siècle des peuples, déclare-t-il encore
dans l'*Esthétique*. Quoiqu'on puisse dire ou faire, à tort
ou à raison, son génie est démocratique. Partout
Jacques Bonhomme, ouvrant l'ère de la solidarité universelle, est le protagoniste du drame contemporain. »
Et il conclut : « La multitude prenant conscience d'elle-
même, tel est le résumé de l'Histoire actuelle. »

Lisez l'*Esthétique de la Tradition*, jeunes gens qui
voulez écrire; et quand vous l'aurez lue, vous saurez si
vous devez vraiment écrire ; et quand vous écrirez, ce
que vous devez dire. Il a répondu, d'avance, à ceux
d'entre vous qui croient trouver l'inspiration dans les

manuels littéraires et les commentaires des professeurs : « Tant qu'un idéal neuf n'a pas fermenté dans
les profondeurs obscures des foules, il n'y a pas de
renouveau possible dans la pensée humaine. »

Et ce n'est pas pour un seul plaisir d'artiste, ni par
une seule clairvoyance de traditionniste, qu'il se
penche vers les sources populaires du beau, celui
qui a terminé ainsi ses *Beautés étrangères* : « En ce
moment du monde, il faut combattre et non pleurer ;
il faut chercher la route de l'avenir, et non se cloîtrer
dans les ruines ; il faut acclamer l'aurore qui se lève,
et non gémir vers les étoiles. Des nations entières
crient : justice et vérité ! Sortons des ténèbres enfin.
De la lumière, après les longs aveuglements ! De la lumière, de la beauté, de la force généreuse, avec la
toute-puissance de l'amour ! ».

J'ai dit encore que Blémont est entré tout droit dans la
littérature du xxᵉ siècle, en appelant de tous ses vœux,
lui, né et grandi parmi les incrédulités de son temps,
l'avénement d'une foi nouvelle. « Le sentiment du divin
distingue hautement l'être humain de tous les autres
êtres, écrit-il (*Esthétique de la Tradition*). La foi aspire
à la lumière, à l'amour, à la plus haute expression de
la vie. En toute société, l'institution religieuse résume,
manifeste et consacre les efforts faits par la civilisation
pour conquérir la nature. Supprimer le sens religieux,
ce serait mutiler et dégrader l'être humain sans compensation suffisante. »

Et quelle superbe explication, donnée par un poète,
de la nécessité des hautes croyances : « Ils s'abusent
d'une étrange façon, ceux qui croient rendre la vie

avec plus d'intensité en supprimant tous ses aspects
supérieurs. La vérité expressive, pleine et entière,
n'est pas dans l'inconscience brutale, dans l'accident
banal, hideux ou honteux. Elle réside dans la beauté
vive, dans l'active harmonie, dans la manifestation
substantielle et radieuse du rythme suprême, qui bat
au cœur de toute créature et qui est la loi du monde. »

C'est le poète aussi qui, fidèle à cet idéal supérieur
dont il se sent émané, déclare : « Les âmes tendres, les
belles âmes, restent religieuses, parce que la religion
seule leur offre encore la poésie dans toute sa gloire. »
Il redresse une erreur de nos temps : « L'esprit religieux n'est pas incompatible avec la raison ; leur union
serait toute puissante. » Et il annonce : « La religion de
l'avenir sera la splendeur du vrai sous une forme populaire, la plus pure et la plus puissante doctrine re-
vêtue d'une substance qui la rende palpable aux
foules. » — Elle est née, cette religion nouvelle, puisque
dans ses *Beautés étrangères*, il l'indique telle qu'elle
lui est apparue : « Ce n'est plus le mysticisme catho-
lique qui entonne aujourd'hui le *sursum corda*. La
chevalerie est morte ; l'âme du monde n'est plus che-
valeresque. Un autre idéal s'est levé en notre ciel...
Une aube solennelle, mouillée de pleurs, triste, douloureuse, infiniment mélancolique, palpite à l'orient ;
plus tard ce jour naissant baignera les peuples de joie
et de lumière. C'est vers cette clarté nouvelle que doit
désormais se tourner tout poète ayant l'instinct de la
grandeur et l'ambition de vivre dans la mémoire des
hommes. »

Nous ne dirions pas autre chose, sinon que l'aube

fut l'œuvre de nos précurseurs, écrivains et foules, et
que maintenant c'est le soleil de la foi nouvelle qui se
lève à l'horizon. Le poète en eut la vision prophétique,
dès sa jeunesse, lors de son séjour en Suisse, vision
fixée dans cette belle page du même livre :

« Il nous est advenu, tandis que nous restions dans
un isolement paisible et studieux, de vivre tour à tour
deux existences : l'une, grave et régulière, qui s'écou-
lait modestement à la clarté propice des derniers
jours d'automne ; l'autre, fantastique et merveilleuse,
qui nous ressaisissait chaque soir, et ne nous quittait
qu'au matin. Aussitôt assoupi, nous reprenions exactement notre rêve au point où nous l'avions laissé la
veille. Nous ne savions plus de quel côté était la réalité,
de quel côté la chimère ; et certes, si la plus réelle des
deux existences avait dû être la plus féconde en sensations, la plus intense, la plus nette et la plus active,
la vie diurne eût été le songe, la vie nocturne la
vérité. Le sommeil n'était plus pour nous qu'un ves-
tibule obscur menant à un palais fabuleux, où nous
retrouvions fidèlement des amitiés surhumaines, des
amours extatiques. Alors seulement notre âme allégée,
libre et toute puissante, s'éveillait et donnait carrière
à toutes ses aspirations. Le corps était engourdi, les
sens paralysés. Pourtant, nous y voyions plus clair,
notre ouïe était plus délicate, nos autres sensations
étaient plus fines. En cette masse inerte, gisant sur
un pauvre lit, s'allumait un soleil intérieur plus
brillant que le vrai soleil, et s'animait tout un monde
nouveau, plus vaste, plus beau, plus vivant que l'univers matériel. Singulier phénomène, et qui prouve

combien cet univers matériel est peu de chose ! Une
simple émanation de l'âme peut le remplacer avanta-
geusement ! Cela dura près d'un mois. Puis nous chan-
geâmes de résidence, le charme fut rompu, et il ne
nous resta qu'un grand accablement, un grand regret. »

Qu'à ce regret succède la joie de reconnaître, non plus
dans la nuée des songes, mais en plein commencement
d'édification réelle, le palais splendide de cette vision !
La foi nouvelle, élaborée lentement au fond des
peuples, est désormais entre les âmes de ceux qui
doivent lui donner la sanction de la parole et de l'écriture ; la période des préparations est terminée, celle
de l'œuvre est ouverte. Et déjà, nous l'avons vu, Blémont a travaillé directement à cette œuvre, qui doit
embrasser toutes les idées et toutes les actions humaines. Il y a travaillé avec *En mémoire d'un Enfant,*
ce livre tout nouveau par sa foi supérieure, par sa
foi victorieuse de la plus grande douleur. Nouveau ?
dira-t-on ; la douleur, son expression sincère et les
croyances qu'elle inspire, c'est éternel ! — Justement :
être éternel, c'est encore le seul moyen qu'on ait trouvé
d'être nouveau. Voyez l'Ecclésiaste. — Il y a contribué
par ses *Gueux d'Afrique,* ce cri de justice universelle.
Et en bien des pages vibrantes de sa poésie, de sa
prose, il a fait mieux que prédire, il a choisi la voie
droite et lumineuse où nous marchons désormais.

Pour sa venue à la religion nouvelle qui comprend autant de raison que de foi, autant de science
que de poésie, — et pour sa certitude que le peuple, base
perpétuelle des sublimes croyances, aujourd'hui comme
autrefois recèle le principe de l'idéal renaissant, je

l'ai annoncé porteur d'un élément intellectuel imprévu,
Que transmettaient d'un siècle à l'autre ses devan-
ciers ? Beaucoup de préoccupations sur la forme littéraire, et quelques propositions aventureuses. La
forme, ah ! ce n'est plus ce qui nous tourmente ; pourquoi nous y attarder encore ? Nous usons de toutes
les formes qui sont bonnes, et n'aurons là-dessus de
querelle avec personne. La meilleure forme est celle
qui rassemble, sous une marque originale, les qualités
des autres ; et là encore Blémont ouvrit la voie. Et
comme le domaine des idées neuves, religieuses et
populaires, est incomparablement plus beau et plus
vaste que les domaines gothiques ou classiques de la
France passée, son action aussi possède ce triple
caractère d'être plus ample, plus imprévue et plus
considérable que celle des initiateurs littéraires aux
derniers siècles.

L'œuvre du xxᵉ siècle, avons-nous dit, sera tout à la
fois française, européenne et mondiale. Or, voyez : le
romantique Emile Blémont, par l'idée révolutionnaire
qui anime bon nombre de ses poèmes et études, s'est
reporté au Dix-Huitième Siècle ; par son théâtre, par
le don de pureté de langue allant jusqu'à la perfection,
il a retrouvé le Siècle de Louis XIV ; la grâce, le charme
de maintes pages idylliques et rustiques le relient à la
Renaissance ; et il a fouillé le Moyen-Age par ses
excursions dans les fabliaux, chansons et mystères
C'est justement cela qu'il fallait, toute la Tradition
française étant nécessaire à notre œuvre, qui doit être
le résultat suprême de cette Tradition et sa consécra-
cration décisive. — Il a, d'autre part, recueilli la pensée

et le sens des « beautés étrangères ». N'était-ce pas indispensable, puisque notre idéal va se déployer sur toute la vieille Europe ? — Il a propagé des écrivains d'Amérique, défendu un peuple d'Afrique, révélé poétiquement l'âme de la Chine. Quoi de plus naturel que ces tentatives, pour nous qui savons que, sans Christophe Colomb, l'Europe eût péri étouffée dans ses étroites limites ; pour nous que la nouvelle Foi destine à devenir universels ?

Avoir été l'abeille de ce miel cueilli parmi nos âges les plus divers, et parmi les pays les plus différents, c'est en notre poète le signe d'une mission digne de l'œuvre profondément humaine du xxe siècle, pour laquelle il travaillait, à laquelle il coopère.

14 août-25 septembre 1905.

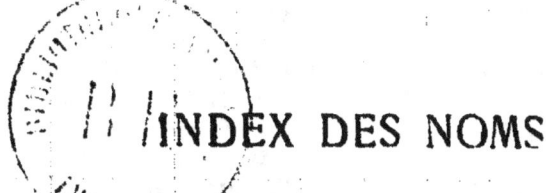

INDEX DES NOMS

TABLE

Saint-Amand (Cher). — Imp. Eu. Pivoreau et Fils

LITTÉRATEURS & ARTISTES

—•◦•—

ERNEST RAYNAUD, avec un portrait de Raynaud
par Schütz-Robert, et une préface................. 1 f. 50
PAUL GOURMAND, avec un portrait........... 2 f 50

EN PRÉPARATION :

LAMENNAIS
EDGAR QUINET
LAPRADE
PIERRE DUPONT
BARBEY D'AUREVILLY
LÉON CLADEL
EDMOND THIAUDIÈRE
LOUIS-XAVIER DE RICARD
MAURICE BOUCHOR
EDMOND HARAUCOURT
LÉON RIOTOR
MADELEINE LÉPINE
JEAN BACH-SISLEY